民国大师文库

（第三辑）

黄忏华西洋哲学史纲（上）

黄忏华◎著

北京联合出版公司
Beijing United Publishing Co.,Ltd.

目 录

目 录

目 录

目录

目 录

第二编　中世哲学

目录

第三编　近世哲学

目录

目 录

目录

目录

目录

目录

目录

目录

目录

目录

目 录

目 录

目录

目录

弁　言

　　西洋哲学底殿堂，自从在古希腊底米利都市奠基之后，截到现代，绵历两三千年之久；而他底领域，亘欧美两洲。其间思潮底变迁，学说底分岐，极波谲云诡之致。而哲学史底任务，便是把各时代底哲学的学说思想，系统的叙述。所以对于哲学概论，空间的横罗列哲学诸说，批判介绍他；是抽象的、静的、体系的。哲学史，时间的纵叙述哲学诸说，是具体的、动的、进步的，而且是艺术的剧的。因而哲学史底要素，是（一）哲学诸说底年代的叙述，（二）哲学者底传记，（三）哲学诸说底发展的说明，（四）哲学诸说底心理的说明，（五）哲学诸说底批判。

　　这样看起来，哲学史底述作，是何等艰巨的事？然而编者底编纂本书，却不是想来担荷这个艰巨的工作。只是为便于初学起见，就各时代底主要的哲学思潮，作提纲挈领的介绍，所谓大辂椎轮。不过是哲学史底入门而已。至于像文德尔班等人，完成哲学史底大业，那只有留待贤者。再者哲学书往往以晦涩为世所诟病。然而这个晦涩底原因，哲学本身底不易了解，要居其大半。所以本书努力用反复的叙述，多面的解释，来帮助读者底理解；这是编者底一种尝试，要附带声明的。至于错误挂漏之处，还希望海内底贤达，加以指教！

绪　　论

一　哲学以前

世界哲学底发达，有两大潮流。一大潮流，起于东洋，像古代中国、埃及，尤其是印度，各有宏富精髓的哲学思想。一大潮流，发源于西洋古代底希腊。希腊，是西洋古代文化底最灿烂的。他底学术思想，不但在当时旺盛，实在是所有西洋思想底渊源。两千年间西洋思想所含有底一切问题同解释，几乎都胚胎在他里面。单就哲学说，除掉希腊，就没有真正的哲学。所以希腊哲学史，就是西洋古代底哲学史。希腊哲学底起源，也和一般古代民族一样，开始于单纯的神话，次第建设复杂巧妙的学说。在哲学发生以前，早就有种种的神话，同天地开辟说等类；为民间所传说，又为诗人所讴歌。希腊底群神，原来是把自然力人化又神化的。希腊人，在各种现象尤其是和他们底安宁休戚有关系底现象背后，建立统御他底神体，把现象解释做他底作为。神话当中，已经有哲学思想底萌芽。而进一步去把群神底起源，神和世界底关系，加以组织的说明的；是公元前八百年时候底诗人希西阿（Hesiod）。他把诗人底诗的想象，加在民间所流传底神话和传说上，把他综合组织起来，于是作出所谓《神统记》（*Theogong*）。依他底《神统记》，世界底太初，有混沌（Chaos），就是空漠无际限的空间。从混沌，产生地（Caia）和爱（Eros）（造作万物又把他结合底爱——生产力）。更从混沌，产生黑暗和夜。这两种合起来，产生光和昼。地产生海，和天联合，产生河，渐次产生万物、群神。此外有斐勒赛第兹（Pherecydes）底《神统记》，是更进步更有组织的。这些说法，虽然有种种的异同，总之不外乎把群神和万物杂糅，或者比拟男女底婚媾而生子，或者比拟从一本源化生万物，想象群神和万物生起底由来，去把民间底传说，综合组织。

虽然，他们说明事物底起源，不是科学的、论理的。不过完全是依诗人底诗的、神秘的想象，把通俗的神话和民间的传说，组织的描写出来。

跟随人类理性底发达，更用论理的知识，替代诗的想象；舍弃超自然的说明，而依据自然的说明；就是用理性底合理的说明，和经验的事实；做解释世界同人生底根柢。于是哲学发生。

像这样，希腊哲学，在公元前六百年光景，发呱呱之声。希腊人，居住在希腊半岛。那个希腊半岛地方，气候温和，风光明媚，适于产生强壮活泼的人种。而且三面临海，港湾非常之多。因而交通和贸易，极其发达；并且有许多的人民，移居到对岸各岛。于是他们底殖民地，遍布地中海底沿岸。当时希腊底本土，还在未开化底状态。在小亚细亚海岸殖民底爱奥尼亚（Ionian）种族，早已和各国通商。他底船舶，往来地中海，掌握海上底霸权。所有欧亚非三洲商业贸易上底实权，都在他们手上。因此，人民逐渐富裕。结果，日常生活之外，还有反省思维底闲暇。又因为交通和贸易底缘故，和风俗、习惯、制度不同底东洋先进国接触，因而吸收那些先进国底文化，再加上自己底创见，开拓一种丰富的新文化。这种新文化，先起在殖民地，然后才扩张到本部。

跟随他们像这样朝着文化走，把智力和意志鼓舞起来，去纵观人生和世界，叫批评反省底精神加快，沿人类思想和行动底全线，不同的进展。因而人文底美华，逐渐开放。于是政治、宗教、道德、文学、哲学，急激的进步发达。

二　西洋哲学底时代的区分

西洋哲学史，便宜上，可以把他大别做四期。就是上古、中世、近世、现代。所谓上古，包含从公元前六百年，到公元五百二十九年。所谓中世，指从公元八百十年，到一千三百四十九年。所谓近世，该当从十五世纪，到十九世纪末年。所谓现代，是二十世纪。而上古哲学，以希腊哲学为主。中世哲学，以罗马哲学为主。近世哲学，是拿英、法、德、奥、意、荷做中心底欧洲哲学。现代哲学，是欧美全体底哲学。

古代哲学，可以大别做两期，更分做五个时代。

第一期——纯希腊哲学期　从公元前六百年，到（前）三百二十二年。——从泰利士，到亚理斯多德。

第二期——希腊罗马哲学期　从公元前三百二十二年，到公元五百二十九年。——从亚理斯多德，到新柏拉图学派。

纯希腊哲学期，可以区分做三个时代。

一　创始时代——宇宙论期　从公元前六世纪底初年起，大约一百五十年间。

创始时代底哲学者，以从事客观世界底解释为主。他们底目的，在说明宇宙底原理。就是从关于自然底考察出发，拿自然底本质、自然底生成，做主要问题。所以也叫作宇宙论期。这个时期底哲学，是纯客观本位的哲学。

二　启蒙时代——人事论期　从公元前五世纪半起，大约五六十年间。

从纯客观的倾向，转到主观的考察。就是哲学者底研究心，从外自然，转而向内，求人生问题底解释。所以也叫作人事论期。这个时期底重要的代表者，是叫作哲人学派底哲学者同苏格拉底。这个时期底哲学，是批评的、实用的、躬行的、人本的。

三　组织时代　从公元前四世纪底初年起，大约五六十年间。

承偏重自然底创始时代，同偏重人事底启蒙时代之后；把前两个时代关于宇宙人生底两种哲学的考察，融合完成，建立伟大的哲学组织。这个时期底重要的代表者，是德谟颉利图、柏拉图、亚理斯多德。这个时期，是希腊哲学全盛底时期。

创始时代，又可以细分做五个学派。

一　米利都学派　泰利士　亚诺芝曼德　亚诺芝曼尼

二　赫拉颉利图斯

三　埃理亚学派　芝诺芬尼　巴门尼底斯　芝诺

四　调停者　恩拍多克利　亚拿萨哥拉

五　毕达哥拉斯学派

希腊罗马哲学期，可以区分作两个时代。

四　伦理时代

这个时期，是以道德论乃至人生观为主底时代。理论上底兴味衰颓，以研究实际道德为主。想由修德，获得个人各自安心立命之地。这个时期底重要的代表者，是斯多亚学派，伊壁鸠鲁学派同怀疑学派。

五　宗教时代

这个时期，是把宗教哲学又解脱观，看作哲学底时代。希腊哲学，逐渐带宗教的倾向。觉得个人底自力，到底不能够解决所谓安心立命底问题。不得不依赖超人的存在者。这个时期底重要的代表者，是裴伦同新柏拉图学派。

中世哲学，可以大别做两期。

第一期——教父哲学期从基督哲学底原始，到九世纪。

第二期——学林哲学期从九世纪，到十五世纪。

教父哲学期，更分做前后两期。

一　尼西亚会议以前底教父哲学

尼西亚会议以前底教父哲学，可以区别做三派。就是唯知派、护教派、正教派。这个时期底哲学，有两种倾向。就是辩护的和组织的。护教派，属于前一种。唯知派同正教派，属于后一种。

二　尼西亚会议以后底教父哲学

基督教会底信仰，拿所谓神由基督救人类底事实做中心。就是神、基督同人类，是教会信仰底三大要素。所谓尼西亚会议，是为解决这些教义上底问题所开底会议。而这些问题，可以依他底对象，叫作神性论的，基督论的同人性论的。第一个问题，由三位一体说决定。第二个问题，由神人说决定。第三个问题，由原罪同神恩说决定。而解决第三个问题的，是奥古斯丁。

学林哲学，更分做三期。

一　创立时代　从九世纪，到十二世纪。

二　全盛时代　十三世纪。

三　衰颓时代　十四、十五世纪。

在中世纪，所有的学艺文物，都被保存被培养在教会所属底学林当中。学问，差不多都是教会底僧侣所专有。因而所谓学问，都拿教会做中心；就是教理底学习同研究。学林，是为养成传教师所设。所以把这些聚集在学林，学习、研究教理底学者；叫作学林学者。把他们底研究，总称作学林哲学。他们底主要的特征，是证明教会信仰和认识底一致，天启和自然智底调和。更精密说，就是用希腊哲学做武器，去辩护、证明教父所组织底教会教理，就是教父哲学。

中世纪，是宗教就是基督教占优势底时代。哲学，停止自由的思索，专门从事说明基督教底教理。所以中世底哲学，被称呼作"神学之婢"（ancilla theologia）。就是哲学完全成为宗教底奴隶，差不多丧失他底存在。这种状态，绵亘中世纪全体。

近世哲学，可以大别做三期。

第一期——过渡时代　十三、十四、十五世纪。

第二期——康德以前　十六、十七、十八世纪。

第三期——康德以后　十九世纪。

到十五十六世纪，所谓文艺复兴底时期来。哲学也跟随着从长期底惰眠觉醒，开近世哲学底黎明。

近世哲学，是哲学和科学分离，同时认识论成为哲学底一分野；因而哲学底全体系告成底时代。然而因为文艺复兴底基调，是主智的、科学的；所以发近代哲学底第一声的，就是主智的、科学的哲学。而他底根据地，是英国。然而在大陆，尤其是法国；这个主智的、科学的倾向，进一步，组织合理的、论理的哲学。像这样，经验派和唯理派，互相对峙，各自成遂独得的发达。进到十八世纪底一半，由康德发见某程度底调和统一。然而康德虽然说是这两大流派底调和的统一者，却是倾向唯理派比较多。此后，从十八世纪半，到十九世纪前半；和唯理派相并，一方面，主情派就是浪漫主义，很占优势。另一方面，主意派也显示相当的声威。然而到十九世纪底后半，变成所谓现实主义又实证主义底时代。西洋哲学界，局面完全一变，他底威权，差不多坠地，举世发科学万能底呼声。

现代哲学，便宜上。可以把他大别做三大流派。

一——认识论派　新康德学派　实用主义派

二——形而上学派　直观派　精神生活派

三——折衷派　德奥学派　新实在论派　根本经验派

现代哲学，是康德哲学，就是批判哲学，又认识论本位底哲学，复活；同时占最优势底时代。在二十世纪底初头，西洋底学界，热烈的呐喊哲学复兴。而他底先声，是"复归于康德"底呐喊。从此以后，康德哲学，拿德国做中心，从各方面从新研究，不久所谓新康德学派成立。这个流派，逐刻增加他底威势，到最近，构成西洋哲学界底主潮。但是所谓新康德派，也有许多的种类。就中最占优势而且最有价值的。是所谓西南派和北派。所谓西南派，是拿文德尔班和黎卡特做中心底一派。把哲学看作价值批判底学问，是论理的、批判的。然而比较起来，却是情意的多。因而拿现今所谓文化乃至价值，做研究底一对象。所谓北派，是拿柯亨、拿托尔伯等做中心底一派。把哲学看作纯粹思维底学问，所以他底研究法，也彻底用论理的、批判的方法。而且他底一大兴味，在拿确实的基础，赋与科学。但是西南派和北派，都把哲学看作认识论本位；又都把拿确实的论理的基础赋与科学，看作哲学底主要职能；而且都拿论理的、批判的方法，做他底方法。

像这样看底时候，现代哲学底主潮，是认识论本位底哲学，又理性主义底哲学。因而他底中心问题，不可不看作认识同价值。然而详细研究他，却未必就是这样。在德国、倭铿，姑且放着。像迈农、胡塞尔等，对于所谓存在，就怀抱多大的兴味，而且研究到很彻底的境地。连认识论派底文德尔班和柯亨等，对于所谓存在，也未尝不加以相当的注意。此外，像法国底柏格森，把他底努力，倾注在存在，就是宇宙实在底本质，就是所谓生命；而且拿他做中心，建设独得的实在论又形而上学。此外，意大利底克洛企，和俄国底二三哲学者等；也组织和所谓新康德派大异其趣底哲学。

更就英美哲学界底现状看，在英国，从罗素底哲学起，所谓新实在论，很占优势。美国，也有和罗素等底哲学相似底新实在论。而两种都搀加形而上学的兴味。又美国有拿詹姆士做创建者，拿杜威做绍继者底所谓实用主义；支配美国哲学界。这个实用主义哲学，进入英国，变做席勒尔底人本主义。而这个实用主义、人本主义，和所谓新康德派，差不多站在反对底立场。

但是除掉少数的例外，现代哲学底大半，在把哲学和科学底区别弄明白，而且把拿论理的基础赋予科学，看作哲学——至少也是认识论底主要职能；都一样。因而从这个地方看，现代可以说是哲学和科学底统一时代。

第一编 古代哲学

第一章 序 说

像在前面所说，西洋古代底哲学史，差不多完全可以说是希腊哲学史。在被多岛海之浪所洗底山水清佳风光明媚之地，开放底希腊哲学之花，永远照耀人类底思想史。在东方各国，哲学，常时和宗教结合。像印度民族，虽然呈示可惊的思索力，然而过于是神话的、宗教的。离开宗教的信仰，为爱智慧，用差不多近于纯粹思维底态度，看自然、看宇宙、看人生的；以希腊人为嚆矢。从公元前六世纪光景哲学思想勃兴，到新柏拉图学派，一千多年之间；虽然有许多的变迁，总之，自由讨究底精神，极其旺盛。他们学术的精神燃烧，他们建筑哲学的大殿堂，更在美术文艺及其他精神的文化，放绚烂的光彩。他们底努力，他们底业绩，实在令后世赞叹不止。

现在把希腊哲学底史的开展，像在前面所说，区划做（一）创始时代，（二）启蒙时代，（三）组织时代，（四）伦理时代，（五）宗教时代；叙述。

第二章　创始时代底哲学

第一节　总　说

创始时代底哲学，可以分做米利都学派、埃理亚学派、毕达哥拉斯学派、原子论者等。然而在拿自然做研究对象底地方，相通。就是创始时代底哲学，是自然论的，专门注意自然。他大都是物活论的，把自然看作有生命、有活力。他是本体论的，探究事物底本质。他大都是一元论的，企图用单一原理，说明现象。又他是独断论的，素朴的预想人心有解释世界问题底能力。这个时期底哲学，盛行于爱奥尼亚、南意大利、西西里（Sicily）等殖民地。

第二节　米利都学派底一元的物活论

一　泰利士

泰利士（Thales），于公元前六百四十年光景，生在小亚细亚底米利都（Miletos）市，死于（前）五百四十八年光景。他是希腊最初底哲学者，又是有名的政治家、数学家、天文学者；占所谓希腊七贤底首位。

泰利士是第一个正确的提出哲学底问题，而且不用超自然的、神秘的解释说明，去回答他的。就是他对于所谓宇宙底根本要素，就是世界底常恒的本质是什么底问题，纯粹用经验的事实回答。他说世界底根本原质，是水；一切万物，都从水发生；结局，又复归于水。虽然，万物如何从水发生，他没有详细说。他和所有初期希腊哲学者一样，把自然看作活的、动的、变化的。总之，他不在原质之外，另外设置动力；而以为水那个东西，本来有生命有活力。这种见解，叫作物活论（Hylozoism）。所谓物活论，又叫作万物有生论，就是以为物质那个东西，本来有生命有活力。像米利都学派底哲学，可以说是物活论底最初又最好的代表。

像在前面所说，希腊从古代就有天地开辟说，为民间所信奉，又为诗人所讴歌。然而总之不过是由空想编出底神话。到泰利士，对于宇宙底说明，思想虽然单纯，然而在杂乱无章、变化无极的自然界底背后，求出一种统一的根原来；对于哲学的思索，筚路蓝缕底功劳，实在不可磨灭。

二 亚诺芝曼德

亚诺芝曼德（Anaximandros），于公元前六百十一年光景，生在米利都，死于（前）五百四十七年光景。相传他是泰利士底弟子，长于天文学同地理学。他著有所谓《自然论》（*On Nature*），是希腊最初底哲学书，现在只残留他底断片。

亚诺芝曼德，继泰利士之后，从事哲学的研究。他说世界底根本原质，是无限（The unlimited）；万物从无限发生，结局，又复归于无限。无限是永恒普遍的实体，他不是从他物发生的，又不坏灭，无始无终存在，而不断的运动变化。一切万物，拥抱在混沌的无限当中，无差别，无存在。运动底结果，分化出热和今底对待者来。从这两种底混合，产生液体；更从液体，分出万物。万物像这样，从无限发生，又依必然的法则，复归于原来底无限，更分出万物。像这样，循环出入，没有穷尽。他底学说，虽然不完全，然而尽力说明宇宙生成底过程，比泰利士进步。

三　亚诺芝曼尼

亚诺芝曼尼（Anaximanes），也生在米利都，是亚诺芝曼德底弟子。生死底年月不详，相传生于公元前五百八十八年，死于（前）五百二十四年。

亚诺芝曼尼，把空气看作世界底根本原质。像空气同呼吸，是我们生命底根元一样；他又是宇宙底原质，抱拥全世界。这个空气，他自己有生命，展开在无限的空间。他由运动，惹起两种变化；一方面膨胀而稀薄，一方面收缩而浓厚。前一种是热，后一种是冷。热变成火，冷变成风，顺次转化成云、水、土、石。从这些单纯的物质，产生其他一切的事物。就是万物是空气变成稀薄或者变成浓厚底结果所生。他和亚诺芝曼德一样，说原质和万物底出入循环。他舍弃所谓无限，重行用具体的实体，来说明世界；好像是思想底退步。其实不然，思想发达底结果，已经不能够把水看作世界底根本原质，所以亚诺芝曼德用所谓无限底抽象的概念来解释。然而这一派元来置重经验的事实，对于像所谓无限底暧昧的概念，不能够满足。而空气这种东西，一方面像水一样，不离开经验的事实；一方面像无限一样，具备无限和运动两种性质。所以他把他看作世界底根本原质。

总之，米利都学派底世界观，是一元论，因而他当然和希腊本来底多神教的宗教冲突。最显著的表白这两种底冲突的，是芝诺芬尼。

第三节　埃理亚学派底泛神论同实体一元论

一　芝诺芬尼

芝诺芬尼（Xenophanes），是埃理亚学派底先驱者，于公元前五百七十年光景，生在小亚细亚底科罗封（Colophon），死于（前）四百八十年光景。他是哲学者、宗教家，又是诗人，漂泊他乡，以吟诵诗歌为生。晚年定居在南意大利底埃理亚（Elea）市，开所谓埃理亚学派底端绪。

芝诺芬尼，以为世界底根本原质，是神；然而他用预言者的态度，驳击当时神人同形底多神教（Polytheism），建立泛神的一神观。他说神是唯一而常住不变的实在，他底身体和精神，和合死的人类，全然不同。神住在一处，丝毫不动，看一切，听一切，思维一切；用他底思想，不断的支配一切。

芝诺芬尼底思想，是一神教（Monotheism）。然而他所谓神，不是在世界以外创造世界底唯一神。他以为世界和神，一体不二；世界就是神，神就是世界。换句话说，就是他所谓神，和万有同一。因而同时是万有神教（Pantheism）。在他，神是一，同时是全体；就是一而多（One and All）。世界和神相等底缘故，像神一样，永远无始无终。

二　巴门尼底斯

巴门尼底斯（Parmenides），生于公元前五百十五年，相传他是芝诺芬尼底弟子，然而他和毕达哥拉斯学派，却很有渊源。他是埃理亚底名家，在政治上，也有势力。后来讲学著书。希腊哲学第一期底各派当中最重要底一派就是埃理亚学派，开始于芝诺芬尼，到巴门尼底斯而完成。

芝诺芬尼，说世界是唯一而常住不变的实在。宗教的色彩，很为浓厚。巴门尼底斯，说世界底根本原质，是"有"（存在 Being）。他说只有"有"，没有"非有"（非存在 Non-being），又不能够思维。有不能够变成非有，而且不能够从非有生出来；所以有是无始无终永恒的存在，因而是没有过去没有未来底现在体。其次，有是不可分的连续。其次，有没有变化，又没有性质上底差别，是绝对的、自足的、唯一的，没有欲望和感情。总之，有是永恒、不变不动、不可分、连绵、绝对、唯一。又思维就是有。什么缘故呢？我们能够思维有，然而不能够思维非有缘故。所以有是物质的，同时是精神的。叫他做理性。依论理的思维，我们不能够不承认世界是唯一不二不变不动的存在。然而实际我们所看见底世界，和他正反对，驳杂多样，生起、消灭、变化。这个是我们底感官所生底误谬。

巴门尼底斯，像这样，从事形而上的思索，是所谓本体论者底开祖。虽然，他所谓有，不过是充满空间底质料，他想象他是从一个中心点均等的扩张到四围八方底圆满的球体，就是充实底意思。这个是因为他属于希腊哲学底创始时代，置重客观世界底缘故。

三 美利瑟斯

美利瑟斯（Melissus），于公元前四百五十年光景，生在萨摩斯（Samos）岛。这个哲学家，同时是政治家，而且是将军。

美利瑟斯，积极的证明巴门尼底斯底有论。虽然，他不像巴门尼底斯把有看作有限，而主张有是无限。因为有是一底缘故，不可不是无限。假如不是无限，就有以外不可以没有非有。非有存在，就非有不可不是实在。这个地方，可以说是接近亚诺芝曼德底学说。他又把一切的杂多和变化，归到感觉的知识底迷妄。

四 芝 诺

绍述巴门尼底斯，极力和反对论者论难攻击的，是芝诺（Zenon）。他也是埃理亚地方人，生于公元前四百九十年，死于（前）四百三十年。

芝诺底议论，现今流传的，有两种。一种是破杂多，一种是破运动。破杂多底理由，是：（一）假如有杂多，他就是无限小，同时又不可不是无限大。什么缘故呢？杂多是把单元集合起来的。单元不能够分割。不能够分割底东西，没有体积。没有体积底东西，就无论如何集合他许多，也不能够成功一个定量。所以杂多结局是由没有体积底单元集合而成，岂非所谓杂多是无限小么？和这个反对，假如杂多当中底单元，能够再把他分割做两个以上底部分。每一个部分，又能够加以分割。再分割又再分割，以至于无穷。把像这样无数的部分集合而成底杂多，岂非是无限大么？（二）杂多，在数目，也是自家撞着。什么缘故呢？可以说是有限，同时又可以说是无限底缘故。因何说是有限呢？他所包含底单元，定然是一个定数底缘故。因何说是无限呢？要想区分单元和单元，就不可以没有第三单元。要想区分第三单元和别的单元，又不可以没有第四单元。像这样永远没有际限底缘故。

破运动底理由，是：（一）一个物体，要想到达一定的距离，不可不先到达他底一半。要想到达他底一半，又不可不到达这个一半底一半。像这样没有际限底缘故。（二）一定的距离，能够把他分割做无限底缘故。（三）所谓运动，就各刹那考察他，不外乎静止底缘故。

芝诺所论述，依现在底眼光看，虽然免不了误谬。但是在那个时候，论锋底犀利，所向无敌。哲学史家，称他做辩证法底开祖。和埃理亚学派相前后而起的，是南意大利底毕达哥拉斯学派。

第四节　毕达哥拉斯同毕达哥拉斯学派底数理论

毕达哥拉斯学派底创立者毕达哥拉斯（Pythagoras），于公元前五百七八十年光景，生在萨摩斯岛，相传是亚诺芝曼德底弟子。他生平好游，曾经周游埃及同亚细亚底西部，在那里，接近东方底宗教，而且学会几何学。中年到意大利，在南意大利底希腊殖民地克洛托那（Crotona），组织一个伦理的宗教的政治的盟社，研究学理，奖励躬行。他底理想，是叫他底徒众，涵养政治的道德，为国家全体努力。当时信从他的，很为不少。这个盟社底人们，恰巧像一个家族，共同饮食，穿同样的衣服，又一样修学几何、天文、音乐、医术。这个就是所谓毕达哥拉斯学派，他后来被反对派所驱逐，移居麦塔蓬坦（Metapontum）。于公元前五百年，赍志以没。他当时底学说，早已失传。现在所谓毕达哥拉斯学派底哲学，多半是公元前第五世纪底后半绍述他底费罗劳（Philolaos）所说。

一　数理论

毕达哥拉斯学派，说数是世界底根本原质。就是数是事物底实体又根本。其他一切，都不过是数底一种表现。他们发见弦底长短和音底高低之间，有数的关系，把他普遍化，以为天体底调和，依数的秩序。就是宇宙所以有秩序有调和，由于他是依数理的关系排列的。换句话说，就是宇宙间底一切事物，是仿照数理的关系的。数，实在是关系底原因，是隐在现象界背后底基本原理又本源。数有奇数和偶数之别。奇数不能够分而为二，而偶数能够分而为二。所以奇数可以说是有限，偶数可以说是无限。所以奇数和偶数就是有限数和无限数，是一切事物底根本成分。然而当时底希腊人，以为有限的就是有形式的，比较无限的就是没有形式的，更为圆满。所以毕达哥拉斯学派，也以为奇数比较偶数，是更为良好之数。数理的关系，有十种根本反对底性质。就是（一）有限和无限，（二）奇数和偶数，（三）一和多，（四）右和左，（五）男性和女性，（六）静和动，（七）直和曲，（八）明和暗，（九）善和恶，（十）正方和矩形。像这样，数理的关系，有像这样根本反对底性质。然而有一种原理一贯他，就是多样底统一（Unity in Varieties）。所以宇宙间底一切事物，有秩序、有调和。

二　天文学

他们把他底数理论，应用在一切的现象。到天文学，他们有不朽的伟绩。依他们，宇宙作球形，他底中央，有中央火。中央火底周围，有透明的球十个，就是恒星，土、木、火、水、金五个游星，太阳，月亮同地球等。这些球，拿球形底天体做中心，和他一同回转。天球都发音而运行。他们底音相谐调，成为所谓天球底音曲。星底世界，虽然有秩序，恒常调和；然而月下底世界，是无秩序、变迁、不完全的领域。

毕达哥拉斯学派，成立他底根本思想之后，用数理去说明一切现象世界底事物，亦固其所。虽然，他们底应用数理论，极其杂乱，而且过于任意。所以往往拿种种的数，去说明同一的对象。至于拿同一的数，去说明种种的对象的；更多。他底最整饬的部分，是把从一到十做为根本数，各数都各有他底特征，就中这十个数，最圆满、最广大。

毕达哥拉斯学派底信仰，有轮回转生、因果报应。以为人们依他在现世底行为，定灵魂底未来运命。又以为世界上每一万年，回复到同一状态。又以为人性是不完全的，精神系缚在肉体当中，不能够自由。宗教道德，是叫人性一世一世的升进，到达自由常住的境域。行恶，就一世一世的沉沦，不得超升。他底德育，以宗教为大本，置重宗教上底仪式，常时奖励节制、勇气、顺从、信实等德性。

这一派底数理论，可以说是希腊古代数学同天文学盛大底结果。虽然牵强附会底地方，很多；然而超越时流底见解，也很为不少。像音乐上底发见同地动说，是他里面底重要的。他底学说，在哲学史上底影响，也不得谓之浅显。总之，毕达哥拉斯学派，在古代哲学底初期，确实放一种异彩。

把以上所叙述的综合起来看，一方面有米利都学派，拘泥经验的事实；一方面有埃理亚学派同毕达哥拉斯学派，大逞哲学的思辨。那边，陷在变化底一方；这边，陷在不变化底一方。都不免趋于极端。于是许多的学者，出而调和。像赫拉颉利图斯、恩拍多克利、亚拿萨哥拉等，都是。

第五节　赫拉颉利图斯底活动一元论

赫拉颉利图斯（Heraclitus）和巴门尼底斯同时，于公元前五百三十五年光景，生在伊弗所（Ephesus），死于（前）四百七十五年光景，是一个贵族底儿子。他底著作《自然论》，现在只残留他底断片的语句。学说既深奥，文辞又晦涩。他底意见，很难了解，所以有黑暗的哲学家之称。又因为他厌世嫉俗底缘故，有哭泣的哲学家之称。

赫拉颉利图斯，说世界底根本原质是火。他底根本思想，是宇宙万物，在不断的变化底状态。他说万物皆流。又说一切从一成，一从一切成，又说神是日，又是夜；是夏，又是冬；是战争，又是和平；是饱，又是饿。这个是因为米利都学派，知道存在，不知道实在；看见复杂，不看见唯一。埃理亚学派，知道实在，不知道存在；看见唯一，不看见复杂。一个说变化，而不说不变化。一个说不变化，而不说变化。所以产生出赫拉颉利图斯底转化论来。转化，是调和实在和存在，合一唯一和复杂，镕合不变化和变化的。虽然，转化是形式，一定不可以没有质料。赫拉颉利图斯，以为是火。他说一切事物底变做火，火底变做一切事物；犹如货物底变做金钱，金钱底变做货物。这样的火，叫他做永恒的活火，又叫作神火。他所以把火看作世界底根本原质，是因为火没有一定的形式，因而变化极其容易底缘故，又他所说底火，包含焰、温、水蒸气、呼吸等类。万物是火底变形。一方面火浓厚，变成水，水更变成土。一方面土稀薄，变成水，水更变成火。前一种，叫他做向下道。后一种，叫他做向上道。世界从神火发生，经过一定的时期，再复归于神火。像这样，按照一定的期限，反复同一的过程，周而复始。人们底灵魂，是神火底一部，叫他做心火。心火干燥，就活泼聪明，而成为贤者。心火湿润，就冥顽不灵，而成为愚人。因为心火也时常变化不止，飞散到外面去底缘故；不可不由感官同呼吸，从空气当中补足他。

宇宙万物，不断的生成变化；恰巧像河水，流来流去，片刻也不静止。他底创造，是破坏。他底破坏，是创造。全世界没有常住的存在，只有永远的生成之流。生成，是向反对的方面转化。就像热变成寒，干变成湿，生变成死。而这个相反的性质，不但是继续生起，并且在同一瞬间，也一同存在。像这样，万物都变化。而所谓变化，就是变成反对的性质底缘故；一切事物底状态，是两种互相反对的状态正要分离之间底过程，而且等分具有互相反对的两种状态。所以万事万物，都是两种相反者底合一。就是万事万物，都可以看作互相反对、互相争斗的两种力量底相持，也可以看作将生和将灭底境界。像这样，世界只由反对发生。例如音乐底调子，从高音和低音底结合就是反对底合一发生。因而什么东西，也不固定在某一定的状态。才以为变成某种状态，即刻又移到别种状态。新状态毕竟是和旧状态战争而获胜的，所以生成是一种战争底结果，战争是一切底父，是一切底王。

虽然，千态万状的变化，毕竟是一种世界的活力底发现，都被一种普遍原理所支配。所以所有的争斗，毕竟归于和解。一切的反对，结局复归于永恒的活火。从那里又重行开始生成底过程。宇宙生命，永远是创造和破坏底交代。从像这样的过程底全体看，就所有反对的状态，例如善和恶，生和死，觉和梦，幼和老；结局，都一样；分即合，缺即盈，矛盾即统一。

支配世界底法则规律，是罗哥士（Logos——理性）。一切的事物，不断的流转变化。虽然，变化之中，有不变。流转之中，有恒常。那是什么呢？就是生成变化底法则规律。这个法则规律，不是神所造，也不是人所造，遍通过去未来现在，永恒的活火，依这个法则规律明灭。这个法则规律，永恒不变，支配一切的运动、反对。这个法则规律，实在是世界底第一原理，是合理的。他把这个法则规律，叫作罗哥士，就是理性。什么缘故呢？认识这个法则规律的，是理性缘故。

他底伦理说，拿法则规律底概念做基础。万物由罗哥士底法则规律支配。人们底使命，在认识这个普遍的法则规律，而且服从他。蔑视法则规律底傲慢，是最大的不道德。然而普遍的法则规律，感官底知觉，不能够认识他。能够认识他的，唯独理性底思维。所以眼和耳是不良的证人。

第六节　恩拍多克利底元素论

恩拍多克利（Empedokles），是阿格立真坦（Agrigentum）地方底人，生于公元前四百九十年，死于（前）四百三十五年。他是个政治家，又是雄辩家、物理学者、医生、诗人，而且是预言者，是时人所尊敬底宗教家。

恩拍多克利，折衷米利都学派，埃理亚学派，同赫拉颉利图斯底学说；建立四元素、二力。所谓四元素，是地、水、火、风四种本源的物质。他还没有用所谓元素底术语，叫他做万物之根。所谓二力，是爱和憎两种变化底原动力。爱是结合底动力，憎是分离底动力。他否定绝对的生灭，以为没有生起，没有消灭，只有结合和分离；和巴门尼底斯相同。同时肯定变化，和赫拉颉利图斯相同。他以为地、水、火、风四元素，是宇宙底根本要素；宇宙由地、水、火、风四元素底分离和结合而成立。就是四元素虽然常住不变，但是能够由爱憎两种神秘的动力去结合或者分离。事物底生起，由于他底结合。事物底消灭，由于他底分离。而把他底一部分结合一部分分离，叫作事物底变化。这是因为地、水、火、风，性质上是不相同，分量上是可分割底缘故。每一物中，各有地、水、火、风四元素。此物底火，和彼物底火，因为同性而相亲，所以有数物化成一物。此物底水，却和他本身所有底火，因为异性而相拒，所以有一物底分崩离析。

他又说四元素，在一定的时期当中，由爱结合，又在一定的时期当中，由憎分离。宇宙，往来爱胜而各种元素完全混合底状态，和憎胜而各种元素完全分离底两极之间。翻来复去，没有终极。就是宇宙由爱憎两种动力底格斗，永远交互的调和和破坏。

人们底身体，也是四元素所构成。他能够知道围绕他底宇宙，就是因为他内里底元素，和外界相同，于是互相吸引。我们用地看地，用水看水，用空气看空气，用火看火，用爱看爱，用憎看憎。知识底所以可能，就由于同性相亲。

恩拍多克利，在他底宗教论，说人类底堕落，和灵魂底轮回。相信灵魂从天上降到地上底生物当中，转成人类、动物、植物等类。假如转生当中，舍弃他底罪业，就重生天上。

第七节　琉息帕斯同德谟颉利图底原子论

一　琉息帕斯

琉息帕斯（Leucippus），生死底年代不明白，大约和恩拍多克利、亚拿萨哥拉同时。生地也不明白，有说是米利都，有说是埃理亚。

琉息帕斯是原子论底创唱者。他比恩拍多克利和亚拿萨哥拉，更近于埃理亚学派。他不单排斥生起和消灭，而且把有和实，同非有和虚，看作同一。虽然，和埃理亚学派不同，肯定杂多同运动底实在性。他和亚拿萨哥拉同样，假定极微的原质，把他叫作原子（Atoma）。原子是充实空间底无数单子，恰巧像把埃理亚学派所谓有，碎做微尘，散在空间。然而不可分割，又没有性质上底差别，只有分量上底差别。这些是他和恩拍多克利、亚拿萨哥拉不同底地方。

关于原子底运动，他也和亚拿萨哥拉不同，不在物质之外，求运动底原因，而把运动看作物质那个东西底根本属性。其次，他承认空虚底存在，也和埃理亚学派不同。他以为光是充实，没有所谓空虚，就不会有运动。所以空虚也不可不和原子同样存在。

关于琉息帕斯底学说，能够确实知道的，仅仅是上面所说。完成原子论，建设一大学说的，是德谟颉利图。

二　德谟颉利图

德谟颉利图（Democritus），是琉息帕斯底继承者当中最伟大的学者。于公元前四百六十年光景，生在阿勃特拉（Abdera），死于（前）三百七十年光景。精通几何、论理、物理、博物、伦理等学，著述许多关于这些问题底书籍，传到现在的，不过断片。他以乐天著名，所以有嬉笑的哲学者之称，他家里很富，但是他生性好游，把家产卖掉，作旅费，到各处去求知识。他遍游了希腊、埃及和东方各地，回到阿勃特拉讲学。他底学说，很有受哲人学派影响底地方。所以哲学史家，把他摆在苏格拉底后面，和柏拉图并列。这里因为师承底关系，把他和琉息帕斯同叙。

琉息帕斯，虽然是原子论派底创唱者。然而集大成的，却是德谟颉利图。德谟颉利图，把一切的生成变化，看作原子底机械的、必然的进行。他和巴门尼底斯相同，否定绝对的生灭，然而肯定"有"底杂多，有运动，同集合体底生灭变化。但是没有非有，就不能够思维有，所以不置轻重于有非有之间。所谓有，是充满，就是充实空间底质料之谓。而非有是空虚之谓。充满是性质上平等，光是分量上有差别底根本成分所构成。这种根本成分，叫他做原子。原子是不变化的，虽然有外延，却不可分割，然而有大小形状同轻重底不同。空虚，就是空处。一切事物，是充满就是原子底集合同空虚所构成。因为原子是同一的质料所构成底缘故，所以他底轻重，不可不拿他底大小做比例。然而同一重量底物体，也有大小不同的，这是由于构成这个物体底各原子中间底空处，有大有小。一切事物底生起，由于分离底原子集合。他底消灭，由于集合底原子分离。而他底变化，由于构成他底原子转换位置。物体底互相影响，全然是机械的，不外乎压迫冲突。远隔的两种物体，互相影响；例如磁石和铁，光线和眼底感应；由于他底原子流出而互相接触。物体底一切性质，依构成他底原子底大小位置同秩序而定。由集合底时候，原子间所生空隙底差异；生密度底差别。又由原子移动底难易，生硬度底差别。形状、大小、重量、密度同硬度，是物质固有底性质，所以是真性。别的性质，例如色、味和温度等类，不过是主观底状态，所以是假性。

原子都本来有运动，永劫上下左右在无限的空间当中飞行。然而大的原子，比小的原子重，因而降下底速力也就大起来。所以大而且重的原子，他降下底时候，和小而且轻的原子，互相冲突；把他放掷到上方。于是惹起向上向下两样运动，结果，起旋回运动。而原子底集合体，就是世界。然而运动无始无终，原子和空间，又没有界限。因而世界绵亘过现未三时，其数无量。但是形体同状态，也千差万别。我们底世界，也是这些世界底一个，是在空气当中浮动底圆形的平面体。日月星辰，在他底周围回转。有机物，从泥土当中发生，而人类是有机物当中最高等的。人们底精神，是最密最圆最敏活的原子就是火所构成，布满全身，生起身体底运动。虽然，视听嗅味等特种精神的机能，在一定的机关，占他底位置。就是脑髓是思维底机关，心脏是忿怒，肝脏是欲望底机关。因为精神的原子，继续不断的由身体飞散到外面底缘故；不可不由呼吸，从空气当中补足他。而他完全飞散尽底时候，叫他做死。

所谓感觉，是从感官流出底精神的原子，和从他底对象流出底原子就是影像，互相接触所生。思维也是这样。就是感觉，由外物接触五官而起。然而外物和五官，被空间所隔离，外物如何被五官所感觉呢？这个是外物放射底原子就是影像，接触五官。由这种接触，摇动精神的原子，于是才生出感觉来。所以感觉完全是主观底一时的状态，不过提示事物底假性，断不能够传达事物底真相。事物底真相，由思维才能够认识。思维和感觉，都是精神的原子底作用。不过思维比感觉底原子，更为精细。像这样，他把精神现象，也用原子底机械的作用说明。所以他不只是原子论者，又实在是唯物论者。依他，神比我们有力。然而神也是从原子成立的，原子散逸，就也不能够免于死亡。比神伟大的，是支配天地底必然的法则。

他底伦理说，是幸福说。依他，感情欲求，同是火原子底运动。火原子底运动，有精粗之别。人生底真目的，是幸福。幸福也有真假之别。肉体底快乐，是火原子底粗笨的运动，不过是一时底假快乐。真幸福是火原子底微细的运动。就是心底静平。而像这样的心原子底静平，由守节度，妨避心底激动，才能够获得；而且由真知识才能够到达，所以知识是真幸福底唯一源泉。

原子论，在古代哲学史上，势力很微弱。但是近世底自然科学，尤其是物理学，受他底影响很大。所以原子论间接关系于近代思潮底地方，不在少处。

第八节　亚拿萨哥拉底二元论

亚拿萨哥拉，是小亚细亚克拉琐曼尼（Clazomenae）地方底人，生于公元前五百年，死于（前）四百二十八年光景。他生于富贵之家，而终身以学业为事。波斯战争后，移居雅典，至三十年之久。后来客死在兰普萨卡斯（Lampsacus）。他是有名的数学者、天文学者、哲学者。

起先哲学在米利都、埃理亚、南意大利等处，很兴旺；希腊本部，反而不振。自从他移居雅典，盛倡哲学，雅典于是变成希腊哲学底中心。

亚拿萨哥拉，像恩拍多克利、琉息帕斯一样，否定绝对的生灭变化，以为这个不过是物质底结合分离。但是惹起物质底结合和分离底运动，不能够看作机械的。恩拍多克利所说底爱憎二力，虽然猛一看，好像是精神的。然而不过是比配底话，毕竟不外乎结合分离二力。亚拿萨哥拉，反对像这样的物质底机械的结合分离，以为惹起物质底结合和分离底运动，不但是运动，而且实在是秩序井然的运动。又宇宙有一定的目的，他底构造，很完美。他底构造，被严密的数理的法则所支配。天体底运行，四时底循环、昼夜底交替等等，保持恒久的秩序。又像生物底构造同机能，极其精巧微妙。惹起像这样秩序井然的运动，并且有一定的目的底世界原理；断不会是机械的、物质的，一定是具备非常的智能底精神的实在。像这样的实在，叫他做理性（Nous）。所谓 Nous，是说不止是主观的作用又实体，而且有客观的旨趣，尤其是意匠论（目的论）的旨趣底理性；可以译做意匠。他所谓理性（到柏拉图才成为纯非物质的），不是非物质的存在，不过和别的物质，都是驳杂的复合物、混成物相反；是不和他物混在底单纯的，而且是一切事物当中最微妙、最精粹的。和别的物质没有生命，没有活动相反；他自身有生命，有活力；而且是万有底生命同运动底本原。和别的物质，是盲目的相反，是睿智的。理性有分割驳杂的物质底作用。物质元来欠缺睿智底时候，是混沌的团块。森罗万象，就是这种混沌的团块，被睿智分割所成。所以物质不是像琉息帕斯所说，从同性质底原素成立；完全在混合杂糅底状态。又不是像恩拍多克利所说，是四元素底混合物；是无数不生不灭不变的微分子结合所成。像这样的分子，叫他做种子（Spermata，Seeds）。各种子，各自具备他底固有的性质。所以黄金有黄金底种子，肉有肉底种子，骨有骨底种子。在世界底太初，一切种子，完全混沌的杂糅混合底时候；理性在像这样的混沌的团块底某一点，开始旋回运动，作一切运动底原动力。这种旋回运动，恰巧像涟漪在水面推扩，逐渐波及四方，把外围底部分卷进他底旋涡；其后完全依机械的进行，自然构成从理性所欲底有秩序的世界。理性先把种子分化做两种团块，一种是温暖、干燥、光明、稀薄，一种是寒冷、湿润、黑暗、浓厚。前一种，是精气。后一种，是空气，或者蒸发气，或者雾。旋回运动，没有终极；所以万物底分割，也没有停止。由旋回运动，精气飞散到周围，空气聚集在中央。空气生出土来，土又生出石头来。石头，离开地球，飞散在精气当中的，叫作星。

巴门尼底斯同恩拍多克利，说感官底知觉，由同性相吸引而生。亚拿萨哥拉，说由异性相激动而生。同性的不生激动，所以不生感觉。我们能够看见外物，是我们底瞳仁是黑的，而外物被光所照缘故。我们摸着冷物，必定觉得冷，是我们底手是热的缘故。像这样，我们底感觉，由反对物底相遇而生。所以无论什么感觉，无不多少带些苦痛。感觉强烈，苦痛也增加。

亚拿萨哥拉，是初期希腊哲学底殿军，他底学说，把以前底各种学说综合无余。

第三章　启蒙时代底哲学

第一节　总　说

从公元前五世纪底后半起，希腊哲学界底形势一变。开始于泰利士底宇宙论的研究，到原子论，到达他底归结。到这个时代，思想界极其疲乏，对于宇宙原理，提出新学说底意气；完全消沉。尤其是对于问题底解释，大抵已经都提出。因而产生把学理的研究底结果应用于实际底倾向。同时各学派底交涉频繁，生起把种种的原理学说融合底企图。于是折衷主义同专门的研究，占优势。当时希腊联邦。和波斯开战，大破波斯军，国威大振。国民的生活，陡然活泼。美术、文学，以及其他人文之花，一时灿然盛开，因而一般民众底究理心，进步向上。学术底研究，蔚然竞起。独立反省同批评底精神，到处洋溢。乘像这样的历史的事情同社会的倾向，起来从事哲学普及运动的，是哲人学派（Sophist）。当时政治上同商业上底势力，都集中雅典。所以哲学普及运动，也拿雅典做中心。起先希腊底文化，多半在殖民地发达。到这个时代，希腊文化底中心，是雅典。这个时代，人们把站立在公生活就是政治上底舞台，看作最荣誉，又拿他做目的。因此，关于政治、法律、经济、军事底知识，不消说；乃至文学、技艺、美术，尤其是政治上底生活所不可缺底修辞学、雄辩术、辩证法，有洞明练达底必要。哲人学派，就是应这种社会底要求，出而授与政治家必要底各种知识，教示立身处世之道底一派学者。他们自称 Sophist，就是智者或者哲人等类底意思。他们不设特别的学校，遍历希腊底市府，教授学艺，求报酬。和从来底希腊学者，为好奇心所驱，研究学理，大异其趣。哲人学派底目的，在实用，就是立身处世之道；所以注目于社会人事底研究。和从来研究底对象，以自然为主，相反；现在人事成为哲学考察底中心。而他们底主要的功绩，在认识论同伦理学。史家把这个时期，叫作启蒙时代，又开明时代，是希腊人文极盛底时代。

第二节　哲人学派底知识论及其他

自从泰利士从事哲学的考察以来，思想家辈出，互相驳击；结果于是（一）各种学说，都生出矛盾。（二）学者越走越到极端，和常识相冲突底地方，日见其多。因此，减少对于一般学术底信任。于是哲人学派出来，盛唱怀疑论。又像巴门尼底斯，说感官的认识底不足取。亚拿萨哥拉，把理性看作比物质高尚的原理。于是认识底研究发生。现在把哲人学派底代表者同他底学说，介绍一点。

一　勃洛大哥拉

勃洛大哥拉（Protagoras），是哲人学派底开祖，又是他底代表，生于公元前四百八十年，死于（前）四百十一年，和苏格拉底同时代。起初就德谟颉利图修学，后来周游希腊全国，以教授学艺为事，当时很有名声。他在雅典，讲学著论，否定神底存在。被逐，中途船沉，溺死。他是在希腊取谢仪教授学艺底第一个学者，又自称哲人，也以他为最初。有关于哲学、政治、数学等底著作，而且是文典底创始者。

勃洛大哥拉说真理底标准，是人，是各个人，人是万物底尺度。他底意思，以为各个人底意见不同，所以甲以为真理，而乙以为虚妄；乙以为现实，而甲以为非现实。譬如甲摸了觉得冷，而乙摸了觉得热。甲所感、所说，是真的、对的。乙所感、所说，也是真的、对的。没有客观界独立存在的真理，只有主观界各自所感底印象。换句话说，就是有主观的真理，没有客观的真理。有相对的真理，没有绝对的真理。他因为要建立这种学说底缘故，采取赫拉颉利图斯底万物皆流说，以为认识底外面的要素——就是客观的对象，和他底内面的要素——就是意识；都不断的变化。所以一切的知觉，光是在感觉底刹那，是真的。什么缘故呢？在次刹那，对象和感官都起变化缘故。知觉是认识底唯一源泉，所以认识（就是知识），因人而异，因时而异。因此，真理，是主观的，是相对的。

二 哥尔期亚

哥尔期亚（Gorgias），是哲人学派当中底重要人物，生于公元前四百八十三年，死于（前）三百七十六年光景。长于辩论、修辞之术，行径和勃洛大哥拉相同。关于自然哲学，他是恩拍多克利底弟子。

勃洛大哥拉，拿埃里亚学派芝诺底学说做基础，用他底辩证法，论述下面底三个命题。就是：（一）没有一个东西，可以真算是有，就是没有客观的存在的事物。（二）纵然有，我们也不能够认识他。（三）纵然有而且能够认识他，我们也不能够把他传达到别人。

一切的事物，必定是有，非有，或者兼备这两种。然而假如现在以为有客观的事物，他就是有，不会是非有。假如是有，就必定是派生的，或者是不派生的。然而假如是不派生的，就是无始的。无始的，那里会有，所以不会是不派生的。派生的，必定从有或者非有生。然而有变成别的东西底时候，他就不是有，所以不会是有。有又不会从非有生，所以不会是非有。既然不是有，又不是非有，所以又不能够兼备这两种。因此，宇宙间没有一种可以真算是有的。

思想和事物，完全是别物。假如不是别物，我们底思想，就应当一起都和实物符合，不应当有错误。所以纵然有客观的事物，也不能够认识他。

又纵然能够认识他，然而要把他传达到别人，不可不凭借言语等符号。符号和实物，是别物。又不能够保证别人所领会的，真能够和我所想传达的；符合。符号和他底实物互相差异，如何能够用言语传达颜色底观念呢？不是耳朵听见声音，不能够听见颜色吗？又如何两个人之间，能够有同一的观念呢？两个人不是互相差异么？所以纵然能够认识他，也不能够把他传达到别人。

三　喜庇亚

喜庇亚（Hippias），生于公元前四百年，比勃洛大哥拉稍后，行径也大致相同。历游各都府，教授数学、天文学、几何学、音乐等。

喜庇亚把哲人学派底学说，应用在实践的方面。他区别自然法和人为法，以为前一种是贯通众多的事物而不变的，不因岁时和方处而有差异。无论何人，都有遵守他底义务。后一种是变易的，就是风俗、习惯、制度等类，因时地而有差异，没有万古不动的价值，毕竟是依时人底便利而定的，他缺乏便利底时候，可以随意变易破坏他。

哲人学派，看破从来底学说，矛盾又矛盾，冲突又冲突；向主观的方面，勇往直前；惹起哲学思想底一大变更，当然有不可没的功劳，然而陷于极端的主观论，又不知道认识有客观的普遍的性质，结果于是流于极端的怀疑主义，以至于把一切的学术，都加以排斥。不世的伟人苏格拉底，于是应运而生。

第三节　苏格拉底底概念论及其他

苏格拉底（Sokrates），是雅典人，生于公元前四百六十九年，死于

（前）三百九十九年光景。他底父亲，是雕刻师；母亲，是稳婆。最初继承父亲底职业，不久就舍弃他，献身于精神的事业。当时底希腊，思想极其混乱，旧信仰旧习惯，都丧失他底本来的威权，能够统一人心底新秩序，又没有成立。哲人学派，乘人民无所适从底时候，大张旗鼓，越发引起道德底颓败。苏格拉底，想指示雅典人民正确的归趣，谆谆教训他们。用他最得意底辩证法，尽力去诱导启发。在街道、公园、游戏场等处，和种种的老幼男女谈话，论辩政治、战争、友谊、爱情、结婚、家政、宗教、科学、诗、美术、商业，尤其是道德上底问题。像这样，二十年如一日；不像哲人学派受报酬。

他底风采，很不扬。然而谈话之妙，有一种独特的魔力。当时底青年子弟，爱他，好听他底谈话。他也爱青年。他曾经从军三次，当选为雅典市会底议员一次。

他关于宗教、政治底说法，和旧信仰、旧习惯，有所不合，为守旧派所忌，后来加他不奉国教、另立新神、蛊惑青年三个罪名，科以死刑。他不肯用金钱赎罪。弟子们劝他越狱潜逃，也不允许。到期，从容仰药而死。他底事迹同学说，由他底弟子克散诺芬（Xenophon）底《备忘录》，同柏拉图底《对话篇》；流传于后世。

一　概　说

创始时代底哲学者，以究明客观世界——自然为务。哲人学派，反过来，探究主观世界——人事。苏格拉底，也和哲人学派相同，探究主观世界就是自己底本质。就是苏格拉底所研究底哲学问题，依从当时底思潮，不是宇宙论的研究。然而他探究自己底本质，不光在学理的方面，又在实践的方面探究他。换句话说，就是不但论述精神是什么东西，而且进一步论究我们应当如何行动。所以苏格拉底底哲学，不外乎知识同行为底问题，就中，拿伦理道德做主眼。而伦理研究底出发点，实在在认识自己。

因此，他常时引用所谓"知道你自己"底格言，说我丝毫没有长于别人底地方，光是自己知道自己无知而已。从这里看，他和哲人学派，毫无所异。然而哲人学派，以为知觉是认识底唯一源泉，所以认识因人而异，而真理是依各个人底意见所定，所以没有客观的真理，就是一般人共通底普遍而不变易的真理。苏格拉底底立场，也不出人是万物底尺度以外。但是勃洛大哥拉所谓人，是各个人。苏格拉底所谓人，是全人类。真理在人类全体当中。真理遍通一切主观，而以知道自己无知为向真理底第一步。思想诚然有差异，然而我们应当在这些互相差异的意见当中，发见一种共通的原理，就是客观的真理；拿来规定我们底行为。所以道德的义务同道德的行为，是根据全人类共通底真理的，断不是只是各自差异的意见。然而理性所认为真理的，就是概念。所谓概念，是凡是一物，无不有他底所以然底原理。这个原理，是普遍而不变的。我们必须明白这个原理，才能够知道这个事物。要想明白这个原理，在先把许多的事物拿来，把他比较对照，把叫那些事物所以成为那些事物普遍而不变的地方弄明白，而得到那些事物底概念。我们不能够用感觉知道事物，必须用概念。真知识，只能够从概念得来。事物被我们所知，不是他底外相，而是他底本质。根据事物底本质，才能够作明了精确的概念，下定义。所以概念他所诠表，是事物底本质。就是所谓真知识，是说了解事物底普遍不变的本质。然而像这样的事物底本质，是概念所诠表。在概念，把捉事物底本质；又把那个概念，表现在定义。所以真知识，是确定事物底概念。而确定概念，是下正确的定义。例如把像所谓善、正义、勇气、国家等类底概念，正确规定。

二 辩证法

苏格拉底，为弘扬他底学说，所使用底方法，有两重。就是消极的方面同积极的方面。消极的方面，是所谓苏格拉底底反语法（Irony）。苏格拉底以为无论什么人，都能够到达真知识。彼此意见不同，从以真不知为知来。所以各人不可不自己觉悟自己无知，协同探求真理。他用对话法，做探求真理底方法。徘徊街市，和市民就某种题目对话。先承认对话者底说法，然后发种种的问答穷追，引他到设想不到底结果，或者陷于自家撞着，临了叫他不得不自白自己无知，呆然自失，自然推翻前说。这就是所谓苏格拉底底反语法。像这样，他叫对方自认自白自己无知，而后一同协力，探求真理。而探求底中心，是确定概念就是定义。不是自己作定义教人，是和众人协力作他。然而为要把某物下定义，不可不观察多数的个物，因而他底研究法，结果自然是一种归纳法。

积极的方面，是所谓稳婆术。他以为我们关于事物，虽然所知模糊不清，然而也不是全然无所知，具有构成真知识底素地。我们正当思索，都能够得到事物底真概念。他发种种的问话，检查对方底知识，叫他得到真知识。就是发种种的问话，去分析对手底表象，引起他以前没有意识过底思想。他说我教别人，不外乎帮助他们，叫他们自己开发知识。他把这个比配母亲底职业，叫作稳婆术。就是不过是叫别人生出知识底助力。

三　知德合一论

苏格拉底，排斥研究客观世界，以为自然哲学上底思辨，不但是没有结果底徒劳，而且是没有目的底闲事。所以没有讲明他底必要。我们底研究，唯一的对象，只有人伦道德。我们底认识力，实在不是为究明自然哲学而存在，是为探讨伦理学而存在的。他底根本思想，是知德合一论。他以为我们假如知道善是什么，就不但能够行他，又一定不能够不行他。知善就是行善，而行善就是道德。所以知和德同一。修德，不可不认识德是什么。什么缘故呢？道德也是技术缘故。道德从知来，不道德从无知生。人们本来爱好善事。做恶事，毕竟是不知道他是不道德底缘故。所以道德应当教、应当学。

他又把德和幸福，看作同一。以为善是美，是利。我们由行德得利益。诚实而有益的行为，叫人生快乐。所以道德和真幸福，毕竟同一。无论何人，假如缺乏节制、勇敢、聪明、正义，就不能够享受幸福。这是他底福德合一论。

苏格拉底底感化力，极其广大。在学理的方面，也遭遇着哲学思想一变底时期，高见卓识，超越时流。他底概念论，酿成柏拉图、亚理斯多德底思想，唤起古代哲学底最盛时期，功劳很大。至于学理底内容，缺点也不少，尤其是没有人类学同纯正哲学底根据，所以不能够把善是什么说明白。因此，他死后，他底弟子，所见各异，树立所谓小苏格拉底学派。

四　小苏格拉底学派

苏格拉底死后，他底弟子，不能够通达他底学说全体，只看见他底一方面，以为真义就在那里。于是各人照各人底意见，树立学派。这种学派，共计四个。就是施勒尼学派，昔尼克学派，墨加拉学派，伊来亚学派；总称小苏格拉底学派。

施勒尼学派（Cyrenaic school），又叫作快乐派。他底创唱者，是施勒尼底亚列斯的保（Aristippus），生于公元前大约四百三十五年，死于（前）三百五十五年光景。起初学勃洛大哥拉底哲学，后来做苏格拉底底弟子。

亚列斯的保，以为学问底价值，在他底实践的方面。这种地方，虽然和昔尼克学派底安地善无异。至于他底伦理学说，却和安地善正反对。采取快乐主义。他以为在实际生活，我们底最高格率，是尽量求快乐，尽量避苦痛。幸福和道德同一，而幸福就是快乐。快乐是人们应当希求底唯一的最高善。获得快乐，是我们底最初又最后底目的，所谓道德，也是在拿快乐给我们各人，有价值。离开快乐，道德没有价值。所以道德不过是获得快乐底方便。

快乐，不外各人自己底快乐。详细说，就他底道德论，是个人快乐说。快乐底最大的，是肉体底快乐。然而他不是过去未来，是现在底快乐。所以快乐当中底最主要的，是肉体现在底快乐。

亚列斯的保，为建立他底学说，引用勃洛大哥拉底说法，以为我们底感觉，不过是感觉者和被感觉物底运动，互相遭遇，暂时生出这种结果。所以是我们底主观的感观，不是事物底客观的性质。又我们只由这个，知道自己底感觉。至于别人底感觉，究竟和这个相同不相同？不能够确定。所以我们行为底规则，只可以拿我们底主观的感觉做基础，去规定。和事物底客观的性质，没有关系。各种感情底生起，不过是身体内底物质运动。运动柔和底时候，惹起快感，就是快乐感觉。暴烈底时候，惹起不快感，就是苦痛感觉。运动完全休止或者极其微弱底时候，就快乐苦痛都不感觉。人生底最高目的，就在希求这个柔和性运动所产生底快乐感觉，而避免暴烈性运动所产生底苦痛感觉。惹起快乐感觉底行为，是善。惹起苦痛感觉底行为，是恶。所以伦理学底最高原理，在供给最多量的快乐。像性情平和，不足以做为伦理学底原理。因为性情平和，是没有感觉底消极的状态，并不是积极的享受快乐缘故。又幸福全体，也不足以做为我们生活底目的。因为和我们有关系的，只有现在，过去已经消灭，未来还没有到达缘故。这一派底教说，由伊壁鸠鲁学派发展。

昔尼克学派（Cynics school），又叫作克己派。他底创唱者安地善（Antisthenes），生于公元前四世纪半。他最初是哥尔期亚底弟子，后来看见苏格拉底，敝衣粗食，于是去随从他，做他底弟子，做朋友。然而安地善对于苏格拉底，是推重他底克己节欲的性格，并非佩服他底学问。他曾经在雅典，建立一个叫作白犬底学园教学。所以这个学派，被称呼做犬儒学派。一说这个学派底学者，敝屣富贵利达，常时穿破烂的衣服，站在人家底门口乞食，生活多半和犬一样，所以有犬儒学派底称呼。

昔尼克学派，采取苏格拉底底福德合一论，以为具德，就是幸福。只要具德，另外没有求幸福底必要。从正当行为所得底满足，是真幸福。就是除掉道德，另外没有善。光是道德，叫我们幸福。我们以这个由道德所到达底幸福为满足，另外没有求幸福底必要。所谓道德，是什么呢？安地善以为道德底本质，是自足，就是把无欲看作道德底状态。所谓道德，是不被外物所羁绊。所以叫我们幸福底道德，务须抑制富贵利达底欲望，去脱离外物底束缚。换句话说，就是独立自由。就是习苦、甘贫、禁欲、耐劳，才能够获得真正精神上底自由。

道德，有像苏格拉底那样强固的意志就够了，除此以外，一桩也不要。道德在实行，用不着多辩多识。假如内省不疚，富贵利达，又算什么！所以财产、名誉、自由、健康、生命，不是善。贫困、耻辱、隶属、疾病、死亡，不是恶。这些东西，都和善恶毫无关系。又肉体底快乐，不是善。肉体底痛苦，不是恶。因为前一种往往叫人堕落腐败，而后一种往往叫人奋发兴起缘故。安地善底后继者，不单非难物质的欲望，连精神的欲求也排斥。学术、国家、家族，在他们，都无用。唱道原始的生活，而且实行他。这一派底思想，由斯多噶学派继承。

墨加拉学派（Megarian school）是墨加拉底欧几里得（Euclid）所创唱。欧几里得，生于公元前四百年光景，他没有师事苏格拉底之前，曾经就学于埃理亚学派底学者。

欧几里得，是把苏格拉底所谓善，和埃理亚学派所谓有结合起来，拿形而上学的基础，给予苏格拉底底伦理说的。他拿苏格拉底底概念论做基础，以为概念豫想和他相当底不变的本质，这就是有。有形的事物，生灭变化无定，所以不可以说是有。所谓有有生灭变化同运动，是我们所断不能够思维。有是唯一的。这样，那么，唯一的有，是什么呢？从来用所谓神和理性等种种名称称呼他，其实不外乎苏格拉底所谓善。所以善也是唯一的，断没有变化。道德不外乎善底认识，所以道德也是唯一的。

知识是明白事物底普遍而不变的地方，依这个去构造事物底概念。而这个普遍不变的，就是有。真正的知识，在知道这个有。而知识是善，所以善是有。就是善是事物底永恒的本质。道德和知识同一，却是所谓道德，是得善；所谓知识，是达真；所以善是有。

伊来亚学派（Elian-Eretrian school），是费独（Phaidon）所创唱，和墨加拉学派，有密切的关系，以辩证底论争为事。

费独把哲学看作精神的疾病底医药，到真自由底指导者。这一派底学说，早已失传。

小苏格拉底学派，都不过绍述苏格拉底学说底一面。所以像施勒尼学派同昔尼克学派，虽然同出一源，而主义却正相反对。深通苏格拉底底精神，光大他底学说，发扬希腊哲学底精华的：是大哲柏拉图。

第四章 组织时代底哲学

第一节 总 说

上古哲学史底组织时代。是从德谟颉利图到亚理斯多德底时期。这个时期以前底哲学，考察底范围，只限于现实界底一面。创始时代底哲学者，专门考核自然。启蒙时代底哲学者，以研究人事为主。而在组织时代，把自然人生两界合并，从同一原理研究；而且把他底成果，组织做整然的体系；是中心倾向。他底代表者，是上面所说底两家同柏拉图。其中，德谟颉利图，从琉息帕斯底原子论出发，采用勃洛大哥拉底认识论，组织用物质的原理解释一切底唯物论。柏拉图，从苏格拉底底学说出发，和德谟颉利图同样，采用哲人学派底认识论，组织用非物质的原理解释一切底唯心论。虽然，德谟颉利图，不过把若干的人事研究，附加在琉息帕斯底原子论。柏拉图，在苏格拉底所指示底方向，建设完全崭新的哲学。亚理斯多德，更用他底发展论，力图把唯物论和唯心论调和。

第二节 柏拉图底理型论及其他

柏拉图（Plato），是雅典人，生于公元前四百二十七年，死于（前）三百四十七年。他底品性很高雅，足以代表希腊人底理想的人格。他曾经学过音乐、诗、绘画、哲学。起先研究赫拉颉利图斯底学说。后来亲炙苏格拉底，受他很深很大的感化。苏格拉底死后，研究巴门尼底斯底学说。又到南部意大利等处，研究毕达哥拉斯学派底哲学同数学。其后在阿加的米（Academy）底树林，设立学校，教授数学同哲学。他是诗人，是神秘家，是论辩家，最后他是哲学者。他底思想，拿论理的分析和抽象的思维做经，拿诗的想象和神秘的感情做纬，织成希腊思想界底有光辉的锦襕。他底著述，不单是有价值的哲学书，而且是有价值的艺术作品。

柏拉图底学说所以发生底影响，和苏格拉底差不多，就是当时底社会，很为不安。所以不安底缘故，是没有正确的人生观，大家都醉生梦死，把虚伪的世界，当做真实的世界。因此，要想免掉不安的状态，不可不知道真实的世界是什么样子，而且不可不希望到达这个真实的世界。这就是他底深刻美妙的理型论发生底主因。

一　概　说

柏拉图底哲学，全然是扩大并且补足苏格拉底底哲学的。他像苏格拉底一样，以为哲学有学理和实践两方面。换句话说，就是不可不依据学问，去把我们底生活，加以改善。他不但绍述苏格拉底底学说，并且把所有他以前底哲学思想，都加以研究，尽力把他们底优点，收在自家底哲学组织当中。所以比起苏格拉底底学说来，规模宏大得多。苏格拉底底概念论，到他，变成高远的理型论。苏格拉底底知德合一论，到他，变成精细的伦理学同政治学。并且加上苏格拉底没有谈到底人类学同物理学。

柏拉图哲学底中核，和苏格拉底底哲学一样，拿由真知识就是真认识到达真道德做目的，而且把认识扩张到所有的领域，建设宏壮的形而上学。他在组织他自己底学说之前，先论破当时流行底各种诡辩学说。哲人学派，在学理的方面，用感觉同意见，探求真理。在实践的方面，采取历来的习惯，普通的道德。但是感觉不过显示事物底现象，没有把他底真相显示。就是感官底知觉，断不给与真知识，只显示一时一处底假象。意见有真有假，他不是知识，而站立在感情上。因此，不知道是真是假。所以单是意见，就没有什么确实的价值。总之，都不可以说是真知识。历来的习惯，普通的道德，也同样站立在感觉和意见上。他们底根据，不在真知识当中，所以有善有不善。至于他底动机，又都是拿快乐利益做目的，所以不可以说是纯粹。因为这些缘故，学理，实践，都不可不拿真知识做基础。所谓真知识，像苏格拉底所说，是概念的知识，不是知觉一时一处底事象，而是明白了解事物底普遍不变的真相。在以为感官底知觉，断不给与真知识，只显示一时一处底假象；他采用勃洛大哥拉底见解。然而极力反对他以为普遍不变的认识，不可能。真知识，建立在理性上，我们不可不从感觉和意见进到真知识，然而这个除去从美的理型底考虑所唤起底思慕，就是真理之爱；不能够到达。真理之爱，推我们向辩证法，脱离感觉底束缚，获得概念的知识。要获得真知识，就是概念的知识；不可以没有秩序的方法，就是辩证法（Dialectic）。哲学底渊源，在爱。所谓爱，是合死的我们，想到达不死的状态，从感性的进到理性的，从特殊进到普遍底努力精进。而他底最终目的，是理型底直觉同表彰。要想直觉同表彰理型，不可不依辩证法。辩证法从两部分成立。一部分是苏格拉底已经使用底归纳法。一部分是由柏拉图新发明底分类法。前一种把概念综合起来，从许多的特殊上升到普遍，从制约的上升到无制约的。后一种是把概念加以分析，从普遍下降到许多的特殊（就是把一种普遍分做许多的特殊），从无制约的下降到制约的。拿来叫概念交互底关系，一目了然。用这样的方法，能够获得真知识，去叫我们脱离感性底束缚，成就理性的生活，离开现实，逍遥于理想底境界。这就是哲学底领域。虽然，无论什么人，不能够一下子就到达这样的境界。所以不可不预先学习音乐同体育，来造成性格；研究数学，来练习思想；做他底准备。

他底哲学，主要的部分，是辩证学（就是理型论），物理学，同伦理学。

二　理型论同物理学

像在前面所说，苏格拉底底概念论，论述概念是真知识。既然把概念看作真知识，就不可以没有客观的和他相当底真实在。所以柏拉图进一步把概念就是一切事物底形式，看作根本的实在。这个，就是他所谓理型（Idea）。依柏拉图，对于知觉，只显示一时的而且生灭变化无极的事象；概念，教示事物底常住不变的本质，是真知识。哲学底目的，实在是获得这个永恒不变的知识。做概念底内容，做概念的认识底对象的；是理型。他赞同巴门尼底斯底学说。以为我们所感觉底事物，变化不绝，断没有把他底性质表彰得纯粹明晰。永恒不变，而且不同别的东西混和底实在，不是感官所能够把捉，必须由理性去认识他。一切的个物，复杂多样，其所以能够成为个体，是因为各个物有普遍而被把捉在概念当中底本质。这样的实在，是一切变化无极的现象底目的。加之，我们底一切行为，有理性的目的。而这个不外乎理型底实现。所以把事物底理型看作真实在，去把他和感性的现象区别。

事物底理型，就是他底本质；是个物共通底普遍性，就是他底形式。这样的理型，常住，而且没有变化。换句话说，就是永恒的原型。因为理型，又是真正的根本实在，所以又叫他做本质。就是事物底本质，是他底必然的形式。就是所谓理型，是形相又样式底意思。因为理型是叫个物所以为个物的，就是拿定形附予个物的缘故。理型实在是事物在变化流转当中永恒不变的本质，是事物底基本形式，是事物底原型。理型是有，是真实有，是不被任何的变化所侵犯底真实有。知觉底对象，不过是事物底一时的关系。拿理型比巴门尼底斯所谓有，他底合一不变的地方，虽然一样。但是巴门尼底斯所谓有，是唯一的。而柏拉图所谓理型，其数无量，而且各个都有他底特色。因为理型，不外乎把普遍的概念，加以具体化，来做为形而上学的实在；所以凡是能够构成普遍的概念的，都不可以没有和他相当底理型。这样看起来，柏拉图底学说，是不但实体有理型，连性质、关系、能力等类，也都有。不但自然物有，制造物也都有。不但贵重的东西有，卑贱的东西也都有。虽然，他到了晚年，却以为只限于有价值的就是真善美，和自然物，以及数学上底关系。这些理型，互有一定的关系，所以能够把他组织起来。而位置在他底顶上的，是善底理型。所以善，是一切实在同思维底最终目的。他把善和神看作一样，就因为这个缘故。

认识有两种，和他相应，有两种不同的世界。一种是做概念的认识底对象的，一种是做知觉的认识底对象的。前一种只是所谓有，无生无灭。后一种只是所谓成，不是真实有。就是一种是实体界，一种是生灭界。理性的认识，和感觉的认识，截然不同；和他相应，实体生灭两界，不但不同，又是完全离开底别的世界。所以理型是非物质的，是看不见的姿势，是没有形态底形体。所谓非物质的，出现在哲学史，以这个为最初。

知觉和概念，截然不同；所以两种之间，没有因果底关系。概念不是从知觉抽象所生，知觉只提供机会。概念是理性拿知觉做信号独立直观的。所以理型（概念底内容）虽然是众多的事物所共通，然而他不是分析个物底知觉，抽象共通点的。是理性放观众多的个物，一见之下，看透共通的本质。因而被知觉底个物世界，不包含理型，不过是他底影像。唯其是影像，所以我们可以拿他做机缘，悟知实物，就是理型。然而又唯其是影像，所以实物不住在他里面，就是不包含实物。像这样，理型，不是从知觉产生的，所以不可不是我们底灵魂本来具有他。恰巧像不是预先知道实物，不会由影像把他想起一样。因而理型底认识，是想起，不是新认识。而灵魂想起理型底世界，是思慕（Eros）。哲学完全基因于这个思慕之情。

我们底灵魂，在过去世，栖息于理型世界，曾经眺望过理型底妙姿，到现世，忘记掉。虽然，等到看见理型底影像摹写，就是感觉界底事物；把忘记掉底理型想起来，同时觉悟现在只是流浪于影像世界底梦幻之身，眷恋故乡，思慕理型之情；自然深切。哲学完全是思慕之情底发露。这个是柏拉图底有名的思慕说。

理型，是真实有。而且理型不只是非物质界，又实在是理想界。理型，是个物底原型理想。个物，是理型底模仿。其次，理型和个物底关系，是一和多底关系。个物虽然有许许多多，然而一类的事物，只是一个理型。又是全体和部分底关系。现象只在分有真实有的理型底分限以内，就是分得几分之几，现存。现象界生灭变化，是理型忽然来住在个物当中，忽然又去底缘故。这样，那么，本来没有变化没有运动的理型，如何能够做生灭流转的现象界底原因呢？理型由被个物所思慕，叫个物运动。所谓他是现象界底本质，是原因；就是说是他底目的。理型虽然无数，然而构成一个有秩序的世界，就是合理的宇宙。理型世界，是一个统一的体系，一层比一层高，好像一座宝塔一样。而最高的塔顶，是所谓善底理型，就是最高理型。宇宙是理型底论理的系统，是由善底理型统治底有机的精神的统一体。一切的特殊目的，由这一个绝对目的统治。他把他叫作世界理性（Nous），又叫作神。像这样，柏拉图底世界观，是目的论。

理型界，是现象界同他底生成底真原因。通常我们以为是原因的，不过是副因。现象界是由有和非有底结合而生成的。而真认识底对象，光是理型。所以关于自然界，真认识，完全不可能。因而关于自然，没有学问，只有臆说。

他说明自然底起原，加添许多神话的要素。依他，起初有像技术家一般底造物主（Demiurge），依从理型就是万物底模型，用质料（Mauer）创造世界。造物主，实在与其说是创造者，毋宁说是技师，是叫业已存在底精神和物质两种结合的。为想实现他底目的，拿灵魂和生命，赋予从地、空气、火、水组织成功底世界。而这个世界灵魂（World-soul），具有精神和物质两种，能够知道理型界和感觉界两方面。他自己运动，能够做一切运动底原因。就是理型永恒不变，而个物生灭变化。理型唯一，而个物众多。理型是完全的实在，而个物彷徨于实在非实在之间。所以要想说明宇宙底事物，不可不在理型之外，另外设立一种和他不同底别的原理。柏拉图所谓质料，就是这个。因此，他所谓质料，是无定限的、变化的、非实在的、非理性的原理。个物是质料和理型底结合所成。虽然，理型和质料，他们底性质，是凿枘不相容的；所以不能够直接相结合。把理型和质料结合起来底媒介物，是所谓世界灵魂。世界灵魂，自己有运动底能力，是现象界底运动同生命底本源。现象界有秩序，是世界灵魂底作用。人类有理性，也由于世界灵魂。世界灵魂，在理型界和现象界底中间。所以他底性质，也在这两种底中间。他是神底影像，是可见的神。

柏拉图底宇宙形质论，和神话混淆底地方，很多。所以真意究竟在那里，不容易寻出，而且往往自家撞着。他所说因为世界底根本原理是善，所以世界有一定的目的，虽然明了。所说理型、质料同世界灵魂底关系等类，却很暧昧。

世界上有种种的生物，虽然，他里面顶要注意的，是人类。所以柏拉图细密的研究人类，以为人们底灵魂，是从世界灵魂派生的。所以他底本质，和世界灵魂同一，单纯无形，而自己有运动底能力，去引起肉体底运动。灵魂，和生命底理型，密切结合，而无始无终存在。又是从高等世界，下降到肉体当中的。灵魂元来和理型相类，所以住在肉体当中，等于被囚于牢狱。人们底使命，是尽力早脱离肉体底系缚。所以人假如委身于理想界底观想，营为善美的生活，死后就脱离身体底苦恼，复归于理型世界，度有福祉的生活。脱离肉体，可以叫作死。哲学，就只是死底准备。而人生底理想，是理型底实现，就是叫人们本具底各种性能，十分发动发达。实现完全圆满的生活。假如在现世，积恶业，营为丑恶的生活，就跟随他底程度，或者再进人体，或者越发堕落，沉沦于动物底体内。

人们底灵魂，有三种能力，就是理性、意志同欲望。理性在头，意志在胸，而欲望在下腹。理性，是神的，不死的。而意志和欲望，是现世的，合死的。理性底对象，是理型世界。而意志和欲望底客体，是现象世界底事物。

三 伦理学

柏拉图以为因为我们底灵魂，附属于超感性的世界。所以人生底最终目的就是最高善，上升到这样的高等世界之后，才能够把他实现。像在前面所说，肉体是灵魂底牢狱。一切欲望同一切精神的能力底障碍，起因于灵魂和肉体结合。人们底职分，是由道德和智识去和神合一。虽然，肉欲以不妨害精神底健康为限，也无须排斥。又关于快乐、苦痛，不一定要克服，只要加以节制。他虽然也容认外面的幸福，但是他所谓幸福底必然的制约，完全在精神的道德的性质就是道德。所以他说拿不正当的行为待别人，比受别人不正当的行为更坏。犯过失不受罚，比受罚更不幸。因为拿不正当的行为待别人，或者犯过失不受罚，丧失灵魂底平和。丧失灵魂底平和，就是缺乏幸福底根源。

根本道德，就是灵魂底各部分，各各有特殊的圆满，这个就是道德，一共有四种，就是智、勇、节制、公正。理性底道德是智，智是灵魂底君主，努力支配意志、欲望两种能力。意志底道德是勇，努力服从理性底命令，和快乐、苦痛战斗。欲望底道德是节制，也努力服从理性底命令，去抑制感性的欲望。灵魂全体底圆满，是各部分守他底本分，依从理性底指挥，能够互相保持秩序，不侵犯别种底领域。这个道德，叫作公正。这个是柏拉图底四大道德。

四 政治学

柏拉图底政治学，和他底伦理学，有密切的关系。而且他以伦理学为主，以政治学为从。他以为人不可不先修其身，然后再推之于国家。国家，是维持奖励个人道德底唯一方便。所以国家主要的职分，是国民底德育。然而一切的道德，以哲学为基础。所以要想构成完全的国家，必须叫哲学者掌握他底主权。一般人民，不能够了解哲学，所以叫他们获得参政权底时候，必至于牵掣元首，阻害国政。所以哲学者掌握国家底主权，必须无制约。然而这样的哲学者，在国民当中，是极少数。所以他所谓完全的国家，必然是专制的寡头政体。国家又需要防御外敌底工具，就是军人。其余的国民，就是农、工、商，是被治者，丝毫不能够享受参政权。治者（就是哲学者），军人，被治者（就是农、工、商）；国家有这三种阶级，像人们底灵魂有三部分一样。治者，和理性相当；制定法律，统治国家。军人，和意志相当；职掌法律底实行，拥护国家底安宁。被治者，和欲望相当；农工等民众，从事物资底生产。又治者底主德，是智。军人底主德，是勇。被治者底主德，是节制。而国家全体的道德，是各阶级守他底本分，保持秩序；就是公正。治者和军人，要想叫他们尽他底职分，国家必须担任他们底教育。他底《国家篇》，详说在理想的国家所应当实施底教育制度。他以为国家教育底究竟目的，在叫国民脱离肉体底系缚，去向神的生活。他底理想的国家，可以说是一个道德的宗教的大教育处。

五　宗教论

他把理型和神，看作同一；是一神教。然而他承认像这样的唯一神之外，有许多的劣等神。他把理型叫作永劫之神，把地球同星辰叫作可见的神；而排斥神话底群神，以为不过是空想所产生，又攻击他底不正当的行为。然而容许希腊底宗教是国教，用希腊神话做教育底基础，不过力图把他醇化。总之，他不是想把从来底宗教根本推翻的，只想把他渐次改良而已。

六　艺术论

柏拉图批判艺术，主要的地方，是从道德上底立场观察。据他看，善和美同一。艺术不外乎模仿，然而不是本质底模仿，是现象底模仿。所以从理型说，艺术不过是模仿底模仿。因此，艺术当中，真和假相混，善和恶相杂。因为这个缘故，艺术不可不隶属哲学，做教育底帮助，去尽他底劝善惩恶底本分。他所以以为艺术，尤其是诗歌音乐，不可不摆在政府监督之下，而严禁有害名教底诗歌音乐。

七　晚年底意见

柏拉图壮年，力图实行他底平生的抱负。然而理想究竟不容易实现，后来他觉悟他底学说，到底难以应用于实际，于是加上多少的变更。所以他晚年底意见，比以前所说，稍微要倾向实在论些。在辩证论方面，以为理型以自然物为限，把理型和数，看作同一。数，有观念的数，和数学的数两种。理型，就是观念的数。这个分明是毕达哥拉斯学派底影响。在政治学方面，想拿现在底国家做基础，想法子改良他。余外，像拿数学同宗教代替辩证论等类。

八　阿加的米学派

柏拉图在那里讲学底阿加的米（学园），在雅典市底郊外。柏拉图死后，继承他底弟子，除亚理斯多德独树一帜之外，叫作阿加的米学派，有旧、中、新之分，现在所说的，是旧派。主要的代表者，是斯彪薛芭斯（Speusippus）同芝诺格拉底（Xenocrates）。这一派底学说，是柏拉图底毕达哥拉斯学派化，变更柏拉图学说底地方不少。在哲学史上，没有显著的功绩。得柏拉图底真髓，而且能够把他推广把他矫正的，只有亚理斯多德。

第三节　亚理斯多德底实在论及其他

亚理斯多德（Aristotle）是希腊哲学底大成者，于公元前三百八十四年，生在斯塔齐刺（Stagira）。十七岁底时候，到雅典，进柏拉图底学园，师事柏拉图，前后二十年。柏拉图死后，游历各处。（前）三百四十二年，应马其顿（Macedonia）王之聘，做王子亚历山大（后来底亚历山大帝 Alexander the Great）底师傅。其后七年，回雅典，在郊外底林园内，开学校，讲自己底哲学说。他常时在两边种树底道路上讲学，所以世人称他做逍遥学派。亚历山大死后，被反对党用违背国教冒渎神底口实起诉，逃到优卑亚岛（Euboea）。第二年，就是（前）三百二十二年，死在那里。

柏拉图是富于诗人的情热底哲学者，亚理斯多德是脚踏实地的实验的研究家。他不但攻究柏拉图底学说，而且凡苏格拉底以前底哲学，无一不加以研钻，学问非常的该博精致。他底品性高洁，能够把希腊人所谓适度和调和底理想，实现在他底人格里头。他爱真理底念头强，他底观察很精密，他底判断公正健全而且敏锐。他底著作，有论理、修辞、诗、物理、植物、动物、心理、伦理、经济、政治，同形而上学。

柏拉图底时期，雅典虽然已经衰败，却还有改造底希望，所以柏拉图想出来掌握政权，革新社会。亚理斯多德底时期，是雅典由衰败到灭亡底时期，社会颓坏到不可收拾，所以他抱定独善其身底主义。

一　概　说

亚理斯多德，虽然师事柏拉图，但是攻击柏拉图底地方，也很不少。像理型论，是柏拉图学说底中心，差不多被他攻击得体无完肤。他自己底学说，很倾向实在论。虽然，他底哲学，也像柏拉图一样，拿研究事物底不变的本质，就是普遍必然的真理，做他底大纲。但是他叙述他自己底学说，不像柏拉图借重神话，而尽力依据经验的事实。所以到他，于是哲学上底用语，非常精密。

他底哲学，主要的部分，是论理学，形而上学，物理学，同伦理学。

二　论理学

亚理斯多德,也和苏格拉底、柏拉图同样,以为概念的知识,是真知识,真学问。他不但攻究学问底内容,而且也攻究他底研究法。他拿苏格拉底同柏拉图底论理的思想做基础,构成一种新科学,就是所谓论理学。他底论理学书,用所谓机关(Organon)底名称。依他,论理学是获得真知识底紧要的工具,而且是研究哲学底必须的准备。他被称为论理学之父。他底论理学当中,尤其重要的是两种分析论。他说认识是由普遍推论特殊。虽然,把他底发达加以检查底时候,就不可不和他相反,由特殊抽象普遍。像这样,他不但考察演绎法,也考察归纳法,然而以究明演绎法为主。

所谓结论，是说由一定的豫想，引出新豫想。把此等豫想，叫作命题。各命题是主位和客位两概念所成，叫他做判断。合式的判断，性质上，有肯定和否定两种；分量上，有普遍、特殊同单一三种；样程上，有显示实在性、必然性或者可能性三种。又反对，有真反对假反对之别。所谓论式，是说由前提生出结论底法式。论式有三种图式。第二同第三两种图式，能够把他还原做第一图式。

所谓证明,是说由制约的推定他底原因。因此,证明底豫想,不可不是必然的、普遍妥当的命题所成。尤其是最后的豫想,要直接的知识。直接的知识有两种,就是最普遍的原理,和事实。事实,能够由知觉知道他;最普遍的原理,能够由理性知道他。所谓最普遍的原理,例如矛盾律。

所谓定义就是概念决定，是诠表事物底本质。诠表特殊事物共通的性质底概念，叫作种。诠表许多种共通的性质底概念，叫作类。像这样，逐渐构成普遍的概念，临了于是到达最普遍的概念。这就是范畴。范畴有十个，就是实体、性质、分量、关系、空间、时间、位置、状态、能动、所动。他到后来，把状态和位置两个范畴除掉，收约在别的范畴当中，只说八个。范畴，实在是一切的判断又立言必须依据底基本概念，就中以前四个为重要，而实体范畴最重要，这个就是他底形而上学主要的对象。

三　形而上学

形而上学，是研究实在底学问。这个实在，永恒、无形、不动，而又是一切运动同形体底原因。所以形而上学，在一切的学问当中，范围最广，价值最大。亚理斯多德底形而上学，为便于说明起见，分做三条。就是（一）特殊和普遍底关系，（二）形相和质料底关系，（三）运动者和被运动物底关系。

（一）特殊和普遍底关系　亚理斯多德，攻击柏拉图底理型论，以为普遍的实在，不是离开特殊的事物而单独存在的，在个物之内。换句话说，就是普遍的实在，是特殊的、内在的，而不是超越的。理型没有运动力，所以不能够做现象底原因。因此，有现实性的，不是普遍的，而是特殊的。假如不是特殊的事物，就不能够有实体。一切普遍的概念，不过是实体底某种性质。像种底概念，也是诠表某种事物共通的性质的，所以特殊的事物以外，没有有实体的。

（二）形相和质料底关系　亚理斯多德，虽然像这样攻击柏拉图底理型论，然而不是完全放弃他，或者简直是把他从论理上加以改造。像形相和质料底关系就是。一切感性的事物，是偶然的，变化的。然而偶然的、变化的，豫想必然的、不变化的。必然的、不变化的，有两种，就是质料同形相。他把质料叫作可能底原理，把形相叫作现实底原理。质料依凭形相，形相依凭质料，去到达转化底目的。所以形相有现实性，质料有可能性。从事物已经成功说，叫他做现实。所谓现实，是说把形相加在质料上，而成功个物。所以个物底产生，只是由隐而之显。当他没有显现，叫他做可能。形相和质料，合为一体，才产生个体。所以个体是真实在，亚理斯多德，叫他做实体。

把形相和质料底关系，应用在所有的事物；万物就可以排列做从最下的质料，次第到达最上的形相底阶段。例如床由木成，他就把床看作形相，而把木看作质料。然而木由树成，所以他又把木看作形相，而把树看作质料。树又由种子成，于是种子又是质料，而树是形相。像这样，可以把全宇宙当中一切事物，分别他底高下，而统列做一个极大极长的表。最下级，他以下，什么东西也没有，所以不是形相，是纯粹质料。亚理斯多德，把他叫作第一质料，就是物质。然而质料必须具一种形相，才存在。所以实际，纯粹质料不会有。就是原本的质料没有形相的，不过只是一种可能性。虽然无论什么东西都能够成功，然而他自身实际不存在。

最上级，他以上，什么东西也没有，所以不是质料，因而是纯粹形相。他又把纯粹形相认为形相底形相。这就是所谓最高原理。一切都从这个最高原理降演而出。所以他底宇宙观，以为生灭不过是隐显。而且在这个一隐一显的变化当中，都是趋向最高原理。所以他也和柏拉图一样，以为宇宙是具有一个大目的，他自身好像一座宝塔，一级一级增高。而最高级就是所谓纯粹形相。实在是一切万有所以成功底究竟原因。他把他叫作原动者。实在也就是所谓神。神是纯粹形相，所以是非物质的，无形体的。足以做神底认识对象的，自己以外，什么也没有。神是认识自己底认识，就是自意识。

没有质料底形相，单是现实的：像柏拉图所谓理型一样，永恒不变。他和他不同底地方，在不离开特殊的事物而存在。形相不但是各事物底本质，又是他底究竟目的，同实现他底势力。所以亚理斯多德，屡次列举四种原因。就是生成变化（就是运动），有四种原因。一质料因，二形相因，三运动因，四目的因又究竟因。例如这里有一个雕像，他成功底原因，有四种。一质料，就是制作雕像底木材等类。二雕像底形相，就是在雕刻家心里底图案。三把质料左右安排底动力，就是手、腕、刀等类。四制作底目的，所以活动这些动力，叫可能的质料（木材）现实做雕像底目的。虽然，在自然底有机体，四种原因当中，后面底三种，都可以归在一个形相。而四种原因，不外乎就是形相同质料两种原因。

（三）运动者和被运动物底关系　由形相同质料底关系，发生运动，就是变化。运动不外乎可能的变成现实的，就是可能底实现。然而各运动，豫想运动者和被运动物，就是能动者和所动者。运动者，是现实的，就是形相。被运动物，是将成的，就是质料。质料，有想得形相底欲求。所以形相和质料相接触底时候，必然发生运动。而形相和质料以及他们底关系，都是永远存在的；所以由他产生出来底运动，也一定无始无终。但是这样的永恒的运动底最终基础，一定是非被运动的。什么缘故呢？一切的运动，由运动者及到被运动物底作用而发生。所以被运动物，豫想他底运动者。运动者，又豫想别的运动者。这种关系，互相连续下去，于是不到达非被运动者不止。换句话说，就是最初底运动者，是非被运动的。而非被运动的，一定是非质料的。这就是没有质料底形相，就是纯粹现实。什么缘故呢？假如有质料，就必定伴随他，由可能的进化做现实的，因而有运动缘故。又形相是完成的实在，质料是未发的实在，所以最初底运动者，是到达完全的极度底实在，不外乎世界底究竟目的。这就是最高善，或者叫作理性，或者叫作神的。像这样，他把纯粹形相就是神，叫作第一能动。像已经说过，运动底真因，是形相。神是最上的形相，所以是所有运动底原因。神实在是不动的原动者。自己不动的纯粹形相，如何叫别的东西运动呢？由于是一切事物忻求把他实现底目的。就是神，由被慕求，叫世界运动。就是神自己不动，所以能够叫其他一切运动，他不是机械因，是目的因缘故。神叫万有运动，就和艺术美或者自然美叫我们动一样。艺术美或者自然美，他自身不动，然而牵引我们。神是我们所思慕希求底理想，叫我们动，然而他自身不动。他底神，不外乎善底理型。

四 物理学

形而上学，拿无形的（形相）同不动的原动者（神），做他底对象。物理学，拿有形的被运动的，做他底对象。运动，是可能底现实化。运动共有四种。一、质料的运动，就是生灭。二、分量的运动，就是增减。三、性质的运动，就是变质。四、场处的运动，就是变处。总称他做广义的运动，或者称为变化。光把后面一种，称为狭义的运动。

世界不但应当从物理学上考察，又必须从目的论上考察他。一切转化底目的，是将成性发展成现实性。换句话说，就是形相和质料相镕合。自然，有一定的目的，常时向最善最美精进，没有一种是无益的不完全的。像这样，他像柏拉图一样，注重目的论的说明。形相同质料，是永恒的。由他们底关系所发生底运动，也是永恒的。所以宇宙也一定无始无终。天界不消说，就是在地界，也是个体虽然生灭，而种子绵亘永劫不灭。所以人类也是种子无始无终，只有盛衰隆替底运会。

宇宙分做天界地界两部，而月亮是他底境界。天界是彼岸，是圆满常恒的住家。地界是此岸，是不圆满无常的舞台。在天界底星辰，是不变化的，而他底运动，有整然的规则。他们是灵魂所成，空间的变化之外，没有变化。圈线运动之外，没有运动。这是他们底元素没有矛盾底缘故。地界和他相反，是构成两种矛盾底四种元素所成。所谓两种矛盾，是轻重底矛盾和性质底矛盾。所谓轻重底矛盾，是火是远心的（轻）元素，地是求心的（重）元素。水和气，位在两种底中间。前一种比较的重，后一种比较的轻。所谓性质底矛盾，是火暖而干，气热而湿，水冷而湿，土冷而干。地界底生物，所以生灭变化不止；就是因为有这些矛盾底缘故。世界是球形，地球位在世界底中心，拿他比世界，就非常之小，也是球形。天界越隔地球远，越纯粹，所以位在最外部底恒星天，最纯粹，这些天界，各各有灵魂。都能够不断的营为旋回运动。

亚理斯多德，注重科学，尤其把精力集注在有机体底研究。他虽然不消说，收用他以前底学者尤其是德谟颉利图研究底结果，然而他自己底发见，也断不少。后世称他做比较生物学同组织的生物学底鼻祖。

生命，从自己从事运动底性能成立。而各运动，豫想能动的形相和所动的质料。灵魂是生物底形相，而肉体是他底质料。因为灵魂是肉体底形相。所以又是他底目的，而肉体不过是灵魂底器械。在自然里头，假如是有生命的，纵然是无机物，也都有灵魂。形相，依进化底理法，逐渐战胜质料底抵抗。所以灵魂的生活，也有种种阶级。植物的生活，是营养同繁殖两作用所成。动物的生活，另外加上感觉和欲求底作用。许多动物，又具有移动底性能。到了人类，在这些性能之外，更具备概念的思维，就是理性。所以人类的灵魂，是三部分所成。一种是营养的，就是植物性灵魂。一种是感觉的，就是动物性灵魂。一种是理性的，就是人类性灵魂。

人类底肉体灵魂，却比其他动物优胜。就肉体说，像能够保持直立底位置，左右整齐，血液最多最纯粹，脑髓最大，体温最高，发声机关同手底作用最高尚。就灵魂说，有知觉，有想象，有记忆，有回忆。虽然，这些性能，都属于动物性灵魂。人类所独具而其他动物所绝无的，是理性。动物性灵魂，和肉体同生同灭，而理性断不这样。虽然，他和动物性灵魂结合底时候，被分割做能动理性同受动理性两种。前一种永远存在，后一种和肉体同生同灭。但是我们底思维，假如不是这两种理性结合，就不发生。所以我们记不得生前底状态。

五　伦理学

亚理斯多德底伦理学，是拿他底形而上学和心理学做基础而建立的。依他，伦理学，是人类终极的目的就是最高善底研究。人类底行为，不问大小，都被一定的目的所推动。而这个许多特殊的目的，被终极把他统一底大目的所支配。然而不单是人类，万有都被目的所推动。万有底目的，是什么呢？是把各自潜在的具有底性能实现，就是把潜势现势化。所以人类底目的，也不可不是把人类特有底性能实现。就是他以为人类底行为，无论大小，都有一种目的，而究竟的目的，是幸福。然而这个所谓幸福，意思不是快乐，是把人之所以为人底机能，充分发扬。就是所谓幸福，不过是求其所以为人，就是完成一个人，就是人性底圆满的活动。换句话说，就是所谓幸福，是人类所独具底活动，就是合理的活动，完全充实；断不是快乐。什么缘故呢？本来人类底特性，是理性缘故。合理的活动，就是依从理性底活动，叫他做道德。理性底活动，有学理的和实践的两方面。所以幸福底主要成分，是理性底学理的活动，完全充实；同理性底实践的活动，完全充实。把前一种叫作知德，把后一种叫作行德。知德比行德尊贵。知德，是领会真理。我们能够参与神底福祉，完全由于真理底观想。所以哲学的冥想底生活，是人类生活底最高而最近于神最幸福的生活。行德，是理性制御情欲，避开太过和不及底两端，而采取他底中道，就是适中。而能够选定中道的，是识见。例如勇敢是怯懦和莽撞底中道，慷慨是吝啬和奢侈底中道。但是在甲是中道的，在乙或者是过和不及。所以中道不可不随各人底性质，加以制约。

六　政治学

人类有共同生活底倾向，这就是国家底起原。国家底目的，不但在保护权利，防御外敌，维持生命；又在增进国民底幸福。而幸福底主要成分，不外乎道德。所以国家底职分，不可不是国民底德育。国家，从他底性质上考察，一定在个人同家族之前。什么缘故呢？国家是人生进化底目的缘故。虽然，从时间上考察他，就个人同家族，在国家之前。夫妇底关系，基于人性底自然，这就是家族底基础。许多的家族，互相集合，而成村落。许多的村落，互相集合，而成国家。就是人类本来是社会的动物。

社会底基本形式，是家族；而他底最完全的形式，是国家。人们底完全的活动，在国家，才能够开展。然而国家自身，实在是最高善底实现；国家，实在是人性自然所具底能力底圆满的开展。政体有君主制、贵族制、民主制三种。统治权在一人之手，就是君主政体。在少数人之手，就是贵族政体。在多数人之手，就是民主政体。一种国体，断不适于所有的国家，所有的时代，所有的事情；恰巧像一种衣服，不适于所有的人。

七　艺术论和宗教论

亚理斯多德，和柏拉图一样，以为艺术是模仿。虽然，柏拉图所谓模仿，是现象底模仿。他和他反对，说艺术是本质底模仿。一部分是自然底模仿，一部分是自然底完成。他以为艺术不但写出现实，又不可不描写理想。所以他以为诗比历史价值多，而且近于哲学。

他关于宗教底见解，可以说是抽象的一神教。他以为自然界虽然有一定的目的，而且他底秩序井然。然而不可不从自然上说明他。又以为神是自然界底秩序运动底最终原因，与其看作宗教上底本体，毋宁看作哲学上解释世界底第一原理。他不相信因果报应之说，但是他不破坏国教，不过想把他改良，和柏拉图相同。

八　逍遥学派

亚理斯多德底学派，就是所谓逍遥学派（Peripatetic），他死后，由他底弟子提奥夫剌斯塔（Theophrastus）继续管理。提奥夫剌斯塔，生于公元前三百七十二年，死于（前）二百八十八年，著书很多，教授弟子很久。这一派底基础，由此巩固。除此之外，有欧德谟（Eudemus）、亚利斯托塞讷（Aristoxenus）等人，虽然多少有些新见解，大体不出亚理斯多德底范围。

第五章 伦理时代底哲学

第一节 总 说

马其顿王国底勃兴，亚历山大大帝底远征，影响到希腊国民底生活和思想，非常之大。希腊底都市，虽然丧失政治上底独立，然而因为东西底交通陡然繁盛，各民族相混杂；希腊底文化，散布到四方，掌握精神界底霸权。虽然，希腊国民生活底重心，实在在公共生活。现在国民生活底精华，和政治上底独立，一同完全坠地。加之，优美的国土，化为异族底战场。生命财产，都不能够安全，道德也颓坏到不可收拾。当这个时候，他们观看世事底转变、无常、不可恃，不得不生起如何才能够救自己底疑问。如何才能够安息这个疲敝的心灵呢？这个是旧而常新的问题。是生活变成极其复杂而繁难底时候，有意识的人类底念头，必定浮起来底问题。就是失望之余，各各想在自己底心里，发见安心立命之地；是自然的趋势。当时底哲学，是由这种趋势生出来的。所以拿教导个人在自己底心里，获得不被世界底转变所捕捉底安心立命之地，做他底任务。总之，这个时代，是哲学重行回到苏格拉底时代，变成个人获得安心立命底手段；就是个人伦理。

希腊国民底思维力，和国势底凌夷，一同挫折得一蹶不振。柏拉图、亚理斯多德底伟大的哲学组织，虽然赫灼千百年之久，然而比肩的、接踵的，阒然无闻。这个时期底学者，流于主观底一方，局于实践底一面，陷于现实底一偏：不以客观的、学理的、理想的研几为事。斯多亚学派，唱导克己主义。伊壁鸠鲁学派，主张快乐主义。论难攻击，互不相下。结果，一转而为怀疑学派，再转而为折衷学派（一作混合学派）。然而他们拿伦理问题做主眼底地方，却是一样。所以哲学史家，把这个时期叫作伦理时代。

第二节　斯多亚学派

斯多亚学派（Stoic school）底创唱者，是塞浦路斯岛（Cyprus）底芝诺，生于公元前三百四十年。（前）三百十四年，到雅典，师事昔尼克学派底克雷提（Crates）。后来研习墨加拉、阿加的米等学派底学说。（前）二百九十四年，在画廊（Stoa Poikile），立学校讲学。这就是斯多亚学派底起原。他底品性很高，讲学五十八年，于（前）二百六十四年自杀。

接芝诺底衣钵，主持这一派的，是他底弟子克利安西（Cleanthes），生于公元前三百年。他底品行贞固，很受时人底尊敬。八十岁底时候，自杀。

继克利安西之后的，叫作基利斯波（Chrysippus），生于公元前二百八十年，死于（前）二百零七年。博学多识，热心从事教授和著述。于是斯多亚学派底学说，传播到四方；而他底学说，也逐渐的一定。

基利斯波以后，斯多亚学派底学者很多。后来传播到罗马，和罗马国民底性情，很为适合。因此，学势非常的旺盛，产生出辛尼加（Seneca）、埃披克提式（Epictetus）、马卡斯·奥理略（Marcus Aurelius）等巨子来。辛尼加生于公元后三年，起先得罗马皇帝尼罗（Nero）底信任，参与政治。后来尼罗厌恶他，公元后六十五年，叫他自杀。埃披克提式，是公元第一世纪时候底人，起初是罗马近卫将校底奴隶，后来获得自由。马卡斯

·奥理略，是罗马底皇帝，于公元一百二十一年，生在罗马，受充分的家庭教育，德望很高，死于一百八十年。

一　概　说

斯多亚学派底创唱者芝诺，遭遇世道沦落人心坏乱底时代，进不能够经营国家，想退而修好一身，非常推崇昔尼克学派底学说。他底绍述者，也都私淑昔尼克学派，举起哲人底理想来，必定首推苏格拉底、安地善等等。这个学派底目的，在叫人修德去解脱外物底束缚。因此，把哲学定义做修德。因为这个缘故，这一派底学者，都以为学理的研究，应当隶属于实践的修养。他们和昔尼克学派不同底地方，是要想解释实践的问题，必须充分施行学理的研究。所以参考赫拉颉利图斯、苏格拉底、柏拉图、亚理斯多德等人底学说，去把眼界扩大，来矫正昔尼克学派底极端的弊病。

斯多亚学派，把哲学分做论理、物理、伦理三科。这里头，伦理学是他底眼目，其余两科，不过是他底预备。

二　论理学

斯多亚学派底所谓论理学，意义极广，连雄辩术、诗学、音乐论、文法，都包含在内。下面所论述的，光是关于认识论同形式论理学底部分。

斯多亚学派底学者，反对柏拉图同亚理斯多德，是极端的经验论者。他们所私淑底安地善，不过说有现实性的，光是个体。他们更进一步，以为所有我们底知识，就是一切的认识；都从感官底知觉得来。就是我们底知识，是用感官知觉个物所成。人们初生底时候，精神像没有写过字底白纸一样，他底内容，必须由外物供给。精神收受外物底印象，犹如蜡板收受印底印象。观念，不外乎外物底印象。把观念写在他上面的，是知觉。一切的精神作用，都从知觉起发。所以知觉和高等的精神作用，同是物质的过程，没有种类底差异。记忆，从知觉发生。就是用感官知觉之后，印象继续存在，构成记忆。经验，从记忆发生。就是记忆互相结合，构成经验。精神有构造一般观念底能力，这种能力，叫作理性，是思维言说底能力。他和构造世界底普遍理性，本质一样。所以知识底本源，是知觉同从知觉抽象底一般观念。这样，那么，观念底真假，如何才能够区别呢？所谓真观念，是说他和他底对象就是客观的事物，符合。他和他底对象符合不符合，如何才能够知道呢？换句话说，就是真理底标准，是什么呢？斯多亚学者，以为我们底观念当中，伴随实在有客观的事物和他符合底意识的就是。换句话说，就是由伴随那个观念底直接的证明，知道的。真理知道他自己是真理，不等待别的证明，犹如光不等待被别的所照。总之，真理底标准，是自明（Selfevident）。

斯多亚学派底学者，用四个范畴，代替亚理斯多德底十个范畴。第一个叫作实体，第二个叫作性质，第三个叫作单纯的偶性，第四个叫作复杂的偶性。又在亚理斯多德底合式的判断上面，加上假定的判断同离接的判断两种。余外，不过因袭亚理斯多德底论理学。

三 物理学

斯多亚学派底世界观，是一元论的，实在论的（唯物论的），同时是目的论的。他们以为一切的存在物，都是有形体的。什么缘故呢？一切的存在物，都是从两种原理就是能动和所动成功的；又这两种不是各别分离而存在的，互相结合，而构成一种实在；能动的或者所动的，都有一定的形体缘故。所以不但是一切的实体，是有形体的；一切的性质，也是有形体的。因此，斯多亚学派，以为灵魂、神、道德、感情、智识等类，没有一种不是有形体的。像这样，结果，他们不得不把空间、时间同思想，也看作有形体的。于是斯多亚学派，否定物体底障碍性。就是两个物体能够不互相混合成一种物质，而互相贯彻。然而一方面，又区别物质和势力。

以为前一种，他自身没有性质。事物底性质，完全从贯彻他就是在他里面活动底势力发生。而世界所有一切的势力，又从唯一的原力派生。然而一切的存在物，都是有形体的。所以这个原力，也不可以没有一定的形体。这个世界的原力，是热气，就是美术的火。美术的火，依他们，在一方面，是根本物质。而在另一方面，又是根本精神。是世界灵魂，是产生一切、推动一切、构造一切底理性，是普遍万物支配他底法则，世界有秩序，有目的，有调和；完全由于这个美术的火底活动。换句话说，就是美术的火，是宇宙间一切事物底原因，就是神。神和世界底关系，犹如人们底灵魂和肉体底关系。就是世界是神底身体，是活有机体。他是世界底灵魂，一切生命底种子，包含在他里面。恰巧像植物在种子里面一般，世界潜藏在他里面。这个实在是泛神论。

人们底灵魂，虽然充满全身，然而他底主要部分，限于身体底一局部。神也一样，虽然充满全世界，然而他底主要部分，在世界底周围，或者在他底中央，或者在太阳。神为构成世界，在世界底原始，把自己就是神火底一部分，化做空气。把空气化做水，把水化作地。这四元素，构成世界底身体。神火底另一部分，构成叫他活动底势力，就是精神。像这样，万物从神火出，经过一定的时期，又复归于神火。这个是世界底大团圆。然而世界又依从同一的法则，重行从神火发生。像这样，破坏之后又构成，构成之后又破坏，永劫相循环相往复，没有停止底时候。然而再现底世界，和他以前底世界酷似，其间没有丝毫增减变异。世界底事件，像这样，由神底必然的法则从头到尾豫定。所以万物以至于人类，都受宿命底支配。就是世界底事件，都有因果底连锁，没有一种是偶然发生的事情，都从第一原因必然的发生。

斯多亚学派，以为人类底灵魂，也像一切现实的事物一样，是有形体的。灵魂底发生，和肉体相同，是物理的。然而他底质料，极其纯粹，是神火底一部分。灵魂底主要部分，叫作理性，这就是人格所在。克利安西，以为一切人类底灵魂，永恒不灭。基利斯波，以为只有哲人底灵魂这样。然而所有的灵魂，和世界底再造，一同再现。

四　伦理学

斯多亚哲学底中心，是理想的哲人就是贤人底生活。所谓哲人，是脱离世间底转变，完全自由的人们。因而理想的生活，是脱离烦恼。

理想生活底消极的方面，是不动心，就是无欲。积极的方面，是遵从自然，就是依从自然而生活。所谓自然，就是说理性，有广狭两种意义。广义是遍通世界底法则，就是宇宙底本性。狭义是人性，就是自己底本性。所以遵从自己底本性，就是遵从遍通世界底法则。就是他们不把宇宙看作机械的，宇宙是有目的，有生气，有智慧，有调和底统一体。人们是这个宇宙就是神火底一部分，是小宇宙；他底本性，和全宇宙同一。所以人们应当和宇宙底目的调和，遵从理性而行动。而像这样生活，就是实现自我。什么缘故呢？实现自己底真我，就是为宇宙理性底目的尽力缘故。就是一切的事物，都遵从世界底法则。所以伦理学底原则，是遵从自然。而因为人类底特性是理性底缘故，营为和理性适合底生活，就是遵从自然。人假如常时遵从理性所指示，必定获得幸福，这就是善。施行和他反对底行为，就是恶。所以善恶都只一种，道德是唯一的善，不道德是唯一的恶。其余的，都和善恶没有关系。健康、生命、名誉、宝贵、品位、权势、友谊、成功，他自己不是善。死亡、疾病、耻辱、贫穷，他自己不是恶。所以把快乐和幸福看作至善，是很误谬的见解。他是我们把他底能力使用适当底时候所生底结果，不是目的。这些东西底价值，在我们如何使用他。光是道德能够叫人们幸福。我们有理性的冲动和非理性的冲动——就是感动。烦恼，就是一切的感情欲求，违反自然，背戾理性，所以哲人叫自己底意志和一般的自然律一致。因而由遵从自己底本性就是理性而行动，去脱离烦恼底束缚，不为情欲底奴隶。斯多亚学派，把像这样不为外界所动底状态，叫作不动心（Apathy）。不动心就是道德，又是唯一的善。道德就是不动心，是精神底正常的状态。什么缘故呢？这个是理性的状态，而人们底灵魂是宇宙理性底一部分，理性是人们底本性缘故。所谓遵从自然而生活哟！是斯多亚学派道德底最高格率。

道德底渊源，是智识。由智识产生四种根本道德，就是识见、勇敢、节制、公正。因为这些根本道德底基础，都在智识；所以互有极密切的关系，断不可以互相分离。人假如有一种道德，必然也兼备其他各种道德。假如有一种不道德底时候，必然也兼备其他各种不道德。所以道德和不道德之间，没有中间底阶段。我们不是有德的君子，就是不道德的小人。不是贤人，就是愚人。所以从愚痴进到圣贤之域，不是渐次修业，是一瞬间顿悟。贤愚之间，没有中间，只有跳跃。贤是幸福底唯一的制约，所以贤人最幸福，愚人最不幸。然而世界底人类，大多数是愚人，贤人是极少数。就是从古来啧啧人口底英雄豪杰，也一概都有过失。

依上面所论述，斯多亚学派，以绍述昔尼克学派底学说为主，不过稍微把他修正一点。虽然，当他们把他应用在实际底时候，却把他大加减轻，大加限制。这种减轻、限制，实在所以叫他们不但免掉蹈昔尼克学派底覆辙陷于灭亡底悲运，而且用非常的势力，弥漫到各处。斯多亚学派，更在他底道德论，把和道德没有关系底事物，分做（一）遵从自然的，（二）和自然冲突的，（三）不遵从自然又不冲突的；三种。第一种是裨补道德的，所以应当选择他。第二种是毒害道德的，所以应当逃避他。第三种是不裨补道德又不毒害的，所以不须选择或者逃避他。因为这个缘故，我们对于第一种，有间接义务。在这个地方，斯多亚学派底伦理学，实践上极其便利；所谓不动心，也很宽和；横在贤愚之间底一大鸿沟也除掉。纵然是愚人，假如努力精进，就能够渐次到达贤人底阶级。

斯多亚学派，很注重实践道德，这就是他影响显著蔓延迅速最有力底地方。他底实践道德底特质，是（一）叫个人脱离外物底束缚，（二）尽人事而安天命。前一种表现他能够继承昔尼克学派，后一种表现他能够补足他。

像在前面所说，斯多亚学派，以不为外物所束缚为务。换句话说，就是主张道德的自由。为保护道德的自由，就是自杀，也无所不可。贤人表示自己独立底最适当的行为，是自杀。所以芝诺、克利安西等，都实行自杀。

五 政治学

在人们都有理性底地方，都遵从同一的法则，又有同一的权利。就是所有的人们，不问人种血统贵贱之别，是同一国家底人民。就是斯多亚学派底伦理，不是自利的。人们不单有保存自己底冲动，又有社会的冲动，引他到集团生活。依理性底教示，知道我们是宇宙的社会底一员，各各有本务（正义同博爱）。这个社会，是一种普遍的国家，他里面有唯一的法则（自然法）。什么缘故呢？有唯一普遍的理性缘故。在这个普遍的国家，道德是唯一的标准。所有的人们，都是从同一父亲所出底同胞，互有关系。就是人们都遵从同一普遍的理性，站在同一法则之下，是同一国家底人民。所以全世界是一家，全人类是兄弟。

第三节 伊壁鸠鲁学派

伊壁鸠鲁（Epicurus），于公元前三百四十二年，生在萨摩斯岛，死于（前）二百七十年。曾经研习过德谟颉利图同柏拉图底学说。（前）三百零六年，在雅典，购买庭园，创设自派底学校，教授哲学。他所说以实用为主，无论什么人，都很容易了解。闻风而来的很多，并且有许多妇女，加入他底团体。他底性质很温厚，所以人很敬爱他。他底著作虽然不少，却都失传。他底学说，是由他底门徒当中最有名的罗马诗人琉克理细阿·

卡鲁斯（Lucretius Carus）所作题做《万物底性质》（*De Rerum Natura*）底诗当中传下来的。

一　论理学

伊壁鸠鲁底哲学组织，和斯多亚学派底哲学组织相同，不过是解释实践问题底方便，所以学问上底价值很少。像他底论理学，只研究真理底标准，因而他把他叫作标准学。

真理底标准，在理论的方面，是感官底知觉。在实践的方面，是苦乐底感情。就是感觉所指示的，就是真理。像错觉是判断底误谬，不是感觉。这个能够由别的感觉经验订正。感觉，像德谟颉利图所说，是由对象流出底影像，从感官进来，和灵魂底原子互相接触，起运动而发生。一般观念，由把感觉反复而记忆他发生。所以一般观念，也能够做真理底标准。一般观念，也和感觉同样确实。然而没有和像这样的观念，对应底独立的实体。和他对应的，只有各个具体的对象。一般观念，不过是他底标号。

二　物理学

伊壁鸠鲁底思想，比斯多亚学派，更倾向唯物论。他以为根本的实在，光是物质的个体。一切观念底渊源，光是感觉。世界，不过是一种机制。从这里，可以知道他底物理学，是绍述德谟颉利图的。万物底根本成分，光是原子和空虚。原子因为有重量底缘故，垂直向下方，用同等的速度运动。就是原子底本源的运动，是从上向下底垂直运动，所谓原子之雨。然而假如单是垂直运动，就应当只是原子之雨，没有世界。然而因为他里头有稍微倾斜到左右底缘故，所以原子之间，起冲突；生出旋涡运动来。因此，无限的空间当中，产生无量的现象世界。生物，从地中发生。

灵魂也像别的东西一样，是物质的。他是极微细的圆形而敏活的原子所组织成功。他散在全身，在胸部的，是合理的，命令的。在别的部分的，依从他。死底时候，飞散到空中。一切精神的能力，由从灵魂飞散底灵魂的原子，和从外物流出底物象，互相接触而发生。

从这里看，伊壁鸠鲁学派底物理学，差不多是把原子论复活，而稍微变更的。不但一种创见也没有，而且比德谟颉利图底学说，要浅薄得多。虽然，伊壁鸠鲁底特色，不在他底论理学同物理学，而在他底伦理学。

三　伦理学

伊壁鸠鲁底伦理学，是个人底快乐说，人生天性有求快乐避苦痛底倾向，所以快乐是我们生存底目的，而幸福是人生底最高善。因而快乐都是善，苦痛都是恶。然而不是说所有的快乐，都应当求；所有的苦痛，都应当避。有时快乐而伴随苦痛，有时苦痛而伴随快乐。而且有许多的苦痛，反而优于某种快乐。就像精神上底快乐，比肉体上底快乐大。而精神上底苦痛，比肉体上底苦痛更酷。什么缘故呢？肉体只感觉现在底快乐苦痛，精神绵亘过去现在未来感觉他缘故。尤其是离开精神，肉体上底快乐，也不能够感觉。所以真快乐在理解事物底本质，就是学哲学。总之是选择理智生活底快乐。而像这样的快乐，在满足欲望底时候，就是无欲底时候；才能够获得。欲望是快乐和苦痛混在底状态。纯粹的快乐，生在欲望满足底时候，就是没有欲望底时候，在这里，理解事物底本质，是紧要的事情。所以他所谓真幸福，断不能够由感觉的快乐获得。

快乐，在从满足欲望生起底积极的快乐之外，有和没有欲望因而没有不满足底安静的状态结合底快乐。后一种，比前一种更有价值。真幸福，是毕生没有需要，没有不满足底安静的状态。因而人们究竟的目的，是到达心静的满足的状态。他把这种状态，叫作 Ataraxia，就是心不乱底意思，就是恬静。

伊壁鸠鲁学派，为度安静的生活，抑制欲望扰乱心底平静，最厉害底一种；是迷信和妄想。就中他底主要的是怕神，怕死同死后底责罚。要想驱逐像这样的迷信妄想，关于事物底本质，不可以没有真正的认识。

伊壁鸠鲁和亚列斯的保底快乐主义不同底地方，是他把快乐解释做不是特殊的快感，而是全生活底幸福。而且他所谓快乐，以带消极的性质为主，在除去苦痛，在内省不疚。所以以为精神的快乐，比肉体的快乐大。要我们内省不疚，再没有像修道那件事好。根本道德，有四种。就是识见、节制、勇气，同公正。识见，能够叫我们脱离偏见、空想、欲望。节制，能够叫我们不陷溺于快乐。勇气，能够叫我们不怕死亡和苦痛。公正，能够叫我们不犯刑罚。这四种道德，都所以保全我们精神上底安慰。

伊壁鸠鲁底学徒，赞赏用精神底力量抑制肉体底苦痛，差不多和斯多亚学徒相同。伊壁鸠鲁学派底理想的哲人，和斯多亚学派比，没有大径庭。

第四节　怀疑学派

斯多亚学派，和伊壁鸠鲁学派，伦理学上底主义，正反对。所以这两派底学者，互相论难攻击不止。加上阿加的米学派同逍遥学派，也各主张各底学说，互不相下。尤其是前两派底学说，是极其独断的。这些事情合起来，于是引起怀疑底新哲学。在先有比罗、阿塞息雷阿、卡尼亚低等。过后有厄尼西低墨等。把当时底学说，都加以攻击，以为无一足取。怀疑论者，虽然像这样打破一切的确信，但是在想由这个去得到安心立命底地方，却和别的学派一样。

一　比　罗

在亚理斯多德以后，倡导怀疑论，最早的是比罗（Pyrrho）。他于公元前三百六十五年，生在伊利斯（Elis），死于（前）二百七十五年。

比罗说我们丝毫不能够知道事物底本体。什么缘故呢？我们底感官所教示的，光是事物底现象，不是事物本身缘故。换句话说，就是知觉所给与我们的，不是事物底真相，不过是在那个时候那个场合底偶然的关系发现底状态。理性底判断，也一样，断不是普遍而不变的真理，完全是主观上底事情。所以我们对于事物，断不可以有所判断。能够对于事物无所判断底时候，就不被外物底转变所扰乱，因而才能够保持心底平静。心底平静，是真正的幸福。

比罗底学说，虽然一时很流行，得到不少的学徒。但是不能够像斯多亚学派伊壁鸠鲁学派那样长远自成一派。虽然，他影响到别的学派，尤其是阿加的米学派，很大。

二　阿塞息雷阿

阿塞息雷阿（Arcesilaus），生于公元前三百十六年。阿加的米学派，到他，于是采取怀疑主义。因此，哲学史家，把他以后，叫作中阿加的米学派。

阿塞息雷阿说：我们无论是依感官，依理性，都不能够认识。以攻击斯多亚学派所说真理底标准以及物理学同神学为主。和比罗一同倡导对于事物，不下判断。

三　卡尼亚低

卡尼亚低（Carneades），生于公元前二百十三年光景。阿加的米学派底怀疑论，到他而大振，所以他被看作新阿加的米底创立者。

卡尼亚低，也像阿塞息雷阿一样，以攻击斯多亚学派为主。倡导我们什么事也不能够知道，所以我们无论对于什么事，也断不可以下判断。依他，什么东西，也不是确实的，都是或然的。然而或然性，在所有的观念，不一样。他把或然性底程度，区别做（一）或然的观念。（二）或然的观念，和别的或然的观念结合的。（三）和别的或然的观念结合过底或然的观念，又和别的或然的观念结合的。

四　厄尼西低墨

厄尼西低墨（Aenesidemus），生于公元第一世纪底初年。他底学说，大致和比罗相同。阿加的米学派底怀疑论，到卡尼亚低，到达他底顶点。后来就凌夷不振。到安泰奥卡斯（Antiochus）出来采取折衷主义，于是阿加的米学派当中，一时断绝怀疑论底踪迹。但是安泰奥卡斯死后，怀疑论逐渐回复他底势力，很有复兴底气象。不过影响不像以前那样大。这种后期底怀疑论者当中，最杰出的，是厄尼西低墨。

厄尼西低墨，说我们丝毫不能够知道事物底真相，所以什么事也不可以主张。连我们底无知，也不可以倡导。像这样，我们才能够得到真正的快乐，就是从容自若。

他说知识不正确底理由，同一物，因为人不同；在同一人，因为感觉不同；在同一感觉，因为时候不同；又主体和周围底事情不同，而不同。所有的感觉，都被主观的要素和客观的要素底条件所限制，所以断不会同一。

怀疑论底运动，于哲学史不无影响。他叫各派底极端的独断论戒慎，而引起人修正他底主张。又因为把各种学说底差异和他底矛盾指摘出来，引起思想家把这种差异缓和，而高唱一致点。像这样，于是叫作折衷主义底哲学运动兴起。

第五节　折衷学派

折衷主义，是从希腊思想家和罗马人民底知的交涉生出来的。阿加的米、逍遥、斯多亚、伊壁鸠鲁四派；都拿雅典做中心，各唱导各底学说，互不相下。论难攻击，非常激烈。于是酿成怀疑论。怀疑论，到卡尼亚低，势力大得异常。别的学派，都不能够抵挡。于是大家结合起来，一同去抵挡他。在这个时候，并且发生一种叫各学派底结合加倍迅速底事情，就是哲学研究，从希腊迁移到罗马。罗马人没有哲学的思索底知能，不大注意世界和人生底理论。然而到公元前一百六十八年，马其顿被罗马所征服，希腊变成罗马底领土，才起哲学的反省底兴味。希腊底许多学者，到罗马。于是罗马底青年，注意希腊底哲学，以为希腊哲学，是罗马青年底教养所不可缺底要素。然而罗马人没有独创的思想，只从各派当中选择采用于自己最适当的地方，自然成为折衷的。而且在希腊互相反目底各学派，一迁到罗马，都释怨修好。于是折衷学派发生。折衷主义，最初先发现在斯多亚学派，阿加的米学派最盛，逍遥学派也有。唯有伊壁鸠鲁学派，牢守他底创唱者所说，丝毫不变。

一 斯多亚学派底折衷的倾向

斯多亚学派底学说，虽然到基利斯波而一定。然而受别的哲学组织底影响，尤其是遭遇卡尼亚低等底犀利的批评，时常多少有些变更。到波伊悉阿斯（Boëthius），而面目一新，变成折衷主义。他把亚理斯多德底哲学，混合在本来底斯多亚学说，于知觉之外，举理性、学问同欲望，做真理底标准。把神和世界分离，以为世界不过是死物。排斥世界燃烧说，而采取世界永恒论。到帕尼细阿斯（Panaetius）同他底弟子坡息多尼阿（Posidonius），不但推崇亚理斯多德，而且惊叹柏拉图。把他们底意见，加在从来底斯多亚学说里面。

二 阿加的米学派底折衷的倾向

折衷主义在阿加的米学派当中底势力，比在斯多亚学派，更为强大。

然而明了的采取折衷主义的，以斐伦（Philon）为最初。斐伦以为人生底目的，在得幸福。要想得幸福，不可不建立一定的伦理说，去攻击谬见，弘布正见。所以我们到底不能够固执极端的怀疑论。因此，他虽然和卡尼亚低相同，攻击斯多亚学派所说真理底标准，而唱导人类不能够到达绝对的真理。然而说能够到达事物底明白性，就是相对的真理。虽然，像这样的中间说，到底不能够长久维持。于是安泰奥卡斯，一刀两断，完全舍弃怀疑主义。而采取折衷主义。安泰奥卡斯，以为没有绝对的真理，怎么有相对的真理呢？判断什么也不能够判断，证明什么也不能够证明，是自家撞着。况且没有确信，而处于此世，不过是醉生梦死之徒。于是把所有的大哲学者互相一致底地方，看作真理。论断阿加的米学派，逍遥学派，斯多亚学派；在枝叶的地方同诠表底方法，不是没有冲突，然而在他们底重要的地方，断不矛盾。

三　逍遥学派底折衷的倾向

折衷主义，在逍遥学派当中，也产生把亚理斯多德底神学，和斯多亚学派底万有神教，综合起来底倾向。然而他底传播，不像在斯多亚、阿加的米两派那样旺盛。

折衷主义，在希腊哲学者当中，虽然像上面所叙述那样的流行，而在罗马哲学者当中，传播更盛。就中西塞禄（Cicero）最有名。他生在公元前六十年，他虽然自称属于新阿加的米学派，而不抱持怀疑主义。虽然极力攻击伊壁鸠鲁学派，而不固执斯多亚学派。虽然私淑柏拉图底理型论，而不排斥斯多亚学派底唯物论。所以他所倡导的，有价值的不多。然而因为他底文章美妙底缘故，在当时底学界，影响很大。

第六章　宗教时代底哲学

第一节　总　说

离开故国迁移到罗马底希腊思想，到第五期，又离开罗马，徐徐的东流。同时犹太国民底宗教思想，徐徐的西流。这两种思潮，在亚历山大里亚（Alexandria），不期而遇。

伦理时代底哲学，像在前面所说，都拿个人底安心立命做中心目的。到这个时期，安心底问题，进而为救济底问题。就是要想到达安心立命之地，不可不先离开不善不美不完全的自己，完全自由；不可不脱离肉体底束缚，走进心灵的生活。而这件事情，需要人以上底冥助。

在这个时期，伦理时代底怀疑的思向，和宗教的直观相合；企图超越认识底范围，单刀直入的捕捉真理。所谓神秘主义就是。而在从来底哲学组织当中，寻求接近宗教的直观或者神秘主义的，要首推毕达哥拉斯学派，同柏拉图底学说。于是产生新毕达哥拉斯学派，毕达哥拉斯化底柏拉图学派，犹太的希腊哲学派，新柏拉图学派等等。所以把这个时期，叫作宗教时代。

第二节　新毕达哥拉斯学派

毕达哥拉斯盟社底哲学，虽然在公元前第四世纪光景，已经消灭。而他底宗教的方面，却还继续存在。到公元前第一世纪底初年，宗教的要求，在罗马帝国兴起，于是复兴。哲学史家，把当时尊崇毕达哥拉斯，传唱他底教义的，总称作新毕达哥拉斯学派。他们著许多的书，扬言发现毕达哥拉斯底原书。后世所传毕达哥拉斯学派底书籍，一概都成于这个新毕达哥拉斯学派之手。

新毕达哥拉斯学派，用别的哲学组织，补充他底学说。他们底哲学，主要的成分，是把毕达哥拉斯底学说，和柏拉图底学说混合起来的。又在物理学，有收用斯多亚学派底意见之处。在伦理学，政治学，有蹈袭逍遥学派底意见之处。所以从哲学上说，实在可以说是折衷的。只有宗教上底意见，值得注意。他们把神看作纯粹的心灵，而主张高尚的一神教。又主张神和物质底绝对的二元论，以为神是善底原理，物质是恶底原理。神不能够直接和污秽的物质接触，所以在神和物质之间，设置低级的神，做居间者。又理型不是独立的实体，是神底精神当中底模范的表象。又以为真正的宗教，就是哲学。预言者，僧侣，就是哲学者。

新毕达哥拉斯学派底重要的教义，是灵魂轮回说和禁欲主义。人们底最高职分，就是叫我们底灵魂脱离肉体同感性。而唯一的手段，是实行清净的生活。这一派底学者，粗衣粗食，禁止饮酒食肉，实行财产共有。

第三节 毕达哥拉斯化底柏拉图学派

比新毕达哥拉斯学派稍微迟一点，被和他同一的思向所催促而发生的，是毕达哥拉斯化底柏拉图学派。这个学派底最重要的代表者，是有名的史家波卢塔克（Plutarch）。他生于公元后四十八年，死于一百二十五年。

波卢塔克，和其他柏拉图学派底人们一样，主张神底超越性，因而承认居间者。斐伦是犹太人，所以把居间者叫作天使（Angel）。波卢塔克是希腊人，他把居间者叫作精灵（Demon）。

他关于人们底认识能力，采取怀疑说，然而他相信神底启示。

他反对斯多亚学派底唯物论，又反对伊壁鸠鲁学派底无神论，而主张神是纯灵。他对于神，设置所谓物质；而以为神取物质造世界。以为物质本来是恶灵底住居，所以虽然受造化底作用，也还是丑恶的、不完全的。又以为神在世界之外，所以在神和世界之间，设置精灵，做居间者。又以为各种人民，崇拜各种不同的神，实在不过是用不同的名称，称呼同一的神。又我们很孱弱，光依靠自力，不能够达目的。所以不可不倚靠神底直接启示和冥助。

第四节　犹太的希腊哲学派

毕达哥拉斯化底柏拉图学派，受犹太思想底影响，是间接的，还不能够出二元的思辨。然而希腊思潮，越发东流。于是和犹太底宗教，直接在亚历山大里亚接触，而酿成一元的思想。这就是犹太的希腊哲学派。当时希腊语底研究，在亚历山大里亚很流行，至于用他去翻译旧约全书。公元前一百五十年光景，有叫作阿立斯托标拉（Aristobulue）底犹太人，叙述古代希腊底诗人同哲学者，尤其是毕达哥拉斯同柏拉图底学说。企图把他和旧约全书调和。但是犹太的希腊哲学，到亚历山大里亚底斐伦，才大成。

亚历山大里亚底斐伦，于公元前三十三年光景，生在犹太僧侣底家庭，死于公元后五十年光景。著有历史、政治、伦理等书。他很尊崇旧约全书，以为无一字一句，不是神来之笔。尤其非常崇敬摩西，同时又很佩服柏拉图、毕达哥拉斯、巴门尼底斯等希腊哲学者。以为犹太教和希腊哲学，都是发挥同一原理的，不过前一种比后一种更纯粹完全而已。所以他主张希腊哲学者，都讲读旧约全书。因此，他底学说，是调和镕合希腊哲学和犹太神学的。但是他底哲学上有价值底部分，由希腊哲学来的，占多数。尤其是柏拉图底影响很大。

斐伦底基本思想，是神底观念。神是绝对的超越者，所以无论用什么概念，什么名目，都不足以诠表他底庄严伟大。神比一切的完全更完全，比一切的善更善。神是不能够命名，又不能够理解的。我们虽然知道有神，却不知道神是什么样的。神底存在，是由我们底最高理性就是纯智直观的。他只可以叫作绝对的存在，只可以叫作耶和华（Jehovah）。像这样，神是超越万物底绝对者，同时又是创造万物，支配万物底势力。神是超越一切有限的事物底绝对的完全者。又是世界底一切存在同一切完全底渊源。一切有限的事物，都从他流出。

这样，那么，超越万物底神，如何能够做万物底渊源呢？斐伦在神和万物之间，设置居间者。把这些居间者，叫作势力。势力是神底性质，神底思想，神底仆隶。他和柏拉图底理型同一。又是犹太教底天使。而把这些势力统一的，是罗哥士。罗哥士，是神底初生儿，是第二神。

虽然，单用势力或者罗哥士，不能够解释宇宙。要想说明世界上一切缺陷罪恶底来源，不可不建立第二原理。于是把柏拉图所谓物质或者斯多亚学派所谓实体拿来，和势力或者罗哥士对立。就是罗哥士，是把神底智力、善实体化的。这个罗哥士之外，有第二原理，就是充塞空间底物质，就是没有性质底质料。物质是不完全丑恶底渊源。神由罗哥士底居间，从这个混沌的物质，创造物质世界。像这样，世界有始，然而无终。

人们从灵魂和质料成功，犹如宇宙从势力同物质两种原理成立。灵魂住在肉体当中，是堕落底结果。所以肉体是灵魂底坟墓，是一切罪恶底源泉，而人们生来本来具有罪恶底倾向。虽然人智和神心不断的交涉，然而不能够脱离感性，或者超越他。所以我们务须由沉思熟虑，脱离所有属于肉体底一切，进到不被情欲所动底清净生活。然而我们人太弱，罪太深，所以不可不仰赖神底冥助。我们假如真正敬虔神，被神底光明所照，进入忘记自己和神契合底状态（这个叫作忘我 Ecstacy），才能够没入纯粹的本源，驀直的见神。

第五节　新柏拉图学派

新柏拉图学派，是希腊思想界最后底重要的哲学组织。这一派底特色，是由哲学的宗教观，叫究理心和宗教心一并满足，就是学者底宗教。虽然，到后来采用通俗的宗教同他底仪礼，想做一般民众底宗教，结局，以至于和基督教敌对。

宗教时代哲学底特性，是毕达哥拉斯同柏拉图底哲学思想，和犹太底宗教思想相结合，而成为神秘论。然而新毕达哥拉斯学派，毕达哥拉斯化底柏拉图学派，犹太的希腊哲学派，都还不能够完全脱离折衷主义，因而不能够成为浑然的哲学组织。乘这种思潮，完成一种新哲学组织，表示希腊哲学底回光返照的，是新柏拉图学派。新柏拉图学派，不但私淑柏拉图，又是参酌亚理斯多德同斯多亚学派底学说，去把斐伦底思想扩充补足的。这一派底先驱新毕达哥拉斯学派，毕达哥拉斯化底柏拉图学派，同犹太的希腊哲学派；已经以为哲学底职分，在和超越一切的存在同概念底无限的本体就是神冥合。新柏拉图学派，更进一步，说一切的事物，完全从不可知无规定的本体流出。所以能够脱离无限和有限底矛盾，抛弃精神和物质底反对，把柏拉图底二元的唯心论和斯多亚学派底一元的唯物论，打成一片，去构成一元的流出论。

新柏拉图学派，可以分做三派。第一、叫作亚历山大里亚派。他底创唱者，叫作萨卡斯（Ammonius Saccas），第三世纪底时候，在亚历山大里亚，教授柏拉图底哲学。他底主要的代表者，是萨卡斯底高足弟子柏罗提挪，同柏罗提挪底弟子坡菲立。第二、叫作叙里亚派，他底主要的代表者，是占布力察斯。他把柏罗提挪底学说，略加变更。又采用古来底各种宗教同他底仪礼，加在上面，来建立一大宗教。罗马皇帝朱理安（Julianus），女哲学者海披萨（Hypatia），也是这一派底代表者。第三、叫作雅典派，他底主要的代表者，是蒲罗克鲁。

一 柏罗提挪

柏罗提挪（Plotinos），是埃及底思想家，是新柏拉图学派底中心人物，于公元二百零四年，生在埃及底来科坡里斯（Lykopolis）。少年时代，在亚历山大里亚，就萨卡斯，研究哲学。二百四十三年，到罗马，在那里创设学舍，讲说新毕达哥拉斯主义同新柏拉图主义，听众受很大的感化。他死（二百六十九年）后，他底论文，由坡菲立刊行。

柏罗提挪底哲学，像斐伦一样，拿神底观念，做他底出发点。神由无限性和超世界性成立。所谓根本的，所谓唯一，是派生的或者复杂底反对。不过是相对的名称，所以还不足以说明宇宙底原理。宇宙底原理，不可不是超越一切存在同思维底绝对的本体。就是神是万物底本源，然而他是超越一切差别反对底绝对的一，是连思维和存在（主观和客观）底对立也超越底浑一的绝对者。叫他做第一者。第一者，超越一切的界限、形体、规定。不但不具备形体的性质，也不具备精神的性质。所以思维、意志、活动力都没有。什么缘故呢？思维，豫想能思维者和被思维物。意志，豫想存在和活动力。活动力，豫想他底对象缘故。关于神，我们只能够消极的知道他全然和有限的事物不同，不能够积极的知道他底性质。所以我们对于神，什么属性也不能够赋予，假如说神是美、是真、是善，是意识、是意志、是什么；那就是对于神加以限制，叫他丧失他底独立性。

神是原力，所以是万有底产出者，就是一切的事物，从神发生。然而产出不是神底意识的创造，实在是必然的无意识的，而且永恒的无时间的，从自己产出世界。然而神底圆满的本质，断没有变化和增减。世界从神流出，是神底充满的本质溢出，就是神因为他充实底缘故，自然向外部流出。恰巧像太阳不丧失自己底光辉，而照世界。又像光辉离光源越远越薄。神底产出物就是一切的事物，也离神越远次第减少完全底程度，实在渐渐变成非实在，光明渐渐变成黑暗。

万有底流出，有纯粹思维（就是精神）、灵魂同质料三段。最初从神流出的，是纯粹思维。纯粹思维，是最高思维，又是最高实在。不是辩证的思维，是直观的思维。他底对象，是自己，和自己流出来底本源，就是神。在这个阶段，思维和他底观念，主观和客观，还没有分。就是在神心里，思维者和被思维物同一。神底思维，不是依从前提到结论底论理的过程，不过是直观的静止的照原样卒然罩恩观念底全体。在感官界，虽然是个别的事物（各个物）。然而在神心里，是一个观念。所以纯粹思维，是现象界底原型，是没有空间没有时间底完全永恒调和的可想界，就是纯理想的宇宙。然而他不但是现象界底原型，又是他底原因。

第二段底灵魂，是从纯粹思维流出的，是他底影像，所以比他不完全。灵魂也属于超感性的世界，就是超感觉的，就是可想的。灵魂是观念，是生命，是活动力。他是论理的，所以虽然比纯粹思维不完全，然而有思维底力量。

灵魂有各个的小灵魂，和贯通世界全体底大灵魂，都有高低两阶段。高的方面，冥想纯粹思维。低的方面，是和物质结合而构成他底动力。世界灵魂底低的方面，叫作自然。在人们底灵魂，高的方面，是形体以上底不生不灭者。低的方面，是和肉体结合，叫他活动底动力。

世界底最下的阶段，是质料，就是现象界，和超感性的世界反对，被自然的必然性，空间的关系，同时间的关系所支配。质料，是一切变化流转底基础，不过是没有形式没有力量底绝对的无能者。而且质料是一切罪恶底原因，就是根本罪恶，什么缘故呢？一切的罪恶，就是缺陷；而缺陷不外乎非有缘故。然而质料不是和神相对而独立存在的，完全是消极的，是非有。他离神最远，丝毫没有神底痕迹，是黑暗。不过是由灵魂底作用，造成感觉的影像，就是可想界底摹写。

感官界和灵魂界，同样是无始无终的永恒界。然而灵魂产生质料，和他结合，毕竟是堕落在黑暗当中。因而感官界，是恶的世界，不完全的世界。然而从别的方面看，毕竟是从理想世界发生，从神流出；所以是世界最美丽而完全的。

柏罗提挪底伦理说，是把他底宇宙论倒过来，说灵魂如何脱离物质底束缚，和神合一底溯源的向上的关系。解脱是人生底究竟目的。到达这个目的底手段，有两种。第一是爱美，第二是忘我。柏罗提挪，实在和柏拉图相同，拿感官的知觉，做到超感官的世界底方便。但是感官的知觉，不过只认识真理底面容。认识真理，比感官的知觉，更明确的，是辩证。虽然，辩证不过间接认识真理。直接认识真理的，是直观。我们由直观，才能够认识纯粹恩惟。虽然，直观还不能够脱离直观者和被直观物底区别。能够蝉蜕一切的差别，单刀直入，和绝对无限的本质镕合的，是叫作忘我（销魂大悦）或者纯洁底无意识的状态。忘我，是和神合一底状态，是最高的福祉。忘我就是和神合一，没入神，忘记自己同事物，超越全意识底境界。

关于世俗底宗教，柏罗提挪，并不全然把他排斥。在绝对的意义底神就是第一者之外，也承认相对的意义底群神，像日月星辰就是。而且他也容许崇拜偶像同预言。此所以后来他底绍述者，辩护世俗底宗教，把他组织成一种学说。

柏罗提挪底弟子，有坡菲立（Porphyry）。但是他不过绍述柏罗提挪底学说，并没有把他发展。他拿禁欲主义和世俗底宗教，做净行底手段。新柏拉图学派底哲学，到坡菲立底弟子占布力察斯，而面目一新。

二 占布力察斯

占布力察斯（Jamblichus），不知道生在什么时候。起先在罗马，师事坡菲立。过后，在叙里亚，以教授哲学为事，企图把宗教加以改革。因此，哲学史家，把他底学派，叫作叙里亚底新柏拉图学派。

占布力察斯，拿柏罗提挪底哲学做基础，组织多神教底神学，大成希腊宗教，去抵当基督教。虽然，哲学上丝毫没有创见。只是把希腊底群神，排列在柏罗提挪底神和人类底灵魂之间。像他底形而上学同伦理学，不过完全蹈袭柏罗提挪底学说。

占布力察斯，虽然集成希腊底宗教，然而他底哲学上底价值，反而比柏罗提挪减少。因此，蒲罗克鲁，依傍柏拉图同亚理斯多德底学说，重行振作新柏拉图学派。

三　蒲罗克鲁

蒲罗克鲁（Proclus），生于公元四百十年。他在雅典，创设学校，教授生徒。所以他底学派，叫作雅典底新柏拉图学派。

蒲罗克鲁底根本思想，和柏罗提挪相同，是从唯一流出复杂，再从复杂复归于唯一。把像这样的常住、流出、复归，叫作三种图式。他富于想象，同时长于辩证；所以能够把新柏拉图学派底哲学，重行振作起来。虽然，他底弊病，是想象流为迷信，辩证变成形式。

从泰利士以来逐渐兴起底哲学思想，到亚理斯多德，于是隆盛达于极点。亚理斯多德死后，思向虽然变迁好几次，然而逐渐陵夷不振。新柏拉图学派，虽然据形胜之地，综合东西各种思潮，卷土重来；毕竟不能够抵抗基督教底崛起。到公元五百二十九年，查士丁尼皇帝（Emperor Justinian）下了一道命令，封闭雅典底学校，放逐哲学者，严禁教授哲学。希腊哲学史，于是光沉响绝。

第二编 中世哲学

第一章　序　说

所谓中世哲学，严密说，是学林哲学。和希腊哲学底末期并行底教父哲学，实在应当编入古代。像初期底教父，比柏罗提挪出现在前，实在应当比新柏拉图学派在前说。然而学林哲学，拿基督教会底教义做基础；而基督教会底教义，是由教父哲学确定的。就是教父哲学，是学林哲学底根柢；而学林哲学，可以看作教父哲学底发展。所以把教父哲学和学林哲学，合并在中世哲学里面叙述。

从神话出发底希腊哲学，到末期，哲学上底宗教的倾向又旺盛。结局，以宗教时代告终，而基督教代之而起。

基督教支配欧洲中世纪一千多年间底思想，于是哲学成为宗教底奴隶。所以中世哲学，就是基督教底哲学。

犹太国民，由来缺乏哲学思想，受他镕铸陶冶底耶稣同他底门徒，自然也不会富于思辨的能力。所以基督教徒，为辩护扩张自己底宗教，和希腊哲学者论难攻击，反而不免非常受他底影响。中世哲学，宛然是一部柏拉图、亚理斯多德两个人哲学思想底隆替史。

第二章　原始基督教

基督教，是耶稣基督改革犹太教所创唱。起初丝毫不混杂学术或者哲学上底思想，从极其单纯的宗教的感想建立。他底根本观念，是把犹太教所说创造世界、支配世界、至圣、全能底独一神，看作是万民之父，是爱神。没有不爱底物，没有不爱底人。不可不像天父爱我们一般，我们也敬爱天父。又所有的人们，都是同胞，不可不相爱。然而人类违背天父，趋向罪恶；所以不可不力图改悔，归依天父。遵从天父底意旨。神所要求于我们的，是像赤子底天真而清纯的心情。不要怕，不要忧愁。天父爱我们，护我们，赦我们底罪。天国近了，我为赍送他而来。所有有罪者，疲者，负重者；我来，我叫你们休息。这就是耶稣底福音。

耶稣死后，基督教同时衰落。然而由亲炙他底使徒，先弘布于犹太人之间。后来由异邦人底使徒，打破国民的限制，排除许多的障碍，渐次弘布于四方。

基督教第一神学者，是保罗（Paul）。保罗打破所谓犹太人底基督教，建筑世界的基督教底基础。依他，人类和始祖亚当（Adam）底堕落，一同成为背神底罪人。然而神怜悯人类，派遣耶稣基督；他底血，赎人类底罪；叫和神相反底人类，和神和解，变做神底儿子。人类元来罪孽深重，所以不能够用自力救济，只能够由神恩救济。基督为我们人类，甘受死和屈辱。这个实在是保罗神学底要旨。

第三章 教父哲学

基督教教义底组织，第二世纪以后，着着进步。经过许多的争论，于是教会底正统教义确定。教会尊重于组织教义有功绩底人们，叫他做教父，意思是教会之父。教父时代，拿尼西亚（Nicaea）会议做中心，区分做他以前底时代，和他以后底时代。

第一节 尼西亚会议以前底教父哲学

尼西亚会议以前底教父哲学，可以区别做三派，就是唯知派（Gnostics），护教派（Apologists），同正教派（亚历山大里亚底教校）。从大体底倾向说，唯知派，正教派，是组织的。护教派，是辩护的。

一 唯知派

教义未定时代，就是尼西亚会议以前底教父哲学者当中，属于异教派的，是唯知派。这一派底起源，是第一世纪底时候。在第二世纪，极其隆盛。到第六世纪底时候。差不多完全消灭。这一派底代表者，是二世纪底巴西来低（Basilides in Alexandria），伐伦泰讷（Valentinus），卡坡克拉提（Carpocrates）。

唯知派，是开始想把基督教加以哲学的组织底人们。他们底教说，是把希腊底哲学思想，和东方底宗教思想，加添在基督教底思想，奇异的混合起来的。他们里头，虽然有种种的流派，然而他们共通底根本思想，是不把宗教上底信仰，单停止在信仰，而叫他更进而变成宗教上底知识。依他们。知识优于信仰，恰巧像树木位在根上。知识底希腊语，叫作诺斯士（Gnōsis），所以这一派有诺斯替底名称。所谓知识就是诺斯士，和普通的知识，完全不同。就是不是理智，是神秘的、直观的知识。是把传说的、教权的信仰，变成神秘的、直观的知识。是由直观的、神秘的认识，把捉真理。他们更从宗教的见地，观察历史同宇宙。把基督底救济，放在历史底顶点。用支配世界底神的势力（各种鬼神）底争斗，表示基督教征服其他宗教（犹太底律法教希腊底多神教等）底行程。像这样，把人类底历史，翻译做宇宙底历史。他们想在历史的事实，发见宇宙的永恒的意义，开历史哲学底端绪。依他们，宇宙底进行，是善和恶底争斗。而以善由基督底救济而得胜利，结局。

唯知派，不消说，是粗笨的，又是假想的。虽然，后来底学林哲学，已经胚胎在这里。依他们底主张，基督教，是崭新而且神圣的教义；犹太教，是腐败的宗教。其他的异教，是恶灵所造。犹太底神，就是造物主（Demiurge），是虚伪的神，和真实的神反对。基督是最高的灵之一，为救济由造物主被幽闭在物质里面底灵魂，进入人体。能够了解基督底真教的，成为智者（Gnostics），而且能够脱离物质底羁绊。这个世界，是堕落底结果，物质是恶底原理。

唯知派底学者当中，最可注意的，是伐伦泰讷。他把神和旧约全书底神就是造物主峻别。依他，最始有超越语言文字底超越的神，叫他做一切之父。他和真空对立。两种底关系，犹如形相和质料，善和恶底关系。一切之父，是男性的原理。和他并立底女性的原理，是无言。由一切之父和无言结合，群神双双相并，从他发生。最初发生底二神，是理性和真理。

最后发生底女神，叫作智慧。把从一切之父流出底这些恒常的势力，叫作群神（Aeon）。Aeon 是希腊语，意思是永恒存在，是介在最上神和世界或者人类中间底原理，或者从属神，或者半神底名称。把群神底总和，叫作充实。因为他是神的生命底显现，神的生命底全体缘故。智慧，对于一切之父，起僭越的羡望，拿执着质料的真空就是物质底机会，给与智慧，叫他去造作人类和世界。圣灵，是从理性同真理流出的，是群神界底救世主。基督是从充实流出的，他所救底世界，位在群神界和感觉界中间。而我们人类底救济者，是马利亚（Maria）底儿子基督。他是把群神界底秘密传达人类的。知道这个群神界底秘密，这就是唯知派底所谓知识。

唯知派底勃兴，在基督教，是一大危机。因而极力反驳他底教父辈出。

二　护教派

所谓护教派，是外对于异教哲学者底攻击，同罗马当局底迫害；内对于唯知派底异教的倾向，辩护基督教底一团学者。他底代表者，是殉教者查斯丁马忒（Justin Martyr 103—165）、阿忒那哥拉（Athenagoras，about 176）。罗马人当中，有密纽细阿·菲力克斯（Minucius Felix，二世纪）。就中最重要的，是查斯丁。

查斯丁，把罗哥士看作在世界以前由神造作底第二神。依他，神是无始无终、无限无量、超越语言文字底绝对的存在，就是永恒存续底原理。罗哥士是神从自由意志发出的。神在创造之前，造作罗哥士。罗哥士从神发出，恰巧像光线从太阳发出一般；而且像从太阳发出底光线不离开太阳一般，罗哥士也不离开神，罗哥士和神一同存在，就是和他底本源一同存在。同时罗哥士又是独立的人格，是永恒和神一同存在底第二神。罗哥士，是从无造作世界底灵的创造的能力。虽然，罗哥士不从无造作世界，从无始无终无形的原始的物质造作世界。这个罗哥士，显现做人，就是处女马利亚底儿子耶稣基督。圣灵也是从神发出的，是神底智慧，是实体。他明明是采取希腊哲学底思想，把他混合在基督教会底宗教思想的。

依他，所有的真理，纵然是基督出世以前底学者所说，也都可以说是基督教的。什么缘故呢？所有的真理，都是罗哥士底启示，而基督就是罗哥士缘故。罗哥士底启示，从人类底起始就有。像希腊底哲学者，都是受过启示的。是由于一面直接受罗哥士底启示，一面间接读摩西同各先知底书，得到真理的。然而他们所受底启示，都是断片的，不是完全的。在基督，罗哥士才完全的显现。因为基督是罗哥士底化身缘故。就是基督是第一个把罗哥士完完全全的表现出来的。罗哥士常时在历史上表现，但是特别在耶稣基督身上表现。所以基督教是真理底完成，是唯一的真哲学。

又人底意志，有选择底自由。然而一度选择之后，就被必然的理法所支配。

力驳唯知派底主要的教父爱里泥阿斯（Irenoeus 140—200），同他底弟子希坡利忒（Hippolytus 217（?）—235），以及忒滔良（Tertullianus 160—220 以后），也被加在护教派当中。

爱里泥阿斯，攻击唯知派，把知识摆在信仰底上面，以为唯知派所谓知识，实在是不信仰底标号。认识神，不是人们底能力所能够办，只有依神底启示。所以除掉基督教底传说就是使徒所传，没有真知识。

关于创造，他和查士丁所见，很不同。以为查士丁承认神和物质二元，和把一切看作神所创造底基督教义相反。神是一切底创造者，所以物质，不消说，也是神所创造。神从无创造世界。

到忒滔良，更进一步，反对用哲学的知识说信仰。他以为我们自然底理性，是人类堕落底结果，断不能够认知真诚的真理。所以拿理性做基础底哲学，是异端邪说底渊源。基督教，和人们底有限的理性矛盾，反而证明他是真诚的真理。所以说："不合理，所以我相信。"（Credo quia absurdum）

又叙利亚人退细安（Tatian 二世纪），也很反对哲学，把所有的希腊底文化，看作魔鬼底所为。

三　正教派

护教派，推重教会底信仰，而排斥知识。唯知派，推重知识，把基督教哲学化，像在上面所说，产生和教会底信仰背反底结果。在这个中间，拿基督教会底信仰做基础，去组织基督教哲学的，是亚历山大里亚底教校，就是正教派。他底代表者，是克力门（Clement of Alexandria, about 200）。同奥立泽泥（Origenes 185—254）。尤其重要的，是奥立泽泥。

奥立泽泥，和唯知派一样，想叫信仰进而为知识。把哲学的知识底标准，放在教会底圣书。然而他解释圣书，不单采用字面上底意义，而且努力阐明伏在他里面底真精神。

神是纯灵，是唯一者，是不变者，是超越所有的存在者，是由他底意志创造世界底绝对的、永恒的原因。没有和神相对从无始存在底物质。物质那个东西，是神所造。而他底创造活动，和他一样是永恒的。神是唯一者，不变者。所以他创造世界，不是自己直接创造个物，万物是从神发生底罗哥士所造。罗哥士虽然他底本质，和神父相同。然而是可见的，是从属父底第二神，就是圣子。圣灵对于圣子底关系，和圣子对于圣父一样。

凡是神所造底灵，都能够参与神底福祉。然而为误用自由，离开神，陷于罪恶。他们虽然像这样犯罪恶而堕落，然而不是把神性全然丧失。所以由自己底自由，同神底恩惠，能够通同复归于神。而一切的灵底复归，是世界历史底究极地。

奥立泽泥底教说，例如关于世界终极底教说，从正统教义看起来，也许还有许多不相容底地方。然而从哲学上看，基督教义底根本思想，可以说是由奥立泽泥而达于完成。

第二节　尼西亚会议以后底教父哲学

基督教义底根柢，是所谓神由基督救人类底事实。因而教义上底问题，也不可不拿这个神、基督、人类三点做中心。然而关于这三点，一直到尼西亚会议以前，还没有确定不动摇底正统教义。到君士但丁（Constantine）大帝，统一罗马。三百二十三年，承认基督教为罗马国教。三百二十五年，召集许多的牧师，在小亚细亚底尼西亚，开宗教会议。其后又在君士但丁堡（Constantinople）等处，开好几次大会，解决这些教义上底问题。这些问题，可以依他底对象，叫他做神性论的，基督论的，同人性论的。第一神性论的问题底解答，是三位一体说。第一个问题，在尼西亚会议，以阿塔内细阿（Athanasius 298—373）所提出底父子同质说决定。依他，神子（基督），不是神父所造，是所生，是从真神出底真神，从光出底光，所以和神父同质。后来在君士但丁堡（三百八十一年）会议，更加添圣灵，于是成立三位一体底教义。

第二基督论的问题底解答，是神人说。第二个问题，经过以弗所（Ephesus）（四三一同四四九）同加尔西顿（Chalcedon，四五一）等会议，以基督是一身把神性和人性两种合一底神人说决定。

第三人性论的问题底解答，是原罪说同神恩说。结果，基督教会底正统教义确定，一直到现在。

前两个问题，是在东方就是希腊教会所决定。西方就是腊丁教会，不参加论议。解决第三个问题的，是奥古斯丁。神学底中心，和他一同从东方移到西方。

奥古斯丁

奥古斯丁（Aurelius Augustine），于三百五十四年，生在北亚非利加沙格斯脱（Thagaste），死于四百三十年。父亲是异教徒，母亲是基督教徒。奥古斯丁，从幼时，受基督教的教育。又在马达拉（Madaura）同迦太基（Carthage），修学希腊语、修辞学同哲学。他在迦太基底时候，生活非常放荡，后来研究圣书，厌恶他底文章单调，抛弃他。十九岁底时候，入摩尼教（Mani Chaeism），奉行他到九年之久。三十岁底时候，转而就新阿加的米学派底怀疑说，其次，又奉新柏拉图学派底学说。这个期间，他在沙格斯脱、迦太基、罗马等处，教授文法同修辞等。三百八十四年，为米兰（Milan）府所聘，当修辞学教授，和米兰底主教安布洛兹（Ambrose）相识，被他底辨才所动，一旦幡然改悔。三百八十六年，重行做基督教底热诚的信徒。于是抛弃从来底职业，进入僧侣之列。起初做牧师，后来做主教。他底自叙传《忏悔录》，就是叙述他当时胸中底冲突烦闷的。他底著作，《忏悔录》之外，最有名的，是《神都》（De Civitate Dei）。

奥古斯丁，拿救济底事实做中心，解决人性论的问题。依他，人类是要救济的，因为他陷于罪恶缘故。虽然，人类染于罪恶，被他所缠缚，丧失意志底自由；所以不能够用自己底力量救济。然而责任豫想自由，不是从自由意志所发底行为，罪恶不能够发生责任。这样，那么，自由意志，在什么地方呢？奥古斯丁说在创造以前底原人。人类底始祖亚当，有不犯罪恶底自由。然而他滥用自由，犯罪恶，因而丧失自由。他底子孙人类，都享受他底性质，陷于不得不犯罪恶底奴隶。换句话说，就是亚当底罪恶，便是人类全体底罪恶。所以人类都是原来有罪恶的，这个叫作原罪（原罪说）。

像这样，人类是罪恶底奴隶，对于从原罪来底宿罪，只有由神底恩惠得救。救济没有什么理由，是神底任意。神任意救某人，或者不救，什么人得救，不由那个人底行为如何而定（什么缘故呢？人类都是罪人缘故），而由神意豫先决定。救济完全是神底恩惠，无论什么人，没有要请救济底权利。救世主是基督。教会继续基督底事业，是他底代理者。所以教会以外，没有救济之道。光是教会有赦罪底权力。

像这样，他用以上底原罪同神恩底教义，完成教会底信仰，而且确立对于教会那个东西底信仰底基础，去把加特力（Catholic）教会底根柢，安固得像磐石一般。

奥古斯丁底思想，有两个趋向。一方面，他是神学家，拿教会做中心，去辩护信仰。又一方面，他是哲学者，从自意识出发，拿他做根本原理，去说明一切。当时阿加的米学派底人们，采取怀疑的态度，想由中止判断，得到安心立命。他一时也相信这种说法。后来他拿自家检讨（反省），做哲学的考察底出发点。以为怀疑是思维底结果。怀疑底存在，豫想思维和思维底我底存在。可见自我底存在，没有丝毫可以怀疑底余地。他这个地方，可以看作笛卡儿底先驱。自我底存在，假如确实，那么，我底感性，我底理性，就也不可不是确实的。这两种是我们底认识所由来底根源。感觉所给予的，光是关于外界底臆见。然而拿到达不变的真理底机会，给予我们。拿这个感觉做机会，去到达真理底活动；叫他做理性。理性，是判断，就是把概念分析又把他结合底作用。由他能够到达普遍的真理。在这里，所谓普遍的真理，不单是真，也包含善和美。像这样，我们由理性，认识现象以上底真理，就是神。我们假如相信自我底存在，就不可不更进而相信神底存在。人是从所谓神底唯一原理分出来的，所以人能够互相理会，又认识我以外底存在。人底灵魂，在某点，和神一致。神是灵魂底太阳。由神底光，灵魂认识一切。一切底原型，在神里面。神是包含一切实在底恒常的原理，是至高的实在，就是理型世界；是一切底原因，是真善美底根源。这样，那么，认识神之道如何？他说在爱他。这种对于神底爱底说法，可以看作斯宾挪莎底先驱。

第四章　学林哲学

基督教会底教义，由教父哲学确定。所谓学林哲学，是进一步把由教父哲学确定底教义，从哲学上论证，拿合理的基础给与他。换句话说，就是他们底任务，是把教会底信仰，变成教会底学问。成就这种任务底人们，在教会底学林（schola）讲学，是教会底学师，所以有学林哲学底名称。学林哲学底长处，是他议论细密，论证精致。然而他底弊病，是流于烦琐，空虚无内容。所以又有烦琐哲学底名称。依学林学者，教会底教义，是绝对的真理。叫我们理解他，是哲学底目的。因而学林哲学，不是探究真理，不过是对于教会底信仰，提供合理的基础。又学林学者，以为哲学和神学，有同一的内容，同一的目的，同一的兴味。哲学和神学，信仰和理性，恩惠和自然，同物异名。总之，他们底目的，是表示宗教上底信仰，和哲学上底究理一致。所以在严密的意味，不可以称为哲学，不过是神学之婢。

然而学林哲学，和古典文化底儿子教父哲学，是在新兴底条顿（Teutones）民族、新腊丁民族之间发生的。英吉利、法兰西、西班牙、德意志，就是西部欧洲，是他底乡土。学林哲学，实在可以说是在所谓教会底母胎里发达，而是近世欧洲哲学底胎儿。

第一节　学林哲学底创立时代

学林哲学由伊烈基那才发挥。然而在严密的意味，学林哲学底创立者，实在是安瑟伦。

一 伊烈基那

伊烈基那（Scotus Eriugena），从八百年到八百十五年之间，生在爱尔兰（Ireland）。八百四十三年，充任巴黎底宫廷学校校长。他死底年月不明白，然而到八百七十七年还生存。

伊烈基那，是学林哲学底先驱。他以为真正的宗教，是真正的哲学。真正的哲学，是真正的宗教。哲学和宗教，光是形式不同，内容完全相契合。宗教信仰神，崇拜他。哲学研究神，说明他。哲学是信仰底学问，是教会底理解。虽然，他置重理性底方面，所以他底教说，结局，变成泛神论，以至于被罗马教会排斥做异端。

伊烈基那，论神和世界底关系，说神是一切底根源，又是他底终局。一切底总和，是希腊人所谓全，又叫作自然。我们所目睹底自然，不过是自然底一半。自然底全体，是把他和神合起来的。自然有四阶段，（一）不是所造，是能造底自然；就是神。（二）是所造，又是能造底自然；就是罗哥士。（三）是所造，不是能造底自然；就是神以外底世界。（四）不是能造，又不是所造底自然；就是复归于神底世界。第一种自然，就是神，是最普遍的，又是无制约的，因而是不可知的。第三种自然，是神所创造底现实世界。站在他和神底中间，做神和世界底中保者的是罗哥士。罗哥士，是世界底原型，是柏拉图底理型界，是可想界，是包含在感觉世界里面底活力。拿这个罗哥士做原型所构成底世界，临了又复归于神。所以神是万物底初中终，一切从神出，在神里面，又复归于神。

二 安瑟伦

安瑟伦（Anselm），于一千零三十三年，生在意大利底亚俄斯塔

（Aosta），死于一千一百零九年。二十七岁底时候，入柏克（Bec）底修道院。一千零七十八年，充任该院底院长。一千零九十三年，被选为坎特布里（Canterbury）底总主教。著作很多，主要的，是《什么缘故神变做人》（*Cur deus Homo*），他被称为第二奥古斯丁。

依安瑟伦，宗教上底信仰，在认识之前。没有理解我们所信仰什么缘故是真理底能力的，应当光用信仰满足。有那种能力的，必须更从信仰，进到认识。信仰是为更进而理解真理的。然而信仰和认识，必定互相契合。所以纵然没有特别的天启，而宗教上底真理，光依我们底理性去推考，也能够充分论定。所以哲学不可不把宗教底真理证明得连不信者也能够首肯。

像这样，他把神像左边解释。他底哲学的根据，和柏拉图底理型论同样，采取实体论的证明。

安瑟伦，先论证神底存在。以为一切的事物，豫想绝对的存在者，这就是神。神是一切事物底最高者，换句话说，就是最完全的存在者。像这样的神底概念里面，已经包含所谓神底存在（有神）。而把光在思想上存在的，和实际存在的比较；就后一种更加完全。神是最完全者，一定不会不实际存在。什么缘故呢？假如不是实际存在底时候，神就缺损完全缘故。

和这个论证同样有名的，是他底救济论。依他，万物，是为显示神底光荣所造。而一切被刨造者当中，最高的；是理性的存在者，就是天使和人类。他们具有自由意志，而且他们底意志，拿自己底幸福或者神底光荣做目的。然而离开神，独立自存，就什么实在性也没有，而且这就是罪恶底根源。天使误用自由，陷于罪恶，不拿神底光荣做目的，而拿无做目的。因此，神底光荣，生缺损。为补充这种缺损，天使受永恒的责罚。而人类也是为补充这种缺损所创造。然而人类也背神，犯罪恶；神底光荣，又生缺损；于是又生补充这种缺损底必要。

人类底堕落，实在是对于神底无限的罪过。对于他底正当的刑罚，是把人类绝灭。然而绝灭和创造底目的（人类底福祉）相反，于是不可不讲求不把人类绝灭而叫神底正义满足底方法。这就是赎罪。然而能够赎无限的罪过的，必须是无限的功德。这个惟独神能够，而人类不能够。然而人类所犯底罪过，应当人类自己对于他负责任。所以能够赎人类底罪过，而且叫神底正义满足的，必须是神而又同时是人。像这样的神人，就是基督。人类无论做如何的善行，也只是尽对于神底当然的义务，断不是功德。所以赎罪只有受苦才能够。基督，实在是代人类受苦，去赎罪的。

三　实在论和唯名论

像在上面所说，安瑟伦底见解，拿柏拉图底理型论做根据。像这样，学林哲学，采用柏拉图所谓普遍是实在底实在论，其间不是没有必然的因缘。什么缘故呢？假如普遍是实在，加特力教会，就断然不单是基督教底僧侣同信者底集合体，实在有站在他们上面离开他们独立存在底威权。换句话说，就是先各个信徒而存在底实在。像在柏拉图底国家论，全体位在特殊以上，统御他。站在信仰统一之上底教会，位在个人以上，有教育他们叫他们服从底威权。因此之故，教会为想保持他底威权，不得不和柏拉图一样，唱道普遍是在个物以前底实在。加特力教会底所谓加特力（Catholic），意思就是普遍的。

加之，教会底教义，也要求实在论。教会说三位一体。然而假如普遍不是实在，把父子圣灵合一做一个神底共通的本质（普遍性），就丧失实在性。因而一神教就不得不变做三神教，就是多神教。又假如所谓人类底普遍，不是实在；原罪说同救济论，就不能够维持；而教会底信仰，完全瓦解。教会底奴婢学林哲学，采取实在论，断不是偶然。但是这个实在论，和近世哲学所谓实在论，完全不同。

然而常识把个体看作实在，把普遍看作什么实在性也没有底抽象的产物。从常识的立场看，就普遍不过是一个名目（Nomina），就是普遍不过是在个体以后底名目。这就是所谓唯名论（Nominalism）。而第十一世纪底洛塞来那斯（Roscellinus），是他底主创者。和他反对的，是所谓实在论（Realism）。安瑟伦同桑堡底威廉（Wilhelm von Champeau 1070—1122），是他底代表者。阿柏拉德（Abaelard 1079—1142），刚正位在他底过渡。

阿柏拉德，站在实在论和唯名论底中间，主张普遍是在个物之中底实在。这种思想，类似亚理斯多德底学说。虽然，他不知道亚理斯多德，自己独立唱出这种学说。

比阿柏拉德稍后，巴黎修道院底虞哥（Hugo），礼查（Richard），瓦尔忒（Walter），唱道神秘说，反对究理的倾向。当时以汇集神学底各种材料为事底学者辈出。这些集语家（The Composers of Sums）底最有名的，是伦巴德（Petrus Lombardus）。

在学林哲学底第一期，柏拉图派底实在论；在学林哲学底第二期，就是全盛时代，亚理斯多德派底实在论；造成主潮。

第二节　学林哲学底全盛时代

亚理斯多德，最初为西部欧罗巴所知，是论理学当中底不要紧的部分。然而连那个尚且是依腊丁语底译本。到十二世纪，论理学底全部才输入。到十三世纪，形而上学、物理学、心理学等，才渐次为西欧底学者所知。而把亚理斯多德底著作，翻译做腊丁语，输入西欧的，是犹太人。他们先把阿剌伯本翻译做希伯来语，然后再把他翻译做腊丁语。当时希腊语底研究，很衰颓。学林哲学者们，不能够直接读亚理斯多德底原著，间接用由阿剌伯语同希伯来语翻译做腊丁语底重译本，研究他。

起先是阿剌伯同犹太底学者，热心研究亚理斯多德底原著。其中最有名的，在东方，是亚微瑟那（Avicenna，978—1036）。在西方，是亚味洛厄兹（Averroës，1126—1198）。尤其是亚味洛厄兹，他把以前研究亚理斯多德底结果，总括起来，著作浩瀚的注释书。于阐明亚理斯多德底学说，贡献很大。这些学者底著作，经犹太人之手，输入西欧。

像在前面所说，亚理斯多德底著述和他底注释书，是从阿剌伯语重译做腊丁语的。这些译本，把亚理斯多德，解释成一个新柏拉图主义底泛神论者。所以他底学说，起初不为教会所欢迎。一千二百零九年，一千二百十五年，先后严禁研究他底物理学同形而上学。一千二百五十年，解禁，默许巴黎大学设亚理斯多德底讲座，公开讲演。其次，奖励研究他底著作。临了，把讲习他底学说，看作教会学者所不可缺。亚理斯多德底哲学，成为教会公认底哲学，单说哲学者，就是指亚理斯多德。就是当时亚理斯多德，掌握哲学上底主权。

亚理斯多德，像这样，被学林学者所尊崇，什么缘故呢？学林哲学，本来从对于理性和信仰一致底确信出发。然而从十二世纪底末叶起，这种确信，渐次弛缓。不但把依神力底事件，和自然底事件区别。而且把哲学（自然）的真理，和宗教的真理区别。连主张在哲学同宗教底一方面是真理，在另一方面不一定是真理的，也出现。就是自然越发离远神，实在呈现和神反对底倾向。因而学林哲学底根柢，起动摇。像这样，教会为反对这种倾向，不可不表示神和自然一致。就是不可以没有把神看作自然底根元又目的底自然哲学。然而像这样的神学的自然哲学，是亚理斯多德所提供。所以教会采用他底哲学，而且用他底哲学代替理性，做判别正统非正统底唯一的标准。

学林哲学全盛时期最大的学者，是托马斯，其次是邓·斯各脱斯。

一　托马斯

托马斯（Thomas Aquinas），于一千二百二十七年，生在意大利底那不勒斯（Naples）附近，死于一千二百七十四年。起先加入独米尼（Domini-cans）僧团，其次，到巴黎和科伦（Cologne），做大亚尔伯特（Albert the Great）底弟子，研究亚理斯多德。后来在科伦、巴黎、波伦亚（Bolo-gna）、罗马、那不勒斯，教授神学和哲学，努力建设旧教底大哲学。他底主要的著作，是《神学纲要》。

托马斯，是学林哲学当中，采用亚理斯多德底学说，完成教会哲学底主要的代表者。一直到近代，还被尊重为加特力底模范哲学者。他应用亚理斯多德所谓开展底思想，组织教会的哲学。他底宇宙论，就是所谓层次开展底进化说。依他，自然界。从最下级到最上级，保持形相和质料底关系而开展。各阶级，是下一级底形相，是上一级底质料。物质的阶级底极致，是人类底自然生活。人类底自然生活，又是他底精神生活底基础。而人类底精神生活，由教会发展。犹如他底自然生活，由食物营养。像这样，托马斯把一切的事物，分做上下两界。而两界底关系，像目的和手段底关系一样。上界是下界之冠，而且是把他完成的。神恩底领土，对于自然底领土；教会，对于国家；宗教上底道德（信、爱、望），对于世间的道德（希腊哲学底四大德）；都像完成对于素质底关系一样。就信仰和理性说，也两种互相一致。信仰位在理性之上，把他完成。像这样，万物作许多的阶段而开展，而一切底极致，是神。托马斯底哲学，全然是教会的、神学的、超自然的。

像这样，世界有井然的秩序，实在是所有可能的世界当中底最善美的世界。所以神创造世界底动作，由善底观念规定。就是神底意志，必然依从自己底智力所认为善的。换句话说，就是神底意志，由他底智力决定。智力和意志底这种关系，在人类也同样，规定意志的，是我们底智力。这就是他底决定论。

二　邓·斯各脱斯

邓·斯各脱斯（Duns Scotus），于一千二百六十五年光景，生在英国，属于佛朗西斯（Franciscan）僧团。他出生底年月日同出生底地方，不确实。他在牛津（Oxford）修学，长于数学。后来在牛津、巴黎、科伦，当教授。死于一千三百零八年。他底全集，于一千六百三十九年，在里昂出版。

托马斯底激烈的反对者，是邓·斯各脱斯。他们两个人之间底反对，惹起学派因而僧团间底轧轹。他们底争点，是自由意志底问题。邓·斯各脱斯底论旨，像下面。

假如万物由神底意志，而神由善底观念，必然的规定；那么，偶然和恶；换句话说，就是什么自由，也应当没有。事物底本性就是自然，和神之间，也应当没有什么差别。万有神教，是决定论底必然的归结。偶然和恶底存在，充分证明决定论底误谬。不但这样，而且神底动作，假如由善底观念规定；神底独立，因而他底存在，也不得不否定。

依邓·斯各脱斯，神底意志，断不被他底智力所束缚。因而什么理由也没有，用绝对的随意动作。创造世界，又不创造；创造像现在底世界，又选择别的世界；都完全是神底自由。总之，意志不是依从智力的，反而是智力依从意志，就是意志高于智力。善他自身不是善，因为是神所欲底缘故，所以是善。

把邓·斯各脱斯底论旨综合起来看，就是神底动作，完全没有理由；因而是完全不能够理解底动作。他底非决定论，明明暗藏破坏学林哲学底弹药。他把意志看作个体的存在底原理。依他，个体是普遍性和个性两种底结合所成。普遍性离开个性，没有实在性。个性离开普遍性，没有实在性。实在性，由普遍性和个性底结合而有。像这样，邓·斯各脱斯，还承认普遍底实在性，因而在实在论底立场。然而依他，真完全的实在性，光在个体存在。所以他底学说，可以说是已经替唯名论开路。

第三节　学林哲学底衰颓时代

学林哲学衰颓底征候，在邓·斯各脱斯，已经萌芽。到奥坎，而越发显著。

奥　坎

奥坎底威廉（William Occam），生在英国底奥坎。他就学于牛津，或者就是邓·斯各脱斯底弟子，起先在巴黎当教授。他依从佛朗西斯僧团底主义，反对教皇得俗权，被幽禁于亚威农（Avignon）底教皇宫。后来逃到巴威（Bavaria），受路易四世（Ludwig IV）底保护，死于一千三百四十七年。

奥坎，彻底邓·斯各脱斯底个体观，而倡导唯名论。他说，依实在论，普遍在个物之中，这个实在等于说一物有多。就是假如普遍是实在，普遍就不可不同时在多数的个物当中存在。然而同一物断不能够同时在多数的个物当中存在，所以普遍断没有实在性，不过是间接代表若干个物底符号。真实在的，光是个物。我们和个物接触，先想起他底符号，就是表象。然后从各个表象，抽象共通的性质，构成概念，就是普遍的表象。这个不是因为有特种的精神力就是智力底缘故，当两个类似的个物现前底时候，我们自然而然的把他抽象，构成概念，做各个表象底符号。像这样，普遍，不过是精神当中底思想，用文字或者语言表明的；不是我们底表象以外底实在。与其说是事物底符号，毋宁说是事物底符号底符号。所以我们不能够认识事物本身。单是各个表象就是感官的直观，在所谓直接代表个物底意味，是实在的。像这样，表象和实在之间，横着难越的鸿沟。所以所谓真理底认识，不会有。一切的学问，不能够成立。因而神学也不能够免同一的悲运。

直观的知识，除外物底知识（感觉的知识）以外，还包含比他确实底知识、意志、悲喜等内心底知识。但是内心底知识，也不能够知道灵魂底本性，只知道他底活动，除像这样的直观的知识以外，奥坎也承认抽象的知识。这个是从演绎的推理就是三段论法所得，必然的是真理。虽然，做论据底原理，不可不是从经验归纳的，所以经验是我们底知识之源，超越经验底一切知识，是信仰底事件。

本体论的证明，或者从经验证明，都不足以把神底存在确立。信仰底事件，不能够用理性证明。我们不能够论证基督教义，只能够信仰他。于是信仰和理性，完全分离，结果，学林哲学瓦解。

他在把信仰和哲学分离底地方，传播近世哲学离开教会底教权独立底种子。其次，在唱说没有真知识底地方，制造怀疑论底苗床。又在光把我们底表象当中直观的感官的看作实在底地方，做经验论底先驱。

托马斯一派和邓·斯各脱斯一派底对抗，变成实在论和唯名论之争，各走极端，极其激烈。一千三百三十九年，巴黎大学，禁止用奥坎底书。一千三百四十年，禁止唯名论。经过一百多年，就是一千四百七十三年，叫大学教授，都宣誓教授实在论。然而布拉格（Prague 1348）、维也纳（Vienna 1365）、海得尔堡（Heidelberg 1386）、科伦（1388）等处，相继设立大学，在那里，唯名论者，得到充分把他底主张陈述底机会。这个论战，通过十四、十五两世纪，继续到文艺复兴期。最后底胜利，于是归于唯名论。唯名论底胜利，是把当时次第勃兴底新时代精神，就是个人底自觉，民族底觉醒，经验的思潮；反映的。

第三编 近世哲学

第一章　序　说

　　近世哲学，便宜上，可以把他大别做过渡时代，康德以前，康德以后；三期。过渡时代，该当所谓文艺复兴期，就是十三、十四、十五三世纪。拿意大利做中心舞台，是自然科学自然哲学底时代。康德以前底哲学，该当所谓启蒙期，就是十六、十七、十八三世纪。这个又可以区别做英国派和大陆派，又经验派和唯理派。在这个时代，形而上学以外，认识论成立。但是这个时代底认识论，还是极不完全的所谓心理主义的。因而也可以把这个时代底哲学，仿效康德，叫作前批判时代。就是到大哲康德出现，哲学才成为批判的，认识论也发达到某程度。哲学底三大分野，就是认识论，实在论（形而上学），价值论；完具到某程度。又欧洲哲学底两大思潮，就是经验论和唯理论，统一到某程度。因而严密的意味底哲学，才成立。在这种意味，康德是哲学底大成者，同时康德哲学，不可不说是近代哲学史或者简直是西洋哲学史底最高峰。事实，到十九世纪底初年，绍继康德底浪漫哲学，不光是德意志，简直构成全欧哲学界底主潮。然而他底终点就是黑智尔哲学底衰微，同时反动思想，就是广义的现实主义——唯物主义、实证主义、自然主义，忽然勃兴，风靡十九世纪后半期底全欧哲学界。然而不久流到极端，因而反动的倾向，就是广义的新理想主义，重行抬头，去把现代哲学底序幕拉开。

第二章　过渡时代底哲学

第一节　古代哲学底复兴

学林哲学衰颓，同时离开教会独立底新精神，遍满当时底学界。这种精神最初底发现，是古代文艺底复兴。所以从中世纪移到近世纪底过渡时期，通常称为文艺复兴（Renaissance）时代。而文艺复兴底意义，是通过古代希腊文艺底复兴，而创建人间的世间的新文化。因而他不单是文艺底复兴，又不单是回顾的，是精神乃至文化底复活，是创造建设。不消说，他和出世间的、超自然的、传统的中世思想，很背反。而这种倾向，先在理智的方面就是科学的方面发现。

像在前面所说，文艺复兴最初又主要底舞台，是意大利，其次是德意志。意大利起先已经有但丁（Dante 1265—1321），佩脱拉克（Petrarch 1304—1374），薄伽邱（Boccaccio 1313—1375）等诗人；热心赞美古代希腊底文学，而且学希腊语。这个文艺复兴底机运，到十五世纪，由两种事件促进。一种是一千四百三十八年，教皇游其尼阿斯四世（Eugenius Ⅳ），为合并东西两教会，把希腊底学者，招聘到非拉腊（Ferrara）同佛罗棱萨（Florence）开会。一种是一千四百五十三年，为君士但丁堡被土耳其人所略取，希腊底学者，逃到意大利。拿刺戟给与复兴，而且提供他底手段。而劈头复兴的，是多年被亚理斯多德底势力所压迫底柏拉图哲学。为宗教会议所招聘底希腊学者当中，最著名的，是普利吞（Plethon 1370—1452）。一千四百四十年，他在美地奇家（Casmo di Medici）底保护之下，于佛罗棱萨市，设立柏拉图底学园。继普利吞而主宰学派的，是他底弟子柏舍立温（Bessarion 1395—1472）同柏舍立温底弟子费西纳（Marsilio Ficino 1433—1499）。然而这些人底柏拉图学说，很受新柏拉图学派底影响，是宗教的、神秘的。

同时产生把亚理斯多德底学说，离开学林哲学底解释而研究，去把他底真相阐明底倾向。属于这种倾向底学者，尤其是关于灵魂不灭说底解释，分做两大流派。一派依从亚味洛厄兹底解释，主要的代表者，是亚琪利尼（Achillini）同倪福（Nifo）。一派依从二百年光景有名的注释家阿富罗底西亚（Aphrodisias）底亚历山大，庞普拉齐（Pompontius），是他底骁将。

此外斯多亚、伊壁鸠鲁等底哲学，也陆续复兴。这些积极的倾向之外，连怀疑论也复兴。然而这个实在是新独立的哲学底端绪。主要的代表者，是法国人蒙旦（Michel de Montaigne 1533—1592）和他底朋友沙隆（Pierre Charron 1541—1603）同山车斯（Francois Sanchez 1562—1634）。

像这样，古学复兴。虽然，古学那个东西，依然是古物，不能够治求新知识不止底精神界之渴。所以当时古学复兴底旁边，还发生思想上底新产物，而那个可以区别做自然、历史、人心三方面。

第二节　通神学魔术神秘说和宗教改革

自然底研究，因为受当时占优势底新柏拉图哲学底影响，和科学的研究法还没有开拓，所以采取通神学底形式。所谓通神学（Theosophy），是把自然看作一个秘密，想由把那个秘密发见，去认识神。是想不由学问的研究，由神秘的认识，探入自然底秘奥，在那里接受神底直接的启示。表示这种倾向最显著的，是佐凡泥·皮科（Giovanni Pieo della Mirandola 1463—1494）。

然而假如神底生命，遍满自然界，探入自然底秘奥，而把神力做我底东西，就可以获得支配自然施行魔术底妙力。像这样于是通神学一转而成为魔术（Magic）。带这种魔术的倾向的，是阿古利巴（Agrippa von Nettesheim 1487—1535）。而这种倾向最发达的，是巴拉塞尔士（Paracelsus 1439—1541），他用魔术去医治万病。可以说是文艺复兴期人类万能底确信，在这里显著的发表。

和想探入自然底秘奥，去和神相接底通神学相反；想把人心内部底隐秘开阐，去澡浴神底光明的，是神秘说。依他，到达神底道路，只有一条，就是深深的沉入自己底内心，把世间的利己的欲心除掉。像这样，神秘派排斥由传说同书籍或者究理所得底知识。神秘派底代表者，是厄克哈（Eckhardt 1260—1327）。他底神秘说，由苏索（Suso 1300—1365）、陶雷（Johann Tauler 1290—1391）、垒斯布鲁克（Johann Ruysbroek 1293—1381）继续。这个神秘派，是学林哲学底宿仇，同时是宗教改革底母亲。

宗教改革底巨子，是路得（Luther 1483—1546），他受神秘说底影响很大。依他，由外的行为和究理所得底神学，对于我们底救济，什么贡献也没有。救济只由信仰。而所谓信仰，是改悔从真心受容基督，而且旧我死，而在基督变成新人。所谓信仰，是更生。像这样，他把理性，亚理斯多德底哲学，加特力教会，学林哲学；一概抛掷。

然而到宗教改革，变成政治的国家的运动而告成功，去建设新教会底时候；和当初底倾向相反，重新组织教义、神学和学林哲学。路得底挚友梅兰克吞（Melanchthon 1497—1560）采用亚理斯多德底哲学，创立新教徒（Protestant）底学林哲学。于是新教内部许多底神秘家，为保存宗教改革当初底精神，决然起而反对正统派。这个时候，是神秘说最隆盛底时期。重要的代表者，是士汾克斐特（Caspar Schwenckfeld 1490—1561），佛郎克（Sebastian Frank 1500—1545），威格尔（Valentin Weigel 1533—1588），波姆（Jakob Böhme 1575—1624）。就中最有名的，是波姆。

第三节　意大利底自然哲学

学林哲学，把自然用超自然的神说明。意大利底自然哲学者，主张自然用自然本身底原理说明。而把自然看作神底万有神教，是他底特征。就中白鲁诺（Giordano Bruno 1548—1600），康帕内拉（Tommaso Campanella 1568—1639）等，最有名。

白鲁诺，采用哥白尼（Copernicus 1473—1543）底地动说，而且比哥白尼同克卜勒（Kepler 1571—1630）更进一步，唱说宇宙底无限。像地球同其他的行星，拿太阳做中心而回转一样；无数的恒星，他底周围，有许多的行星，拿他做中心而回转；就是无数的太阳。所以宇宙有无数的太阳系。

然而无限者，不能够有两个；所以神和宇宙同一。白鲁诺底思想，完全是万有神教。虽然，他不是把扩张到无限的空间底宇宙那个东西看作神，是把包括通贯宇宙底全体，产生宇宙而叫他活动底浑一的势力，看作神。所以宇宙，是他自身有目的、有秩序底大活物。他里面所包含底万物，各有生命，和这个大目的相合而活动。换句话说，就是神是能产的自然，宇宙是所产的自然。神是一，所以神是一切反对底统一，是物质和精神、延长和思维底统一。因而宇宙是圆满的调和，是尽善尽美的神底艺术品。就是自然是有生命底艺术，而在他里面活动底天才，就是神；从无意识的自然，向有意识的自然；从物质的显现，向精神的显现前进。

宇宙，是从不可分的极微底部分成立底个体。个体是物质，同时又是精神。白鲁诺叫他做单子（Monad）。而通贯宇宙底神的活力，是不可分的；所以各单子，就是无限的神那个东西。换句话说，就是同一的宇宙力，用各各不同的姿势发现的。各单子实在是把全宇宙映写做各特殊的状态（样相）底镜子，就是小宇宙。所以神是最大者，同时是最小者。

第四节　自然科学底创立和政治法律学派底勃兴

意大利底自然哲学，还掺杂奔放的诗的想象；然而在另一方面，已经有自然底精确的科学的研究生起。这个就是近世自然科学底发端。在白鲁诺、康帕内拉之前，哥白尼倡导太阳中心说，拿一大转向，给与当时底世界观。其次，伽利略（Galileo Galilei 1564—1642）同克卜勒，于天文学、物理学，有很大的发见。他们在应用数学去研究自然底方面，致送不少的贡献。

此外关于国家同政治法律底学问，也勃兴。马基雅弗利（Machiavelli 1469—1527），是他底代表者。

新时代底曙光，从意大利同德意志开始。然而在严密的意味，近世哲学，发芽在英、法、荷三国。英国，是经验论底源泉。法国，是唯理论底乡土。而两种（后一种经过荷兰）都不久就流入德国，汇合在康德底深渊当中，成为批判哲学，去构造近代哲学底大河。

第三章　康德以前底哲学

第一节　总　说

近世哲学最初底舞台，是英国和法国。近世经验论（Empiricism）底开祖培根，生在英国。近世唯理论（Rationalism）底开祖笛卡儿，生在法国。然而经验论，在他底生地英国发展。唯理论，从法国移到荷兰，其次走进德意志。经验论底代表者，除培根外，是霍布斯，陆克，休谟。唯理论底代表者，除笛卡儿外，是麦尔伯兰基，斯宾挪莎，布来尼兹，服尔夫。近世哲学第一期（康德以前）底特征，是这两种思潮底对立。

第二节　近世经验论底诞生

一　培　根

培根（Francis Bacon），是英国底哲学者、政治家、文学者，于一千五百六十一年，生在伦敦。他底父亲尼古拉·培根（Nicholas Bacon），是当时有名的政治家，曾经在伊里沙伯女皇（Elizabeth 1533—1603）底朝代，充任掌玺大臣。他也从幼时受殊宠。起初进剑桥大学，对于当时学者一般底证典亚理斯多德底哲学，已经起不满足的感想。卒业后，到法国巴黎，学法律。一千五百八十二年，得律师证书。一千五百八十四年，当选下议院议员，一千五百九十年，充任女皇底顾问。到詹姆士一世（James I）底时候，充任枢密顾问官，升掌玺大臣，更升任大法官，叙男爵，更升叙子爵；煊赫一时。然而受贿底事实发觉，被议会所弹劾，处罪，下狱。幸蒙特赦。先是他从一千六百年光景，鞅掌政务之余，着手著述，有《学问底进步》（*The Advancement of Learning*），《新机关》（*Novum Organum*），《新论理学》等著作。自此以后，专门潜思于学问底一途。死于一千六百二十六年。他底主要的著作，是上面底两种，以及许多简洁的论文（Essays）。

（1）新学问底特质

培根，在学问上底功绩，是提示学问底新理想和新研究法。他揭橥所谓知识就是力量（Knowledge is power）底标语，做新学问底特质。他主张学问底价值从头到尾在实益底结果，把从来底学问，排斥做毫无价值。这样，那么，如何才能够叫知识有力量呢？是他能够把自然力自由利用。文明底进步，从人们把自然自由利用产生。拿实益给社会底活学问，不可不是把自然自由利用底知识。然而像这样的知识，不是一举能够获得的。只能够由殚精竭虑的探求因果底关系，阐明普遍的法则获得。就是由顺从自然，能够使役自然。使役自然底方法，不是魔术，是发明。发明底不可缺的准备，是像在前面所说，认识自然底法则。然而要想认识自然底法则，不可不豫先把一切先入的偏见妄想芟除，就是新研究法底消极的方面，是芟除先入的偏见妄想。

（2）偶像论

培根把先入的偏见妄想，叫作偶像（Idols）。偶像这个字，是采取希腊字底原义，指幻影而言。偶像有像下面底四种。

（一）洞窟偶像（The idols of cave）　洞窟偶像，是从个人底性癖、境遇、教育、交际、读书等类来底偏见。例如由个人各自底好恶，所说有偏颇，主义有异同。人们被各自底性癖所支配，容易陷于狭隘偏僻的独断之见，恰巧像闭居在洞窟里，不顾其他。像这样的偏见，不可不把别人底经验考察，而广作比较的研究，去匡救。

（二）剧场偶像（The idols of theater）　剧场偶像，是盲目的信奉从来底经典、传说，同一般的思想底偏见，就是把古来底传说，或者古代哲学者底学说，同一般的思想；看作无上的证权，不加以考查，就盲目的信奉。要想排除剧场偶像，不可不把剧场底幻戏，就是古来底传说典故，打破。而用各自底知见，去把事理精密考究。

（三）市场偶像（The idols of market）　市场偶像，是说把不过是符号底言语，和实物混同底倾向。这个是从交际上来底偏见，而他底主要的媒介，是言语。人们有把言语看作实物底倾向，像以为知道言语，就已经获得事物底真诚的知识。又像以为有言语，和他相当底实物，就也真实存在。虽然，像这样的知识，不是真诚的知识。要想得真知识，作真学问，不可不真实就实物观察实验。

（四）种族偶像（The idols of tribe）　种族偶像，是从人类一般底本性来底偏见，是最执拗的。像拿不完全的感觉器官所指示（感官底感觉），做事物底标准。又像把事实歪曲，而作于人们自身合宜底解释。例如只称扬祈神而免危难，不想虽然祈神而无效底方面，而相信神底冥助。又像把我们自身底性质，推移到自然物。其中最重大的，像从我们自身追随一定的目的而动作云为类推，而臆测自然界底事件，也随从什么目的而生起。自然界底事件，毕竟不可不用原因结果底机制的关系解释。把目的观适用在自然界底妄想，是横在自然科学底进路底一大障碍。

（3）归纳法

培根不但消极的打破从来底哲学，又进而积极的指示科学研究底方针。他以为我们把像这样的偏见除去之后，不可不虚心平气去认识自然底法则。然而真认识底唯一源泉，是经验，是许多事实底经验。所以学术底研究，不可不从事实底经验出发，而渐次把那些事实共通底法则发见，就是不可不依归纳法。归纳法，是学问底真研究法。而这个归纳的研究，是先搜集事例，其次把他汇类，拿他做根据，去发见他底法则。培根所谓法则，指叫现象所以然底本质，他把他叫作形相，又叫作本性。和现在底物理学上所谓法则完全不同。像这样，他排斥一千多年间支配学术界底演绎法，创唱归纳法。实在是近世哲学史上可以大书特书底大发明。

（4）伦理上底见解

培根在实践的方面，也企图改革。他以为人们有两种冲动。一种关于自己底安宁，一种关于社会底安宁。后一种比前一种高得多而且强有力。又以为爱是最高的道德，断没有像其他道德陷于过度底弊病。

培根虽然已经打破学林哲学，发明科学研究底新方法，然而没有把他应用在实际，去完成新哲学组织。继承他底经验的学风，把他底研究法应用在政治学的，是霍布斯。

二 霍布斯

霍布斯（Thomas Hobbes），是英国底哲学者、政治家、文学者，于一千五百八十八年，生在曼兹柏立（Malmesbery）。他底父亲，是牧师。他十五岁底时候，进牛津大学，接触亚理斯多德和学林学派底哲学。卒业后，做英国某贵族底家庭教师。屡次旅行法国同意大利等国。他在英国，和培根等；在法国，和笛卡儿等相识；在意大利，受伽利略底影响，大开发数学、哲学、物理学底知识。一千六百四十年，英国革命勃发底时候，他逃到法国，在那里，他暂时做查理二世（Charles II）底师傅。十一年后，回国，大成他底学说，著作叫作《*Leviathan* 底国家论》（Leviathan 是一种怪兽底名字）。这是他底主要的著作，从此以后，三十八年间，从事著述。他享年九十一岁，终身不娶。

（1）唯物论和机械观

霍布斯底世界观，是极端的机械主义。依他，所有的存在，是物体。所有的事件，是物体底运动。所谓点同线，又所谓精神同精神现象，也没有一种不是物体或者他底运动。而物体底运动，因而所有的事件，都从机械的必然的因果关系生起。哲学，是把物体同他底变化研究底学问。他底研究法，是从结果的运动，推论原因的运动；又倒过来，从原因推论结果。换句话说，就是把归纳演绎两法并用。但是他重视演绎法，依他，拿由归纳法所得底成果做基础，用数学演绎；更把演绎底成果，由实验验证；才能够成功精确的研究。在这个地方，他可以说是把培根底缺点补救的。

（2）感觉论

精神现象，也不过是一种运动。这个运动底最简单的要素，是感觉。无论是如何复杂的精神作用，都不过是感觉底变形。一切的知识底起源，是感觉的印象。这样，那么，所谓感觉是什么？而且他如何生起呢？我们由各种感觉机关，获得色声香味触等各种感觉。而这些感觉，都不外乎外物底运动，影响及到感觉机关，而那里起运动。这种运动，由神经传达到脑髓，又起反动的运动。所以感觉不过是脑髓里面底运动，形状颜色等类，不外乎这个运动底显现。感觉不是事物本身底性质，不过是我们里面底运动。感觉底原因和感觉之间，没有什么类似。外界底存在，都是运动的存在，我们把他看作颜色或者声音。

外物底刺戟去后，感觉底痕迹残留的，叫作记忆。许多事物底记忆，叫作经验。经验丰富，就容易由类推豫想未来。动物也会有经验，然而不会有科学。人们能够构成科学，由于有言语。言语是把物体底表象保存传达底符号。有言语才产生抽象的概念，就是同一的言语，由被使用做互相类似的许多物体底符号，而获得普遍性。所以实际存在的，光是个物；普遍不过是人们所制作，就是不外乎言语。思维，无论是判断，是推论，都不外乎把言语连结、分离、增加、引申。思维是一种计算。所以所谓真理，所谓背理，也只是就言语底结合（判断同推论）说。然而言语和命题，是人们所制作；所以真认识，光是关于人们所制作的，能够存在。

像在前面所说，霍布斯底心理说，是感觉论。他说所有的精神作用，都不过是感觉底变形；又说感觉完全是主观的现象。然而外物底运动，影响到人类底时候，和感觉同时，产生快乐苦痛底感情。又从再念将来底快乐苦痛，产生欲求和嫌恶。自负，勇敢，愤怒，羞耻，忏悔，希望，爱恋，怜悯等情；都从苦乐底感情发展。所谓熟虑（Deliberation），是种种的欲求同时发生之谓，就是欲望、嫌恶，交互继起。熟虑底最后的欲求或者嫌恶，叫作意志（就是做或者不做底意志）。就是若干的欲求相争，其中最后得胜利的，叫作意志。意志底运动，由在他以前底各种运动，用机械的必然规定；和自然现象，毫无所异。所以意志断不是自由，是必然。

（3）国家论

霍布斯底哲学，最主要的部分，实在是国家论。依霍布斯，人类，本来完全是利己的，不是像亚理斯多德等所说是社交的。所以在自然的状态，不单是各人计图自己底利益，而且为叫自己底欲求满足，就是牺牲别人，也有所不辞。因而人类底自然的状态，是万人敌对万人（Bellum omnium contra omnes）底永恒的战争状态。

虽然，在像这样的状态，无论什么人，也不能够安全生活。于是人们觉悟为满足利己心反而有把绝对的自由限制底必要。考虑之后，相约不伤害别人底安全。国家实在由这个契约成立。就是人们组织国家，只为保护自己底利益。国家不过是恐怖和思虑底人为的产物。然而国家为要履行这个契约，保护国民底安宁；不可不站在个人之上，有绝对的权力。而达到国家底目的顶方便的方法，是把全权委托一个主权者。因而国民底义务，是绝对服从君主底命令。

又在自然的状态，人们所欲求的，就是善。所嫌恶的，就是恶。没有绝对的善恶底差别，光是相对的。对于一定的人格，一定的方处，一定的岁时，一定的事情，是善，或者是恶。各个人是善恶底标准，没有普遍的客观的标准，客观的标准，到国家成立才发生。君主不仅仅用法律指示善恶底差别，也制定国教。各个人怀抱一意孤行的意见，是国家底大害。芟除他底最好的方法，是制定国教。因而国民都有遵奉国教底义务。但是国教完全不过是为把国家底安宁保持底手段，所以没有问他底教义真假底必要。法律制定底教义，恰巧像丸药一样，可以囫囵吞，不可以嚼碎。宗教和迷信底区别，由君主底意志而定。

第三节　唯理论底开展

一　笛卡儿

笛卡儿（René Descartes），是法国底大哲学者，又同时是数学者。不依赖古人底学说，用独立的思想，组织唯理哲学，被称为近世哲学之父。他于一千五百九十六年，生在图棱底嘿叶（Haye in Touraine），是贵族之子，起初入耶稣会（Jesuits）所设底学校，修学古代底语学、学林哲学同数学。然而这里面，能够叫他满足的，光是数学。虽然，他不喜欢在学校所受底学术和他底学风，慨然立志，不就师，自己独修，不依旧书，直讨究宇宙底大典籍。于是离开学校旅行，出入交际界，又从军两次。这个期间，他底智的兴味，从不松懈。一千六百十九年十一月十日，在军队当中，关于学术研究法，深有所悟。一千六百二十一年，脱离军队生活，起先游历欧洲各地，过后回巴黎讲学。一千六百二十九年，厌恶世俗的繁杂同宗教底压迫，离开巴黎，隐居荷兰，专心研究哲学，历二十年之久。一千六百四十九年，应于哲学深有兴味底瑞典女王克立斯提那（Christina）之聘，移居斯德哥尔摩（Stockhlom）。被北地底严寒所袭，一千六百五十年，死在那里。他底主要的著作，是《方法论》（*Discours de la méthode*），《纯正哲学上底思索》（*Meditationes de Prima Philosophia*），《哲学原理》（*Principia Philosophiae*）三种书。他哲学之外，最用心于数学，又通物理学同解剖学。像解析几何，实在是他所发见。

（1）真理底标准

笛卡儿和培根一样，用怀疑的态度，开始哲学底考察，把思维、自觉或者批判，看作哲学底职分。在这个地方，他是康德底先驱者，占哲学史上极重大的地位。

笛卡儿哲学底出发点，是把一切都加以怀疑。不单是感官的知觉，连外界底存在和数学底真理，也加以怀疑。然而他底怀疑，断不是漫然为怀疑而怀疑的，是为想获得确实的知识而怀疑的。就是为想发见不可疑的而怀疑的。他底结果所发见的，是所谓疑惑底事实同疑惑底我存在。他以为一切都可以怀疑，而独有我们底那个疑惑一切都不确实的疑惑，却不可以怀疑。然而所谓疑，是思维底一种。所以在极端的疑惑当中，有一件确实的事实，是所谓我思维（这里所谓思维，意思是所有精神底意识的活动）。我思维假如确实，那么，思维底我存在，也确实。什么缘故呢？假如没有我，就没有思维；没有思维，就没有疑；缘故。换句话说，就是有疑就有思维，有思维就有我，什么缘故呢？疑惑就是思维，思维就是我缘故。笛卡儿子是由一切都可疑当中，发见一件不可疑的东西，就是我。像这样，他到达哲学底不可动的根本真理。就是他底名言，所谓"我思维所以我存在"（Cogito ergo sum）。这个命题，是无论如何，也不可怀疑的。笛卡儿从这个命题出发，演绎他底全哲学。

但是所谓我思维所以我存在，不是从所谓"凡思维的都存在"底大前提演绎的，是意识底直接证明。就所谓我思维，直下领会我存在；就是所谓直接认识。既然我存在，由我思维而明了；我存在就是我思维。换句话说，就是存在和思维，毕竟同一。我底本质，就是思维。我不能够离开所谓思维。我之所以为我，在所谓思维。总之，我思维所以我存在，是直观，不是推论，而是一切推论底根据。

这样，那么，所谓我思维所以我存在，什么缘故确实不可疑呢？他是明了而且精确的缘故，所以所有和这个自己意识同样明了精确的，都是确实的，就是真理。他依这个标准推究，发见我存在之外，还有和自己意识同样明了精确的，和真理底标准相合的，就是因果底原理。就是什么东西，也不得是从无产生的。所有的东西，必定有产生他底原因。而且这个原因，至少也必定和结果等量，就是至少也必定是和结果同样的实在。

（2）神及外物底存在

真理底标准，既已确立，于是他更进而论证神底存在。以为我们底许多的观念当中，最明了精确的，是神底观念。这种观念，是从什么地方来的呢？神是无限而且完全的存在，我是有限而且不完全的存在。因而神包含实在底程度，比我们优越得多，就是他里面包含更大的实在。所以依从因果底原理，更完全者，不得是不完全者底结果。就是不完全的我，到底不得是完全的神底原因。然而我们有神底观念，是事实。所以这个观念底唯一的可能的原因，不外乎神；就是这个观念，必然是无限者就是神给与我的。总之，由我存在而有最完全者就是所谓神底观念，神也存在。

他又以为所谓神底观念，必然包含存在底观念。像三角形底内角之和，不能不是二直角一样。什么缘故呢？假如缺乏存在，就不可以说他是完全者。所以完全者就是神，必然存在。

又我们知道自己存在，由于疑惑。然而假如不是我们底知识不完全，疑惑就不得有。说我疑惑，等于说我不完全。然而不完全底认识，由和完全者比较才可能。所以我底存在，既然确实；神底观念，也是我们必然不得没有底观念。其次，那个观念，依上面所述底理由，不可不拿神那个东西做原因。于是和神底观念是必然的一样，神底存在，也是必然的。在笛卡儿，神底观念和神底存在，断不是两种。神被思维，所以神存在；而神底观念，正是神在我们精神里面底启示。我们回顾自己底内心，去认识有限的自己底时候，已经认识无限的神。

又神是完全的，所以具备一切圆满的德。而那些德当中，有诚实。神是诚实，所以不得有想欺我们底事情。神拿理性赋与我们，是为想叫我们认识真理。所以我们假如只依从理性所认做明了精确的，就不得有所谓迷误。纵然是不明了的观念，他自身也不是迷误，到背反理性底指示，把他判断做有实在的效力底时候，迷误才生起。判断，是意志底作用。所以迷误，是意志底误用，是我们自己底罪过。

更就外物底观念检查，我们明明认识那个观念，不是由我们自己构成的；是从外界来的。因而我们既然信赖神底诚实，就不得不把外界底实存，认做真理。

（3）精神和物体底二元论

像这样，笛卡儿证明我、神同外物底存在。他把这三种，叫作实体（Substantiae）。依他底定义，所谓实体，是不借别的东西底帮助，而自身存在的；就是独立自存的。这个所谓实体底观念，在康德以前底形而上学里面，占极重要的地位。说笛卡儿、斯宾挪莎、来布尼兹等思想家底根本问题，是所谓实体是什么；也无所不可。

依笛卡儿，的确和上面所举底定义相当底实体，只有神。说精神同物体是实体，和说神是实体底意义，断不相同。只在虽然依属神然而互相独立存在底意味，叫作实体。换句话说，就是绝对的意义底实体，只有一个，就是神。所以严密说，有唯一绝对的实体，和两种相对的实体，就是精神同物体。这两种互相独立，然而都依属神。神是无限的实体。精神和物体，是有限的实体。我们知道实体，由于他底属性（Attributa）。所谓属性，是实体底本质又本性，没有这种性质，实体就不能够思维，又不能够存在。精神底本质，就是精神所以为精神，在思维（Cogitatio）。物体底本质，就是物体所以为物体，在延长（Extensio）。所以思维，是精神底属性；延长，是物体底属性。因而没有没有思维底精神，没有没有延长底物体。又属性完全独立，互不依属他，所以精神和物体，没有什么共通点；因而是对角线的相反底两种实体。这个就是笛卡儿底二元论。又依属性才能够思维底性质，叫作样相（Modi）。例如位置、形状、运动等类，是延长底样相。又像感情、欲望、判断等类，是思维底样相。依各各的属性，才能够思维。总之，属性，是把实体底本质构成底不变的性质。样相，是不属于本质底偶然不定的性质。

物体底本质，是延长。所以我们由感官知觉底色、味、香等各种性质，完全是主观上底事象，不属于外界本身。总之，物体和延长，同一不二。然而所谓延长，是长、阔、厚。所以延长和空间，同一不二。因而物体和空间，同一不二。所以（一）物体底物理学的概念，和他底数学的概念一致（就是物体都能够加以数学的说明）。（二）宇宙间没有没有物体底空间（就是没有完全空虚的空间，有空间底地方必定有物体）。换句话说，就是没有真空。（三）又没有没有延长因而不能够分割底物体。换句话说，就是没有原子。纵然是物体底极微的部分，也还能够分割。这不是原子，是分子。（四）延长无论到什么地方，也不停止；所以物体界无际限，因而只有一个。然而物体底本质，在延长；所以在所谓广袤底地方，一切的物体都一样。所有外世界底过程，都是延长底变形，就是样相。延长可以分割到无限。这个各部分，集散离合，变成各种物质。物质底变化，都由于运动。运动是物体把他底位置转换底动作。就是物体界底差别同变化，是运动底结果。所以运动可以说是物体界底根本现象。因而物体底现象，都能够加以机械的说明。

生物底身体，也是物体；所以他底种种作用、运动等类，完全能够加以机械的说明。像钟表和其他自动机械，由他底摆和轮子等机械底装置，自动的运动；一样。身体，由各器官底机械的作用运动。死，不是灵魂离去身体底结果，不过是所谓身体底机械破损而停止运转。灵魂底存在，只由自己意识才能够知道。所以缺乏意识底动物，完全无心，是一种自动机械。纵然是人类，然而在过和动物共通的生活底界限以内，也完全和机械相等。惹起身体底动作，最必要的，是动物精气。然而人类和动物不同，有自己意识。精神和物体相合，才构成人类，是不可否定底事实。假如这两种实体，互相反对；两种之间，就必定没有什么交涉。就是精神不能够产生物体底变化，又物体不能够产生精神底变化。人们底身体和精神，有亲密联合底事实。像身体底随意运动和饥渴苦痛等感觉同情绪就是。因而两种不可以没有互相接触底地方，那个就是脑髓里面底松果腺（Glanspinealis），就是由松果腺底媒助，两种发生关系。

二　笛卡儿底后继者

（1）格林克斯

笛卡儿底松果腺说，和他底二元论矛盾。依他底二元论，精神和身体底交互作用，不能够说明，因而不可不加以否定。然而像这样的交互作用，是不可否定底事实。为把经验底事实和他底二元论调和，笛卡儿底学徒格林克斯（Arnold Geulincx 1625—1669），倡导机会原因说。他以为心意欲（有所欲）底时候，如何身体运动呢？又身体运动底时候，如何心产生感觉呢？精神和身体，断不能够互相做原因。真原因，是神。——一方面有一定的变化，神就拿他做机缘或者机会，叫另一方面生起和他相当的变化。换句话说，就是看起来，好像是身体被意志所动，又观念由身体底刺戟而生起。其实这里头没有直接的因果关系。生起运动或者观念底真原因，是神。意志或者身体底运动，不过给与叫神生起和他相当底运动或者观念底机会。就是运动或者观念底真原因，是神。意志或者身体底运动，不过是他底机会原因。

（2）麦尔伯兰基

把这种立脚地，适用在认识论的，是麦尔伯兰基（Malebranche1638—

1715）。他以为假如思维是完全和运动各别的，运动，如何能够产生感觉？又精神，如何能够认识延长呢？这个似乎不可能。同样的只认识同样的，所以我们所目睹的，不是实世界，就是实延长；不是观念界，就是可想界。所有的观念，在神里面；而神是只有精神的属性底心灵。物体断不能够影响到精神，影响到精神的，不外乎理想的，就是物体底观念。我们在神里面，观看万物。观念和精神，都包含在所谓神底普遍的理性里面。所以神是认识底原因，精神在神里面，犹如物体在空间里面。然而不是在延长的神里面，是在思维的神里面。我们所看见底东西，都是观念，不是延长的物质本身。

笛卡儿底哲学组织，关于物心两界底关系，有一大破绽。格林克斯同麦尔伯兰基两个人，想用神底媒介弥补他。然而不是合理的解决，于是斯宾挪莎把神看作唯一的实在，以为精神和物质，不过是他底属性。

三　斯宾挪莎

斯宾挪莎（Baruch Benedict de Spinoza），是十七世纪底中心思想家，一切的思潮，流进他里面。他是荷兰底伟大的哲学者，他底血统，是从葡萄牙移住底犹太种族。他底父亲，是一个富商。他于一千六百三十二年，生在荷兰底阿姆斯特丹（Amsterdam）。起初在犹太人所设立底学校，肄习犹太教底教理和希伯来文学。然而恰巧像培根、笛卡儿不满足基督教一样，他也不满足犹太教底思想。其后读笛卡儿底著作，于是非议犹太教。虽然经犹太教会当中底长老，加以诘问、劝导、威吓等等；仍然无效。一千六百五十六年，被犹太教会，驱逐出会；而且被强迫离开阿姆斯特丹。他那个时候，二十三岁。于是流浪荷兰诸市，其间磨玻璃补助生计。工余底间暇，专心攻究哲学。一千六百七十七年，客死海牙（The Hague）。年四十四岁，他深爱真理，终身不婚不宦，潜心哲学，不和世俗交通，安贫乐道，不求名利，不愧哲人底生活。他底朋友临死，想把巨额的遗产给他，固辞不受。海得尔堡大学，以不束缚他底思想自由相约，厚币卑辞，聘他当教授，也固辞不受。

斯宾挪莎底泛神论，招引一般底强烈的愤怒，许久被排斥做无神论者。他底生前用自己底名字发刊底著作，光是《笛卡儿哲学梗概》。他底名著《伦理学》和其他著作，在一千六百七十七年出版。

他底《伦理学》，是一种艺术的著作，断不单是思辨的著作。世人把他底五篇，比做五幕戏曲。

（1）几何学的方法

斯宾挪莎和笛卡儿同样，相信由明了精确的思维，能够到达真理底完全的体系。他用几何学的方法，论述他底哲学。最初揭定义，其次举公理，其次置命题，然后给与证明。此外有余论同旁证。他对于世界和人类同人类底感情，采取恰巧和数学家对于线、面、体同样底态度。

（2）神即自然

斯宾挪莎反对笛卡儿拿实体底名称，给与和实体底定义不相当底精神和物体，光把神看作实体。依他，所谓实体，意思是他自己存在又依他自己思维的。就是他底概念，是不需要别的东西底概念所作。换句话说，就是他所谓实体，是不依靠别的东西而存在，又不需要别的东西底概念而能够思维的。像这样，实体绝对的独立，所以不被别的东西所限制，就是无限。是无限所以又是唯一，又不依靠别的东西，所以他底根据，不在他自己以外，就是不是别的东西所产生。斯宾挪莎，把他叫作自因（Causa sui）。而所谓自因，是他底本性，包含他底存在。换句话说，就是本性上存在以外，不能够思维。所以神存在以外，不能够思维，就是必然的存在。斯宾挪莎把像这样自己底本性上必然的存在，叫作永恒（Aeternitas），是超时间的必然之义。就是所谓必然，和所谓他自己存在一样意义，又和所谓永恒一样意义。所谓永恒，意思是时间上无期限存续，和超时间的必然一样意义。

和实体底存在同样，他底一切动作，是他底本性上必然的结果。虽然，所谓必然，断不是和自由撞着的。真自由，实在在依自己底本性，必然的存在，又必然的动作。神是必然，同时是自由，在他，自由和必然，完全是一个。

斯宾挪莎，把神看作万物底第一原因。然而他所谓原因，和普通的意思不同。在他，原因底观念，和实体底观念一致。结果底观念，和偶有性底观念一致。所谓神是宇宙底原因，恰巧和苹果是他底红色底原因，牛乳是他底白色、甜味、液状底原因同一。而和所谓父亲是儿子底原因，意思不同。就和所谓太阳是热底原因，也不同。父亲是儿子底外面的而且是一时的原因，儿子离开父亲，有他自己底存在。热和太阳连结，然而离开太阳也存在。神和世界底关系，和这个完全不同。就是万物如何由神发生呢？不是由于创造，也不是由于流出。像三角形底内角之和，等于二直角，是三角形底必然的性质；一样，所有的事物同法则，是神底本质底必然的永恒的结果。又和三角形底性质，不是离开三角形另外存在，而包含在他底本质当中一样。万物，不是在神之外，独立存在的。神不是世界底超越的一时的原因，是内在的原因。神在世界之内，而世界在神之内。神不是在世界以外创造世界的。是万有当中永恒内存底实体。把万物就是自然，从原因底方面看，就是神。他用中世纪底末叶已经用底用语，把神叫作能产的自然（Natura naturans）。把万有就是自然界，叫作所产的自然（Natura naturata）。像这样，他极力排斥人格的超越的神，而以为全自然界和神相即不离，"神即自然"（Deus sive natura）。这个是斯宾挪莎底典型的万有神教。

（3）属性及样相

实体触发我们，换句话说，就是我们知道实体，不由于他底存在，由于他底属性。所谓属性，是我们底智力所看作把实体底本质构成的。实体包含无限的实在，所以有无限的属性。虽然，我们底智力能够知道底属性，不过是思维和延长两种。实体虽然是绝对的无限，而这两种属性，却只是相对的无限。人们对于神，虽然只把他看作思维的同延长的实体，然而神有明了完全的观念。思维不需要延长，延长不需要思维，而能够明了了解。所以这两种实际独立自存，但是神虽然是绝对的无限，而属性却只是相对的无限。

神就是实体以外，什么东西也不存在。所以有限的事物，是神底样相，是他底出没变化没有穷极的样相。神以外，什么独立的存在也没有。因而有限的事物底存在，不是本质的、独立的，是偶然的。但是所谓偶然的，断不是无原因。所有有限的事物，由其他有限的事物，严密规定。像这样的有限的原因，又更有有限的原因，没有穷极。因而有限的事物，不过是因为其他有限的事物存在底缘故，偶然存在；他自己不存在。又有限的事物之间底因果连锁，没有穷极底缘故；无论把他推溯到如何远法，也断然不能够到达第一原因。所以有限的事物，直接拿神做原因的，一种也没有。有限的事物底全体，就是用无限的因果连锁联系底万有全体，就是有限的事物之间底无限的因果连锁，直接依属神。像这样，斯宾挪莎，极力排斥一切的目的观，又否定意志底自由。依他，所谓自由，元来不过是空想。

有限的事物，是神底样相；所以同时又是思维同延长底样相。延长底样相，是一个个的物体。思维底样相，是一个个的精神（心）。然而思维所采取底偶然的形状，就是观念；所以斯宾挪莎把心又叫作观念。所有有限的事物，是神底样相。所以是物，同时是心。因而宇宙间，没有一种是无心的。然而精神和物体，是完全不同的属性底样相；所以不能够互相有因果底关系。思维底样相，常时拿其他思维底样相做原因。物体常时只能够由其他物体说明。虽然，思维和延长，本来是同一实体底两种属性。物和心，性质虽然完全不同。然而从实体上看，就完全是一个。两种断不是两个别物，是同一物底两方面。在延长底方面，是物体。在思维底方面，是精神。倒过来，也是真理。所以上面所说底两条联锁，毕竟是一条。他底有名的命题说："观念底顺序同连络，和物体底顺序同连络同一。"例如圆底观念，和实物底圆相应。物界和心界，互相一致，断不是两界之间有交互作用底缘故，是同一界底不同的两方面缘故。

（4）知识论

心身互相一致，所以身体受刺戟底时候，精神必然和他相应。这个伴随身体所生底变动而起底心念，就是知觉。知觉是认识底最下阶段，是不明了不完全的认识就是不明了不完全的观念之源。不明了不完全的观念，从想象来，想象起因于感官的知觉。把人类看作宇宙底中心，叫所有的事物，和自己发生关系。感觉拿物体底状态做对象。虽然像这样的非批评的经验，和单独的意见，不是真正的知识。

认识底第二阶段，是理性——合理的知识。理性底特质，是叫所有的事物，和神发生关系，而把他看作神底本质底必然的结果。就是所谓获得事物底完全的观念，是说完全认识那个事物。所有的事物，由必然的法则，和其他事物连络而存在，然而毕竟是神底必然的结果。所以所谓真认识事物，是把他看作实体底本质底必然的结果。换句话说，就是在永恒的见地，看我们自身以及万物。就是理性沉思事物底实相，在永恒底形相之下，了悟他底必然的关系，透彻事物和万物共通具有底普遍的本质，理会和神有关系底永恒必然的本质。像这样的认识，是完全的认识，就是完全的观念。而像这样的认识底真理，不等待别的，他自己明了，就是自明的真理。真理底标准，不外乎真理自体。恰巧像光明把光明自体和黑暗一同启示，就是叫人们同时知道光明和黑暗一般，真理把真理自体和误谬一同启发，就是真理同时是判别真理自体和误谬底标准。

最高的阶段，是直观——直觉的知识。直观通过前两种，才能够到达。是把事物底完全的观念直接理会底能力。由直观，我们悟解所有的事物必然的依属神。斯宾挪莎自己说了解这种直观极其少。这种直观，实在好像意思是艺术的直观。

想象不能够看见事物底全体，不能够捕捉现象底统一，不能够理解他底意义。想象是偏见、迷妄、错误底本源，引起普遍离开个物而存在，自然有究竟的原因或者目的，神有人类底形体和性情，以及其他灵魂、自由意志等误谬。这些误谬，都是从不看见事物底全体所生底空想。理性和直观，排除这些想象所生不适当的知识，把真理和误谬弄明确。所谓误谬，是缺乏知识。没有观念原来就是真或者是假，把他弄成真或者假的，是没有对象，而把他假定做有。

（5）对于神底智力的爱

在灵魂知道观念底地方，他是睿智又智能。在他把真假肯定或者否定底地方，叫他做意志。灵魂是观念，就是身体底观念，是生理过程底镜子。那里面没有智、情、意底严正的区别。意志也不过是事物底观念，各个意志底动作，和各个观念同一。意志不外乎肯定或者否定底观念。这个肯定否定底行为（判断），不像在笛卡儿，是自由选择；是由观念自身所决定。所以没有自由意志那种东西。自然底一切事物，都是决定的必然的从普遍的实体生起。人们底灵魂，不过是神的思维底一种样相。所以各个意志活动，都由其他的意志活动决定。尤其是心身之间，没有什么因果的关系，所以意志不能够叫身体运动。像所有物质的现象，都依从机械的法则一般；意志欲望，也被心的法则所决定。人不知道原因，所以以为他有自由意志，坠落底石头，假如有意识，也定然把他自己看作自由。人有自由意志底错觉，所以构成嘉奖、非难、罪恶底观念。斯宾挪莎，把人们底自由看作和任性同一。但是在神底场合，自由，意思是和他底本性一致底行动。

智能和意志同一。所以像智能有感觉就是想象和理性底阶段一般，意志也有情热和适当的意志底阶段。情热是和生理的状态对当底混杂不完全的观念——人心底受动的方面，和想象相当。就是爱、憎、希望、恐怖之情，由于我们底无知混乱。在精神有明了精确的观念，能够知道能够理解底地方；不是受动的，是活动的，就是合理的意志。在这种意味，人类分明是自由的，斯宾挪莎底主要的论点，是反对绝对的选择自由，就是没有根据底意志。灵魂理解事物底意义，或者有完全的观念，他就断除情热，而脱离羁绊。人们底知识越混乱，他就越是情热底奴隶。越被限制，他就越是无能的、依属的。反过来，他底知识越明了，他就越是合理的。越脱离情热，他就越是离他独立的。所谓智能，意思是脱离憎恶、恐怖、忿怒、嫉妒等类。连爱慕、希望、怜悯、懊悔，也不可不断除。

　　一切搅扰人心底情热，例如憎恶、恐怖、忿怒、嫉妒等类，都起因于拿个人做中心去看事物，不知道一切的事物，是由必然底法则生起的；所以人心被像这样的烦恼所搅扰底时候，在不能够把自己底活力充分伸长底状态，就是不自由的奴隶的状态。人类底真自由，在依从人心底本性，进到他底完全活动，就是在道德。叫烦恼底羁绊解除的，只有真认识。在永恒的见地之下看一切，烦恼自然消灭。然而在永恒的见地之下看万物，是人心底最完全的活动，所以伴随他涌出无限不可说的喜悦。而这种喜悦，是从知道万物底本体就是神生起的。就是知道一切的事物，都是从神性底必然生起的。而悟解万物和神底必然的关系，就是对于神底爱。爱神，就是认识神。就是对于神底"智力的爱"（Amor Dei intellectualis）。然而对于神底智力的爱，是绝对无关心底爱，是不求恩惠和宠爱底纯粹赞仰，是把自我没人自然底理法，抛弃一切的利己心，委身在神明底观想。对于神底智力的爱，是完全的道德，又是完全的福祉。福祉不是道德底报酬，是道德本身。像这样，对于神底智力的爱，是为神爱神，就是神底自爱。什么缘故呢？人不外乎神底一种状态缘故。神也爱人，什么缘故呢？人是神底一部分缘故。

　　世界底秩序，是神底本质底必然的结果，所以是永恒的。人心在由真认识和像这样的秩序合一底地方，也是永恒的。所谓永恒的，光是和永恒无限的神直接合一之谓。我们对于神底爱，就是神对于自己底爱。然而这个光是希有的贤者能够到达底境地。

像这样，斯宾挪莎底哲学，把冷静的数学的究理心，和温暖的神秘的宗教心，奇异结合。

四　来布尼兹

来布尼兹（Cottfried Wilhelm Leibniz），是德国底哲学者、数学者、政治家。以一千六百四十六年，生在来比锡（Leipsic）。他底父亲，是法律学者，在来比锡底大学，充任道德哲学教授，早逝。他从幼在父亲底书斋，涉猎文学、历史、哲学诸书。十五岁底时候，入来比锡底大学，最初学法律，其次转到数学，最后学哲学，接触新思想。他博览群书，爱读培根、霍布斯、克卜勒、伽利略、伽桑狄（Petrus Gassendi 1592—1655）等底著作，对于中世纪底哲学，也注意。他无所不通，法学、哲学之外，长于史学、数学、物理学。又有才干，长于政治外交。一千六百七十年，应马因斯（Mainz）侯爵之聘，参与修订法典。一千六百七十二年，奉政府底命令，到巴黎，为防止法王路易十四征服德国之念，献远征埃及之策，没有成功。他在巴黎勾留之间，修习数学。又和笛卡儿、喀西尼（Cassini）、海亘史（Huyghens 荷兰物理学者）等交游。其后，经过英国，到荷兰，勾留两个月。其间，访问斯宾挪莎多次，讨论哲学上底问题。曾经阅读斯宾挪莎底《伦理学》稿本。一千六百七十六年以后，充任汉诺威（Hanover）侯爵底宫廷顾问，兼充图书馆长。一千七百十一年，充任卡尔四世（Karl IV）底宫廷顾问，封男爵。

来布尼兹，是方面最多底学者。古今底哲学者当中，除掉亚理斯多德，罕见其比。他在数学、自然科学、哲学、神学、历史、法学、政治学、经济学、言语学各方面，都有所贡献。就中在数学（发见微积分法）

同哲学底成绩，最显著。而就他底哲学上说，他融化统合多方面底材料，组织自家底体系。因而他底思想，都多少有折衷的倾向。虽然，对于英国底唯物论和经验论，极力反对。首尾一贯，主唱唯心论和唯理论，决定德国哲学底主潮。

来布尼兹和斯宾挪莎底学说，都是唯理论，然而内容全然反对。来布尼兹，又和斯宾挪莎同样，终身不娶。然而和斯宾挪莎底隐遁、孤独、穷苦、被迫害，相反；他底生活，光明赫奕，充满财富、荣誉、活动。

来布尼兹底主要的哲学著作，是《人智新论》（*Nouveaux Essais sur l'entendement Humain*），《辩神论》（*Essais de Théodicée*），《单子论》（*La Monadologie*），《自然和恩宠底原理》（*Principes de la Nature et de la Grace*），都是短篇论文或者信札，他没有系统的大著述。

（1）力

来布尼兹，充分承认近代文化底主潮就是自然科学底精神，同时力图把他和宗教的考察调和。这个是他底哲学底主要动机。

来布尼兹，和他底先进笛卡儿、斯宾挪莎同样，从所谓实体是什么底问题出发，而到达所谓实体，是能够活动底存在者，就是力（就是致动的）底新结论。依他，所谓物真实存在，就是活动之谓。不活动的，不存在。物体底本质，不仅是延长，能够产生运动的，只有力。力是物体底本质。然而活动的势力，是实体。所以个物虽然是有限的，然而有活动性底缘故，也还能够算做实体。就是实体不外乎自家活动的个体。因而他是多元的。

（2）单子和表现

物体就是有延长的，可以分割到无穷。原子有延长，所以不能够像原子论者所说，是分割底极限。物体不是单纯的，是可以分割做部分底复合体。然而复合和杂多，有单纯又单元才可能。因而物体假如是实在的，构成他底不可分割的单元，就也不可不是实在的。然而那个单元，不能够是延长的。所以真正的实体，不可不是非延长的、非物质的单元。把这个单元，叫作单子（精神的原子）。然而单元是非延长的，所以不从部分成立，也不分离做部分，因而除掉由超自然的奇迹以外，没有生起，也没有消灭。又单子是独立的活动力，所以丝毫不受任何外面底影响，自发的把自己底状态开展。单子没有窗户，没有自他底互相交涉。又单子底活动，是表现。而所谓表现，是纯一包含杂多。像一个独立世界，是自足的，是脱离每一其他事物而独立存在的，他包含着无限，又表现着全宇宙。这个所谓表现又表出，在来布尼兹底哲学，占重要的位置。

详细说，就是单子是自发的把自己底杂多的状态开展底浑一的活动力。然而单子没有窗户，所以他底杂多的状态，不是由自己以外底东西生起的，是可能性而单子本来具有的，次第开展。单子底活动，是把自己开展表现底活动。就是单子底活动，都是表现单子自己。因而无论在他底那一种状态，都是把他底全状态表现底活动。现在担荷过去，孕妊未来。所以用神底明智看底时候，在单子底现状态，能够理会他底开展发达所有的阶段。换句话说，就是各单子底现状态，表现他底所有发达底阶段。犹如橡树底果实，表现橡树。

像单子表现自己，因而他底各状态表现他底全状态一样。各单子，表现（表出）全宇宙。换句话说，就是宇宙底缩写，是小宇宙。像无数的半径，集中圆心一样。一切的单子，被一个单子所合一。因而各单子是一而一切。在这种意味，单子是宇宙全体底活镜子。用神智看，在一个单子，能够理会宇宙底所有的事物同事件。单子是宇宙底代表者。

上面说各单子表现全体，而所谓表现，和表象同一。像在我们底表象，外包含在内，多包含在一；各单子表现包含宇宙底活动，是心的活动。像这样，他从我们自身底意识作用类推，到达泛心论。而这种类推律，不过是把他底哲学全体通贯底一大原理，就是连续律底特殊的场合。依这个原理，宇宙内没有间隙。也没有重复。就各单子说，从开展底一阶段，移到其他阶段，不可不经过他里面所有底阶段。就宇宙全体说，所有的单子，从最低到最高，作连绵的序列。所以宇宙只有程度上底差别，没有种类上底差别或者反对。万物都互相类似，然而没有一物完全和他物同样。

各单子，表象同一宇宙。然而表象底方法，互有差异。譬如同一都市，从不同的方面看，呈现不同的光景。一切的单子，从各各不同的观点，表象宇宙。因而各单子间底差异所由来，不在单子底内容，在表象有明了不明了底差等。单子底活动，在表象。所以表象底不明了，是活动底阻碍，就是限制。所有的单子，是活动，又同时是有限制底活动。然而最高的单子，是纯粹活动，没有限制。换句话说，就是只有明了的表象，这就是神。

（3）微小表象和宇宙底大调和

来布尼兹所谓表象，意义比普通所谓表象广泛，包含无意识的表象同有意识的表象，就是知觉同自觉。譬如波涛底音响，无数的小波底音响，互相集合，才构成奔腾澎湃的一大波响。那些小波底音响，虽然我们底耳朵不能够辨别他，然而断不是全然不给与我们什么印象，不然就如何能够相合而发轰然的音响呢？来布尼兹，把像这样微弱不明了无意识的表象，叫作微小表象（Perceptions petites）。这个微小表象说，在他底哲学，也占重要的位置。又他由微小表象说，反对笛卡儿同斯宾挪莎，着眼到心的生活底无意识的要素，是历史上可以注目底功绩。微小表象，是单子差别底基本，而且是调和底根柢。单子无数，所以明了底程度也无数。然而表象底内容，完全同一。所以差别当中，自然有统一同秩序。因而宇宙是最大的杂多当中，有最大的统一。杂多底统一，是调和。所以宇宙是一种大调和。这个宇宙底大调和，毕竟有微小表象才可能。而因为宇宙有最大的调和底缘故，是一切可能世界当中底最美、最圆满的。微小表象，有限制，因而不完全。然而没有不完全，就没有最完全的世界。

现实世界，是可能世界底最好（最善）的，是神所选择的。无数的可能世界，是观念，而从无始在神底智力当中，现世界也在其中。神先用智力认知那些无数世界当中最好的，其次用善意志选择，然后用无限的威力实现。所有的事物，越完全，越有存在底权利。神断不是任意选择现世界，是依从优者存在律选择的。不是现世界是神所选择底缘故，所以最好。实在是最好底缘故，所以被神所选择。现世界底存在，就是现世界最好底证据。像这样，世界底调和，完全是由神实现的，就是由神底意志预定的。来布尼兹，把他叫作预定调和。

（4）辩神论

然而世界有不善，是事实。像这样的世界，如何还能够是最好的呢？回答这个问题的，是来布尼兹底辩神论。

来布尼兹，把所有的不善，分做三种。第一种是形而上学的不善，第二种是物理的不善，第三种是道德的不善。物理的不善，是我们底活动力有限制。道德的不善，是我们底意欲被自己所局限。然而这些不善，都是形而上学的不善底结果。就是形而上学的不善，是其他两种不善底根元。所谓形而上学的不善，是单子底势力有限制，就是个体底有限性。世界从有限物成立，没有有限性，就没有世界。所以个体底有限性，是世界存立所不可缺底制约。物理的不善（苦痛同灾祸）和道德的不善（罪恶），不是全然不可避免的。然而不善，不是积极的，只是缺陷，是缺乏。有他也断不减少世界底完全，反而是助长他的。又世人动辄说这个世界不善多，实际不然，是不善容易惹起注意，而对于善底感觉，因为习惯而薄弱底缘故。其次，不善反而是做招徕大善避免大不善之用的。不善实在不过是少许底部分的存在，为增进助长全体底善美，世界底完全，反而有不可缺底积极的意义。和把少许的药味，加进食物，反而增加全体底风味；把少许的不调音，插进音曲，反而帮助全曲底调和；把不好看的彩色，搀进绘画，反而增加全幅底风致；同样。这个是来布尼兹底有名的最好观（乐天观）。

所谓优者存在律，是来布尼兹哲学底主要原理就是理由律（充足理由律）底特殊的场合。所谓理由律，是一切事物或者事件底存在，必定有充分的理由或者根据。就是天下没有没有理由底事物，例如叶子是绿的，必定有所以如此底理由。火能够烧东西，也必定有他所以如此底缘故。真理，有永恒的真理，和事实的真理两种。所谓永恒的真理，是他底反对，完全不可能；就是包含论理的矛盾。支配他底原理，是矛盾律（所谓甲不是非甲底法则）。所谓事实的真理，是虽然他底反对，不包含矛盾，然而他有充分的理由。支配他底原理，是理由律。所谓理由，也包含物理的理由，就是机械的原因。依来布尼兹，自然底各个事件，虽然都可以加以机械的说明。然而那些事件底全体就是自然界那个东西存在底理由，是神。就是神是一切事件底究竟原因。所以无论什么事物、事件，毕竟都是为所谓世界底完全而存在。在这种意味，理由律，在根本，是优者律。像这样，他调和机械观和目的观。

（5）单子底阶级

来布尼兹，依表象明了不明了底程度，把所有的单子，大别做裸单子，灵魂，精神，三个阶级。最下级底裸单子，只有微小表象，常时宛然在昏睡底状态。植物同矿物，在这个阶级。第二级底灵魂，表象进到有意识的感觉，连同记忆。动物底灵魂，在这个阶级。最上级底精神，是灵魂当中具有自意识（就是内的状态底反省的知识），同把自己底表象分析做普遍的认识底能力，就是理性。人类同天使，属于这个阶级。在最下级，表象都不明了。到第二级，光是一部分底表象明了。到最上级才有明了精确的表象。然而上级底单子，必定具有下级底表象。又所有的单子，具有从一种表象移到其他表象底动向。就是从表象发生冲动，冲动不是独立的活动，不过是表象底变形。换句话说，就是不外乎从一种表象移到其他表象底动向。在有意识的理性的表象中间底冲动，叫他做意志。

（6）灵魂和肉体

生物，从物理上看，虽然是个体。然而不是形而上学的个体，就是不是单子，是许多单子底集合。那些单子当中底一个，独掌主权。其他的一切，都从属他。前一种叫他做灵魂，后一种叫他做肉体。灵魂和肉体中间底一致，不过是豫定调和底特殊的场合，断不是他里面有实际的影响。恰巧像巧妙的工匠所制造底两个钟表，并不互相影响，又无须时时刻刻麻烦工匠，自然相和，而常时指示同一时刻。所以肉体恰巧像没有灵魂，灵魂也像没有肉体而活动；然而恰巧像互相影响而活动。

虽然是物质界，他底实体，也是单子；所以宇宙没有真死的东西。物质底各部分，恰巧像草木畅茂底园囿，所有的物质，就连他底微小的部分，也有生气，有生命。虽然是尘芥之微，也活物充满。物质，完全是主观的现象。生死，不外乎单子底增减。单子，都是根元的，不是从虚无创成的，所以没有灭亡。生是发展、增殖。死是收缩、减少。就是把生物底肉体构成底单子，不断的由新陈代谢而或者增加，或者减少。死是他底减少达到极度，然而不是完全把肉体丧失。所有灵魂，无不有肉体。纵然是天使，也不是纯粹精神。不但灵魂不可灭，肉体也同样，只由死变形。死是永生底一个转机，他不外乎永远的单子发展底一个阶梯。灵魂不灭，不是神底恩宠和人底特权，基于万物底形而上学的必然性。其次，所谓生，是肉体底单子，显著的增加。在生诞之前，生物做种子而存在，只由怀妊娠遂伸长发达。

（7）伦理说

在来布尼兹底伦理说，可以注目的；是他在一方面，排斥无原因底自由。又在另一方面，排斥强制底必然。单子，自发的，依从自己底本性，必然的把他底动作开展。所以他底动作，是必然的，而又是自由的。人类以为自己底动作是自由的（无原因），由于不注意做微小表象而存在底动机。像这样的动机，是无意识的，而在人们底心的生活是断不可以看过底主要的要素。

(8) 认识论

最后他反对否定本有观念底陆克。主张一切的观念，都是本有的。这个是把单子无窗说应用在认识论。像这样，所有的观念，都是人心本来所具有。然而起初都是无意识就是不自觉的，随从精神活动底发达，次第意识就是自觉他。像理性底最上原理，就是矛盾律同理由律；又像光是由理性能够认识底存在、实体、同一、单一、原因等类；起初尚且无意识的包含在感官的知觉当中，随从智力底发达，而被意识的认识。所以所谓观念是本有的，不是说从小孩子底时候，已经自觉观念；不过是说从出生底时候，已经具有能够认识观念底能力。因而观念光是无意识的具有，所以要由教育叫他发达，叫他变做有意识的。人心不是完全像白纸，实在本来具有能够开发一定的观念和原理底特殊性能。恰巧像本来具有一定的纹理底大理石，要想雕刻他，不可不依从他本具底纹理。无论什么真理，起初都包含在感官的知觉当中；所以没有不曾在感官而在智力的。但是智力那个东西不然。什么缘故呢？连感官的知觉，也是由智力固有底性能所展开底缘故。

来布尼兹，没有组织的把自己底哲学说述,成就这个事业的,是服尔夫(Chrvstian Wolff,1679—1754)。他组织来布尼兹底哲学,同时加以若干的变更。然而那些都实在是破毁来布尼兹底真价。他底哲学,在一直到康德以前底德国启蒙时代,掌握思想界底霸权。像康德,起初也是他底学徒。

第四节 经验论底开展

一 陆 克

陆克（John Locke），是英国底哲学者，是经验派底泰斗。以一千六百三十二年，生在索美塞得州底灵顿（Wrington in Somersetshire），他底父亲，是法律家。他在牛津大学，学哲学、自然科学同医学。对于学林学派底思想，很不满，从那个时候，读笛卡儿底著作，大感觉哲学上底兴味。并且研究伽桑狄同霍布斯。一千六百六十四年，荷兰战争当中，充任英国驻德公使底秘书，往柏林。第二年，回国。一千六百六十六年，充任沙甫慈伯利侯爵（lst Earl of Shaftesbury 1621—1683，政治家）底秘书，兼充家庭教师。沙甫慈伯利被贬底时候，他也追随他亡命荷兰。他底重要的著作，多半在这里成功。一千六百八十七年，《人类悟性论》脱稿。一千六百八十八年，詹姆士第二（James Ⅱ）被废，奥伦治侯爵威廉（William of Orange），即英国王位。第二年，回国。此后为王所重用，就种种公职，对于树立新政策同巩固英国立宪政治底基础，很有所贡献。晚年退隐田园，死于一千七百零四年，他也是终身不娶。

陆克底著作很多，就中像在前面所说关于认识论底《人类悟性论》（*An Essay Concerning Human Understanding*），最为世人所称道。

（1）认识论底先驱者

笛卡儿、斯宾挪莎、来布尼兹诸大家，以论究实在（实体）为主。然而那个时候，他们底根本豫想，是由理性能够认识经验以上底真理。陆克承培根之后，研究认识论。虽然，对于培根底研究，只限于学问研究底方法论；陆克着眼我们底认识能力，拿认识底价值同范围做问题；而为解决这个问题，最初研究认识底起源同发展。可以说是在严密的意义底认识论，在他，才引进近世哲学。

（2）观念底起源

关于观念底起源，当时，笛卡儿学徒，同英国一部分底学者，主张本有观念（Innate ideas）底存在。陆克为表明自己底立场，先从驳击本有观念说开始。就是陆克底研究，开始于观念底起源，就是本有观念底存在与否。他极力驳击本有观念说，而且主张观念底起源，在经验就是感觉。依他，观念本有论者底根据，是神底观念，和论理上、伦理上底根本原理等类，有普遍的价值，所以是本有的。就是观念本有论者，拿论理上、伦理上同宗教上底原理又观念，没有例外，无论是谁都承认，做观念本有底证明。纵然这些观念，有普遍的价值；也不能够就把他断定做本有的。怎样知道这些观念，不是随从我们使用悟性（理解力）而渐次发达的呢？况且这些观念，事实上没有普遍的价值呢？像道德上底规律，因各民族而不同。所有的民族都承认底道德律，一种也没有。其次，假如像观念本有论者所说，那些原理通则等观念，是本有的（又生得的）；那些观念，就应当是在其余的一切知识之前，就存在在意识。因而像小孩子、痴人、野蛮人等，也不可不了知。然而事实不然，他们底意识，只有各个具体的观念，断没有普遍的原理。例如虽然知道甘和苦底不同，断不是知道论理底矛盾律。就是像自同律同矛盾律，虽然骤然一看，好像有普遍的价值，然而拿小孩子仍然不知道他看底时候，不可不说是习惯上徐徐学习他的。认识底起源，不是普遍的命题又抽象的概念，是感官的特殊的印象。由这个看他，本有观念论底谬见。不消说。

所有所谓本有观念，生来具有的，一种也没有，却都是堆积许多的经验之后才获得的。人心恰巧像白纸一样，没有生来具有底什么特殊的内容，他底内容，都是从外面来的。

观念底起源，是经验。经验有内外两种。外的经验，叫他做感觉。内的经验，叫他做反省。外的经验，是由外官（感官）知觉外物所得。内的经验，是由内官（心）知觉（内省）自己底精神状态所得。我们所有千差万别的观念，毕竟不过是通过这两个窗户进入悟性底暗室来底光线。

像这样，从感觉同反省所得底原始的观念，是单纯的，叫他做单纯观念（Simple ideas）。单纯观念，又大别做四种。第一种是只从一种外面的感官来的，像色、香、音、味、热、固体性等类，就是。第二种是从两种以上底外面的感官（就是视官同触官）来的，像延长（空间）、形状、静止、运动底观念，就是。第三种是只从内面的感官（反省）来的，像知觉、思维力、意力底观念，就是。第四种是从内外两种感官（感觉和反省）来的，像快乐、苦痛、存在、力量、统一、继续等类底观念，就是。一切知识底材料，从这些少数的单纯观念成立。

单纯观念当中，由五官就外物所感受，虽然通常称呼做物体底性质，然而这里面有真属于外物底性质，和单是我们所感觉之别。像延长、形状、数、运动、静止同固体性等类，是属于物体自身底性质，就是不能够离开物体底属性，是无论物体如何变化也附随那个物体底性质，是物体忠实底摹写，叫他做第一次性质（Primary qualities）。又像色、音、香、味、热等类，完全是主观的现象，断不属于物体自身，不外乎物体底第一次性质，映现在我们底官能，具有唤起那些感觉底能力。就是唤起那些感觉底能力，固然是物体所具有，然而光是接触我们底感官才生起底观念。叫他做第二次性质（Secondary qualities）。因而色、香、味等类，和物体自身底性质，没有什么类似点，不过是我们自身里面生起底感觉，拿掉视、听、嗅、味底官能，色、音、香、味底观念，不能够存在。加之，这些观念，由观察者底官能组织和观察手段如何，大为不同。例如显微镜和肉眼底观察，结果非常不同。

精神更拿像这样所得底单纯观念做材料，把他反覆、比较、结合，任意构成复合的观念。叫他做复合观念（Complex ideas）。为构成复合观念，豫想悟性底各种机能。就是（一）知觉，（二）把持（就是保存）记忆（就是再现力），（三）辨别（就是把各种观念底别异决定底识别力），（四）比较（就是把各种观念底关系建立底比较力），（五）结合（就是把单纯观念结合做复合观念底组成力），（六）抽象（就是从各个特殊观念抽象共通点制作一般概念〔像时空底观念属于他〕底抽象力）等。就中比较，结合，抽象；是悟性底三大作用。抽象力是人类所特有。悟性，在感受单纯观念底地方，是受动的。虽然，悟性更能动的，由这些机能，把曾经获得底单纯观念反复（记忆）、比较、结合，制作无限多样的复合观念。然而无论是怎么样的创造的精神，连一种单纯观念，也不能够创造。恰巧像无论是怎么样的卓越的化学者，连物质底一种分子，也不能够创造，又不能够破坏。悟性，制作复合观念。然而单纯观念，光是感受。

复合观念，可以总摄做三种。第一样相（Modes）观念，第二实体（Substances）观念，第三关系（Relation）观念。

样相观念，是从属其他观念不能够自存底观念。有关于空间的，关于时间的，关于数量的；等类。例如无边、形状、位置、延长等观念，是空间观念底样相。时、日、年、时间、永恒等观念，是继续观念底样相。又有限、无限底观念，是数量观念底样相。此外像力同运动底观念，也属于他。

样相观念，可以区别做单纯的和复合的两种。像以上底各种观念，是不和其他观念混合，从同类的单纯观念结合成功的，所以叫作单纯样相。和这个相对，义务、友谊、虚伪、伪善、窃盗、战争等观念，是从种类不同的单纯观念结合成功的，所以叫作复合样相。

实体观念，是由看见若干的性质，常时互相结合；而想象那些性质底背后，有支持那些性质而缠做一种底某物，就是各种性质底不可知的支持者；所得。笛卡儿、斯宾挪莎、来布尼兹，以为实体底观念，是明了精确的。然而实在我们就实体所能够知道的，光是他所具有底性质。实体是什么东西？我们丝毫不能够知道。

实体观念，有物的实体，心的实体，同神底观念。

关系观念，是把一物和他物比较所得。所有的关系观念当中，最主要的，是因果关系。关系观念当中，拥抱一切事物的，是因果关系。我们看见一物又他底性质，由他物又他底性质引起底时候；构成因果观念。把前一种叫作结果，后一种叫作原因。其次，同一和差异，也是关系底观念。又道德上底观念，是从把行为和法则比较生出来的，这个也属于关系底观念。此外有时间、位置、延长底关系等无数关系。

（3）观念底认识论的价值

陆克，论述观念底起源之后，进而研究他底认识论的价值。依他，单纯观念，第一次性质，不消说；虽然是第二次性质底观念，因为产生他底原因，是客观的事物底缘故；也可以说是有实在的妥当性。就复合观念说，样相同关系底观念，是我们底悟性所自由制作。断不是外物底模写。像数学上、伦理上底观念同命题，纵然没有和他该当底实在，也断然不丧失认识上底价值。什么缘故呢？这些观念，不是事物底模写，和事物底本质没有关系。他自己是精神把事物排列又命名底场合所使用底原型又雏形缘故。实体观念，有实在的妥当性没有？由照那个观念所指示底性质，他底结合，能够实际经验不能够而定。实体自身，像已经说过，是不可认识的。

（4）认识底种类

孤立的一个言辞或者一个观念，虽然他底明了不明了底程度，大有差异；然而还没有真假底分别。在把表示某种观念底言辞，和表示别种观念底言辞连结，而构成一种命题底时候；真假底分别才生。所谓认识，毕竟不外乎知觉观念底一致不一致，就是知觉观念和观念是不是一致。例如我们知觉白不是黑，就是知觉白底观念和黑底观念不一致。认识底对象，不是事物自身，也不是事物和观念底关系，是观念交互底关系。所以认识底确实性，有三种程度。有时精神直接辨别两种观念底一致不一致，不依靠别种观念底媒介，这个是直观的认识。就是所谓直观的认识，是说我们底精神，一瞥之下，了知两种观念底一致或者不一致，毫不踌躇。例如白不是黑，圆不是三角，三比二多，是精神所直接辨别。这个是最明白确实的知识，不需要证明，又不能够证明，自明，不可抗，是其他一切知识底证据。有时精神不直接辨别两种观念底一致不一致，和别种观念比较才发见他。这个是间接知识，是推理或者论证的知识。就是所谓论证的知识，是说两种观念底一致不一致，由别种观念底媒介，才明了。但是他底每一步的阶段，必须有直观的确实。例如甲丁两种观念底一致不一致，不能够直观的认识，而插进乙丙底观念。甲和乙，乙和丙，丙和丁底一致不一致，直观的明了底时候；甲和丁底一致不一致，就论证的确实。而这个媒介的观念越多，越增加误谬底机会，减少明确底程度。论证的认识，假如在论证底路中，简直没有误谬，就和直观的认识，同样确实。数学是论证的认识当中最确实的，论理学也属于论证的认识底范围。

第三种认识，是关于外物底认识。这个是由感官的知觉所得，所以叫他做感官的认识。感官的认识，是由感性的经验所得底知识，只有或然的确实性。经验，他底本性上，只告诉我们各个的事实，不保证没有经验的。就是我们只经验一个一个的事实，因而关于各个事实底经验，虽然确实；然而我们不能够经验一切的事实。因而不能够拿感官所给与底知识做基础，建立普泛的命题。经验告诉我们，某种性质，和他底所有者，就是实体，共存。然而我们不能够发现这些性质，互相依靠。我们不能够从我们所观察底性质，推定别种性质，必然伴随他。例如金子可以锤薄，然而这个是以前底经验，说是这样；假如没有发现金子底展性和重量之间，有必然的关系；就不能够断言此后也这样或者怎样。关于物体底作用，也同样。所以就物体同他底作用，我们所下底普泛的命题，都不过是或然的。因而在严密的意味，自然科学（关于自然底学问），不可能。关于灵魂，更不可解。

像以上所说，陆克，关于认识底起源，可以说是经验论者。然而关于认识底价值，依从笛卡儿，重视论证。在这个地方，他有唯理论底色彩。

陆克底哲学，影响到十七、十八两世纪底欧洲思想界，不在少处。在英国，他底认识论，由柏克立同休谟继承。在法国，福耳特耳（Voltaire 1694—1776），输入他底认识论。爱尔法修（Helvétius 1715—1771），祖述他底伦理说。

二　柏克立

柏克立（George Berkeley），是英国底有名的哲学者，富于求智心和想象力。以一千六百八十五年，生在爱尔兰底克肯尼（Kilkenny）。他底家族，元来是从英格兰移住的。少年时代，在都柏林（Dublin）底特麟尼替学院（Trinity College），专修哲学。一千七百零九年，二十四岁，著有名的《视觉新论》（*New Theory of Vision*）。第二年，著哲学上底大著《人类知识原理》（*Principles of Human Knowledge*）。其后，到伦敦，和当时底大思想家文学家订交。一千七百十三年，著文笔优美的《海莱士和费朗奈斯底问答》（*Three Dialogues between Hylas and Philonous*）。四十四岁，结婚。结婚后，大约一个月，往北美罗得岛（Rhode Island），想在北美建立理想村，弘布基督教和一般文化，因为政府没有如约补助，缺乏资金，未能如愿。勾留三年，回伦敦。第二年，著《阿尔息夫纶——一名小哲学者》（*Alciphron or Minute Philosopher*），排斥当时底所谓自由思想。一千七百三十四年，充任克罗宏（Cloyne）底主教。晚年，归隐。一千七百五十三年，死在牛津。

（1）视觉新论——第一次性质底否定——物质的实体底否定

柏克立，私淑陆克底学说，专心研究他，发见他包含自家撞着，于是建立一种新说，就是极端的观念论。

柏克立，继承陆克底问题，想由研究观念底起源，去阐明他底认识论的价值。依陆克，我们底认识，不能够超出我们底观念。以外，认识底对象，是观念交互底关系，不是观念和客观的事物底关系。然而他又以为客观的事物底存在性质，能够认识；叫他做感官的认识。这个岂不是自家撞着之尤么？柏克立，在他底视觉新论，开心理学上一种新生面。依他，我们通常以为用眼睛直接知觉物体底远近（距离）和大小，其实不这样。由视觉直接所得的，光是颜色底感觉。远近和大小，是和别的感觉结合所得。就是眼睛所直接给与的，只有颜色底感觉。然而我们实际只用眼睛看，就知觉物体底远近和大小。由于视觉和别的感觉，就是从眼球底回转产生底感觉，结合。又加上以前用手探用脚走底经验（柏克立把这种感觉，叫作触觉，现在叫作运动感觉）。像这样，视觉和触觉结合，是许久的经验和熟练底结果。所以用眼睛知觉物体底远近和大小，恰巧和看见别人底颜色，知道悔恨和羞耻一样。像这样，所谓远近，所谓大小，断不是构成感觉底内容的，只是依习惯把两种感觉联想底关系，就是我们所附加在外物的，因而是主观的。

柏克立，依以上底见解，破坏陆克底第一次性质第二次性质论。像在前面所说，依陆克，像色、香、味、热等类，不是物体自身底性质，是主观的，叫他做第二次性质。和这个相对，像延长、形状、数、运动、固体性等类，是物体自身底性质，叫他做第一次性质。柏克立，在视觉新论，证明第一次性质，也不在知觉底主观以外。属于物体自身底延长、形状、运动等类，也和色、香、味同样，完全不过是精神底主观的状态。所谓固体性，毕竟不外乎从用手等类，接触物体，感受抵抗底感觉来底观念。不消说，不在感觉他底主观以外。此外像延长、大小、远近、运动，像在上面所说，只是由思维底力量附加在感觉（就是第二次性质）底关系。没有感觉，就不能够表象他。所以我们由经验所得的，光是由感官所知觉底性质（第二次性质）。特殊的物体，不过是观念底结合，断不是有普遍的性质。从一个物体，除掉他底一切感官的性质，所残余的，究竟是什么东西呢？物体是感觉底束集。物体底存在，和知觉同一意义。宇宙底大构造，也不是他自体存在，假如不在我们或者其他被造物底精神里，就在永恒的精神里。像这样，没有没有思维没有精神底世界。而所谓存在，不外乎具体的知觉。就是所谓存在，不外乎知觉又被知觉。例如说桌子存在，就是看见他而且感觉他底意思，是在精神里面。所以物体不离开精神而存在。

陆克以为离主观独立存在底所谓物质的实体，完全是虚伪。

（2）唯心论（精神论）

物体底存在，由于被知觉。但是被知觉者，豫想知觉者底存在。物体只是观念。虽然，既然有观念，就不可以没有有观念者。然而观念是心，是精神；所以真实存在的，只有观念和观念底所有者就是精神。观念不但是唯一可认识的物体，又实在是唯一存在的物体。由此观之，精神同观念以外，一种也不存在。精神是不可分割底活动的实体，是终极的世界原理。所以他底学说，被称呼做唯心论，又精神论。

柏克立，像上面，以为物体都不过是观念。然而不是否定我们通常所谓外界底实在，把他和妄想或者想象看作同一。他所极力排斥的，只是以为横在我们前面底天地万物，是在观念以外，不被知觉而存在底实体。而在另一方面，把他和想象峻别。就是他以为物体不过是观念，然而不是把感觉观念和记忆观念又想象观念，看作一样。前一种极其明了，而且有整然的联络。后一种不明了，而且缺乏联络。就中，最紧要的差异，是记忆观念和想象观念，能够由我们底意志，任意叫他生灭。而感觉观念，不能够由我们底意志自由左右。就是物质没有思维，所以是消极的，不能够引起我们底观念。我们底精神，某种观念，虽然自己能够引起他；然而其他观念，不能够任意把他引起。例如我们无论在什么时候，都能够想象；然而不能够随意感觉。我们不能够自己引起底观念，必须有制造他底外面的原因。这种外面的原因，不可不具备意志和思维就是精神。什么缘故呢？假如没有意志，就不能够活动。假如没有思维，就不能够引起观念，也不能够拿观念赋予我们缘故。这样，那么，所谓精神，是什么呢？就是神。我们称呼做外界又自然界的，是神直接赋与我们底观念。所谓自然律，毕竟也是神底动作底秩序和规律。自然的事物，离开神，他自身，没有原因结果底关系。因而以为自然有法则有规律，毕竟基于神底智慧和慈善。叫自然科学底基础巩固的，实在是神底信仰。又神赋予我们底观念，是本来在神底精神里面底永恒的观念底摹写。这个和我们自身所造出底妄想不同。所以我们闭起眼睛，世界就忽然消灭，然而在其他有限精神同神底无限精神，世界依然存在。又假令有限精神底观念都消灭，神就是无限精神底观念，依然存在。

柏克立，关于外物，像这样，从经验论底立场，批评实体底观念，破弃他。然而关于精神，依然使用实体底观念。又像因果底观念，不加些微的批判，就素朴的承认他底客观的妥当性，把他适用在神和观念之间，不免独断之讥。在这两点，他还不能够脱离唯理论底羁绊。

柏克立生在英国，所以依傍经验学派，然而他底思想，很倾向唯心论，临了于是组织极端的观念论。在英国哲学，放一异彩。然而不是英国本来底思潮。能够发挥英国特有底思想，做陆克底后继，从纯经验论底立场，对于实体和因果两种观念，加以极其周到锐利的批判的，实在是休谟。

三 休 谟

休谟（David Hume），是英国底哲学者、历史家、经济学者。以一千七百十一年，生在苏格兰底爱丁堡。他底父亲，是律师公会会员。休谟，少年时代，入爱丁堡大学，学哲学、法理学。对于文学，也有兴趣。中途辍学，从事商业。既而往巴黎，勾留四年（从一千七百三十四年到一千七百三十七年），其间专心著述《人性论》。一千七百三十八年末，回英国，印行他底第一卷，第二年出版第二卷同第三卷，然而都不大唤起世人底注意。后十年，就是一千七百四十八年，把《人性论》底第一卷《悟性论》改订做通俗的，大为世人所称许。于是把其他部分，重行出版，都受欢迎。从一千七百五十二年，到一千七百五十七年，充任属于爱丁堡律师公会底图书馆馆长，涉猎丰富的史料，其间著述有名的《英国史》。一千七百六十三年，充任英国大使底随员，往巴黎，在那里勾留三年，广交知名的学者。和卢梭（Rousseau）、狄德罗（Diderot）、何尔巴哈（Holbach）、达兰贝耳（D'Alembert）相识。一千七百七十六年，死在家乡。

一千七百四十七年以后，他鞅掌政事，然而不废著述。他把他自己底哲学，叫作怀疑论。因而世人也把他看作近世怀疑论者底典型。其实不是极端的怀疑论者。

休谟底主要的著作，是上面说底《人性论》（*Treatise upon Human Nature*）（第一卷《悟性论》*Inquiry concerning Human Understanding*、第二卷《情绪论》*A Dissertation on the Passions*、第三卷《道德原理》*Inquiry concerning the Principles of Morals*），《宗教自然史》（*Natural History of Religion*），《关于自然宗教底问答》（*Dialogues concerning Natural Religion*），《自传》（*My Own Life*），《英国史》（*History of England*）等。

（1）印象和观念

休谟底主要问题，是知识底起源同性质底问题。知识底本源，确度，范围，同限界，如何？又知识底形式，就是像实体和因果底范畴，有如何的价值？对于所有这些问题，从知识起源底问题解答。依休谟，知识底一切材料，从内部同外部底印象（Impressions）得来。所谓印象，是当我们闻、见、感、爱、憎、欲、愿底时候，所起底活泼新鲜的知觉。换句话说，就是所有感觉、感情、意志等类，最初发现在精神底状态。就是最初发现在精神底一切感觉、感情、欲求。所谓观念或者思维（Ideas or thoughts），是由记忆或者想象，把像这样的印象再现。就是所有我们底观念或者思维，都是像这样的印象底复写，是薄弱的印象底一种。两种底差异，是印象，强烈、活泼而鲜明。观念，不鲜明。观念有时也极其鲜明，然而断没有达到可以和印象混同底程度。譬如无论是艺术家如何巧妙描写底景色，也断没有误看作真实的。

印象当中，感觉，是外部底印象。感情、欲求，是内部底印象。外部底印象，从不可知的原因，生在精神里面。内部底印象，大部分从观念引出，例如由某一种印象，刺戟感官，我们知觉冷热、快乐、苦痛，就是生起冷热、快乐、苦痛底印象。这个印象底复写，就是观念。这个快乐或者苦痛底观念，又唤起像所谓欲求、嫌恶、希望、恐怖底新印象。这些印象，更由记忆或者想象复写，变成观念。

又观念是印象底再现，所以无论如何千差万别，都只是印象底复写。换句话说，就是他底内容，都从经验来。复杂观念，不是就那样是印象底复写，然而把他分析底时候，他底要素，都从印象来。像神底观念，智慧、慈悲等类，也不外乎把就人类所经验底性质抬高到无限的。所以知识底材料，结局都是从印象得来。像这样，把由感觉和经验所供给我们底材料（印象），混合，移置，增大，又减小，去构成知识。而各种印象底混合和组成，只属于精神同意志。我们所考查底观念，都从类似底印象复写。所有的观念，从印象获得他底内容。然而那个内容，因为被加以种种的混合又移置，产生误谬。又没有印象，观念也不得有。盲人没有颜色底观念，聋子没有声音底观念。所以我们当考查哲学的观念底意义，应当先问这个观念，从如何的印象得来。

虽然，我们底思维就是观念，不是偶然结合，是依某种方法和规则，互相关连。有一个必定唤起另一个。就是观念，依一定的法则，纯机械的互相结合。观念结合底法则，有三种。第一是类似联想（Association by resemblance），就是依类似底关系，互相唤起。例如看见一张画，自然联想那个原物（类似）。第二是接近联想（Association by contiguity），就是依在时间空间当中相接近底关系，互相唤起。例如举示屋内底一间房，暗示邻接底一间（接近）。第三是因果联想（Association by causality），就是依因果底关系，互相唤起。例如负伤底观念，唤起苦痛底观念（因果关系）。这个就是观念结合底现象。就是联想底原理，是类似、接近同因果。上面底三种关系，叫作联想律（Laws of association）。所有的观念，依这三种关系，互相唤起结合。所有的复合观念，是依这些原理结合观念所构成。

（2）因果观念底批评

所有我们关于事实底推理，就是从一种事实推论别种事实，都依据因果底观念。我们常时寻求现在底事实和别种事实底联络。例如一个人，在一个无人底孤岛，发见一只表。他从这个结果，追溯原因，推论曾经有人来过那里。像这样，一切的思索和实行，都依据因果的考察。不光是这个，拿因果律做根据去推理，实在是从来底唯理学派所倡导底哲学组织。笛卡儿以为因果律是自明的，用他去证明神底存在。连陆克、柏克立，处理这个因果律，也和唯理学派底学者，丝毫无异。然而因果是像这样绝对确实的吗？休谟否定他，以为因果律单根据经验。

依休谟，因果律底必然性，就是所谓一种原因必定产生一种结果，不能够直观的认识。我们所能够直观的，光是单纯的异同又邻接关系。像所谓一物产生他物底关系，断不能够直观。连亚当恐怕也不能够在经验之先，从火底光和热，推知他会焚烧他罢？精神不能够从假想底原因引出结果，无论如何的推理，也不能够先验的发见火药底爆发，磁石底吸引。什么缘故呢？结果是和原因完全不同底事实，不能够在原因当中透视结果，缘故。其次因果底必然性，也不能够论证的认识。就是我们不能够论证某种原因，必定有某种结果；或者某种原因，必定有同一的结果。什么缘故呢？我们不能够把由食物获得营养，由火获得温暖，像数学底命题一般，用理论证明。两物之间，没有必然的关系。说火不暖，食物不滋养，也没有论理的矛盾。然而论证的认识底特色，在他底反对，包含矛盾。

像这样，因果关系，不能够直观，也不能够论证，不外乎根据经验而认识，就是我们知道因果关系，由于观察、实验。但是我们依经验所能够知道的，光是事物又事件，用一定的顺序相次。然而因果关系所要求，不止是相次，而且是必然的相次。就是不但是一种现象和别种现象相前后，而且是必然的相前后。就是一种有产生他种底势力。由外的经验，不能够获得这个势力就是必然的关系底观念。我们看见外物，而思考那个原因底作用，我们没有发见什么势力就是必然的关系。我们只发见一物跟随他物。我们不能够从一物底发现，推测他底结果如何。加之，由内的经验，也不能够获得势力底观念。我们依意志底命令，运动身体底机关，指示精神底作用，所以我们获得势力底观念。虽然，休谟说，诚然由意志底影响，身体底机关，起运动。然而我们不能够直接知觉意志如何引起这种结果底势力。身体底运动，依意志底命令，是经验所告诉我们，然而经验没有告诉我们意志和他底作用之间底微妙的关系，灵魂和肉体底关系，完全不可思议，在这里，我们不能够知道因果底联络关系。而且如何意志制御思维，灵魂产生观念底势力如何？不能够知道他，我们不能够发见像这样的势力。我们所知道的，光是意志命令观念，而事件跟随他。像这样，经验无论是外的经验内的经验，只拿两种事件常时相次而起，告诉我们。断不告诉我们。两种中间，有必然的关系。这样，那么，我们对于所谓因果关系底信念。从什么地方来呢？把那个相次而起底两种事件，看作因果的必然关系，是精神。我们接触一种事实底时候，必定预期某种事实底发生。例如看见火，必定预期感觉热；吃面包，必定预期获得营养。这个预期，是因果律底基础。像这样的预期，从习惯引出。我们屡次经验甲乙两物相次而起，由联想底习惯，后来单经验甲底场合，必定想起乙。同时附随甲底新鲜活泼的感情，也从甲扩张到乙，相信乙也存在。总之，因果律，拿从联想底习惯所生底一种感情做根据，完全不过是主观的信念。用所谓必然底文字，不过是心理的必然。事物自身之间，有必然的关系没有？我们不能够知道。所谓事物自身之间有必然的关系底观念，完全不外乎想象。断不能够知觉，也不能够论证。我们根据理性，推察事物底关系。然而所谓理性，毕竟不外乎根据习惯预期事实底一种本能。像这样，因果关系，不过是一种信念。然而在实际生活，我们任凭天赋底本能，也不感觉些微的不便。

（3）实体观念底批评

休谟用同样底论法，批评实体底观念。实体断不构成印象底内容，我们只知觉各个的性质。就物体底场合说，我们屡次知觉若干的印象，空间的共存；由联想底习惯，那些印象底内容，必定同时想起。我们把像这样的主观的倾向，移到客观，想象把那些性质连结支持底某物，实际存在。就是我们看见物体底色、声、味、形和其他性质，不禁想象有把他支持的。想象所有的变化当中，有不变的不可知的某物。这就是实体。把他底性质，叫作事件。实体底观念，实在是像这样的想象底产物。——休谟不但把这种批评，用在物体的实体上，而且用在精神的实体（所谓灵魂、我底观念）上。灵魂又我，不过是用不能够理解底速度，互相络绎不绝的继起底种种观念之流。试深入里面搜寻所谓我看，我们底尽头，无论什么时候，也是光和影、爱和憎、苦痛和快乐等特殊的观念。无论在什么时候，没有观念，也不能够捕捉我。没有观念，无论什么东西，也不能够观察。把这些观念支持统一底实体，就是所谓我、灵魂又人格底观念，毕竟也不外乎想象底产物。精神，是种种知觉底集团。他恰巧像戏台一般，种种的知觉，活现，出没，混淆；变化无穷底场面。他在同一时候，也不单纯。在不同的时候，也不同一。

（4）神　学

我们虽然相信世界底存在，然而不能够论证他。就是我们不能够论证离开知觉独立底外的实体。所以唯理的宇宙论，不成立。又灵的实体底存在，同灵魂底不灭，也同样不能够论证；所以唯理的心理学，不成立。最后我们关于神底本质、属性、命令、计划，不能够论证。人类底理性，太薄弱、盲瞽而且有限制，不能够解决像这样的问题，所以唯理的神学，不成立。

神底信仰，不是思索、好奇心或者真理之爱底结果。从幸福底渴望，对于未来的不幸底恐怖，死底恐怖，复仇底渴望，对于食物和其他必需品底渴望；生起。宗教，不是理性底事件，是意志底事件。宗教拿人类底情绪的冲动的天性，做基础。

（5）怀疑论和唯理论底要素

像这样，休谟关于事实间底必然的连络，和完全超越经验底事物；他是怀疑论者。然而他底怀疑论，实在不外乎经验论当然到达底结论。什么缘故呢？经验，他底性质上，是各个独立的，从经验什么必然性也不能够引出缘故。

像以上所说，休谟是彻底的经验论者，然而唯理论底要素，也不是完全没有。依休谟，所有人类理性底对象，可以分做观念底关系，和事实底材料；两种。几何，代数，数学，属于第一种。例如在直角三角形，斜边底平方，等于其他两边底平方之和；是叙述各边底关系的。所谓五底三倍，是三十底一半，是叙述各数底关系的。这种命题，不依靠外界底经验，只能够用论证发见。不问像这样的东西，是不是实际存在。纵令自然界没有圆或者三角形，欧几里所论证底真理，也永久不丧失他底确实性和证明力。第二种底事实材料，超越感觉、记忆底证据，完全从因果底关系出来。因果关系，像已经说过，是习惯底产物，不像数学有论证的确实性。明天不出太阳和出太阳，都是可想的命题，断不包含矛盾。这个不是确实自明的知识，是或然的。所以关于事实底材料，没有绝对自明确实的知识，我们只根据经验，相信未来也像过去一般。虽然，保不定事实不变化。然而事实底知识当中，只把事实照原样叙述，休谟承认他底确实性。

休谟底认识论，是一切现实主义哲学底根本，他底经验的认识论，在所有英国派哲学当中，是最彻底的，而且是最精确的。

休谟，是英国底哲学者当中，康德所最重视的。康德底自白说：休谟底训戒，破我独断之眠。

下面在移到康德之前，就启蒙期底英法德哲学一般，简单叙述一点。

第五节　启蒙期底哲学一般

一　总　说

近世底精神，是反对中世底思想生活。全中世纪之间，被教会底威权所抑制底人类理性，当近世底初年，急忙从宗教底束缚和传袭的、非现实的思想、感情逃出来，开始自由独立的思索。这个是所谓文艺复兴期。文艺复兴期底事业，继续到十六十七世纪，宗教改革，三十年战争，以及英法两国底政治的、社会的革命，也不外乎这个事业底一部。大陆底思想体系，和英国底经验哲学，实在是把燃料加在这种火焰。自由讨究底精神，徐徐改造人生观。然而进入十八世纪，产生把所有哲学上、科学上、伦理上、同宗教上研究底结果，所提出底世界观同人生观，加以民众化；去把他广播到人类一般底倾向。像这样的知的运动，通贯当时底欧洲全体。在欧洲近世思想底历史，叫他做启蒙期（Enlightenment）。恰巧和希腊底哲人同苏格拉底底时代相当。这个时期，有许多种的原理和世界观，确信由理智底力量，能够充分解决国家、宗教、道德，和其他宇宙人生底各种问题。这个是哲学的独断底时代。又是自由独立的思索底时代，是一般的自觉到达顶点底时代，是把一切问题由自己解决底时代。

启蒙运动底特色，是排除想象，舍弃情热和憧憬，摈斥旧习惯，不回顾历史，万事适用严正的理智底批判。

二　英国底启蒙思想

启蒙运动，先起在英国，后来移到法国。在那里，成就华美的发达。在英国，不像法国在比较的短期间，到达启蒙底顶点。又他底影响，也不那样显著。那是因为社会状态不同，新观念，新理想，徐徐移到民众生活当中。汲取陆克之流底哲学者，一概都可以叫作启蒙思想家。陆克自身，在由经验和理解力，去把一切的事件判断底地方；是启蒙哲学者。陆克实在是代表近代精神，就是独立，批评，个人主义，民主主义底精神的。这种精神，发现在十六十七世纪底宗教改革同政治的革命。到十八世纪底启蒙，到达他底顶点。在他底思想广影响到人类底精神同制度底地方，没有比他在上成功底哲学者。

（1）自然神教运动

自然神教运动，从陆克所著《基督教底合理性》开始。陆克拿理性做天启底究竟标准。说天启底真理，绝对确定，毫无疑惑。然而天启自身底基准，是人们底理性。就是某种真理，是天启不是？依理性底判断而定。从这种思想，产生当时叫作自然神论或者理神论（Deism）底一派学说。所谓自然神论，是企图把基督教底不合理的要素排除底运动。虽然相信有神，然而主张神不能够不顾自然法而行动，因而全然排除天启和奇迹所有宗教底超自然的部分，把宗教限制在理性认为真实底若干教条。就是拿理性做宗教底规范。自然神教家，采取陆克底思想，把天启归到理性，在自然法当中，求神底启示。从这个根底，基督教被合理的宗教化。神创造宇宙之后，止在宇宙人生底圈外，从外面照览他，宇宙由自然底法则继续他底运行。既成宗教，是自然神教底堕落，是从僧侣和治者底利己的奸黠所作为。这个运动底主要的代表者，是托兰（John Toland 1670—1722），叩林斯（Antony Collins 1677—1729）等。托兰底著作，有《基督教不是神秘说》（*Christianity not Mysterious*）。叩林斯，有《自由思想论》（*Discourse of Free Thinking*）。

（2）伦理哲学

启蒙思想，是最现实的哲学，是现实的道德思想，是拿改进人们底实际生活做他底根本精神的。因此，英国底启蒙思想，变做关于道德和政治底哲学。尤其是关于道德底研究，最丰富的发达，制造所谓英国派伦理哲学底思想的大势。

这个伦理哲学，经过霍布斯，陆克。昆布兰（Richard Cumberland 1632—1716），沙甫慈白利（3rd Earl of Shaftesbery 1671—1713，伦理学者、美学者），蒲脱勒（Joseph Butler 1692—1752），赫起逊（Francis Hutcheson 1694—1747），休谟等；进到边沁和穆勒底实证主义哲学。

英国底经验论者，把正邪底知识，归到经验。把道德底基础，放在自己保存同幸福欲。培根还承认有社会的本能，然而霍布斯、陆克，以为人类从头到尾，是自利的，把道德看作文明的利己手段。昆布兰是功利主义底先驱，他排斥道德的知识底本有说。又反对霍布斯底私利说，建立利他主义。把利他性看作根本的本性，唱公共善说。说人类在利己的感情之外，又有同情的感情。社会生活，就是公共的福利，是最高善。就是把公共的福利，看作最高的道德法。又把这个道德法，看作自然底法则。

沙甫慈白利，采取心理的立脚地，调和利己个人性和利他社会性，并且加添善美调和底希腊思想，建立道德的感官说。依他，人有利己心，同时又有爱他心。这两种保持适当的均衡，是善。反对，是恶。就是善的行为，同时是美的行为。有像这样的调和底地方，是最大幸福所在。哲学，也不外乎幸福底学问。而判断这两种是调和不是的，是我们底普遍的道德的感官。他底弟子赫起逊，把这些思想统一，著作《美和道德观念底研究》，同《道德哲学大系》。起始用所谓"最大多数底最大幸福"底标语。休谟，亚当斯密（Adam Smith 1723—1790）底同情同感说，也属于这一派。蒲脱勒底一般的主张，虽然依照这一派，然而他特别置重良心，不把他看作感情，而看作反省底原理。

（3）唯物论的世界观

我们曾经看见笛卡儿底哲学，到麦尔伯兰基，变成客观的观念论。英国底经验论，到柏克立，变成观念论。这个同一的运动，到十八世纪，又变成唯物论。笛卡儿，把有机界加以机械的说明，把动物看作完全的机械。拉美脱理（La Mettrie 1709—1751）等，受这种思想底影响，主张人也是机械，灵魂不是特别的实在，不过是身体底一种机能。陆克把知识底起源，区别做感觉和反省。他底后继者康的亚克（E'tienne Bonnot de Condillac 1715—1780），哈德烈（David Hartley 1705—1757）等；把一切精神过程，都归到感觉；更进而把感觉看作不过是脑髓底作用。来布尼兹，把物质归到势力，而且把他看作和精神的活动相似，撤废物质和精神之间底区别。现在精神的原理，被自然科学所排除，于是某种思想家放弃他，而把一切的现象，解释做物质运动底结果，毫不足怪。

十八世纪之间，这个唯物论的世界观，在英法两国，极其隆盛。在英国，托兰，哈德烈，普利斯特利等；是他底代表者。依托兰，思维是脑髓底机能，是脑髓底某种运动，像舌是味底机关一样，脑是思维底机关。哈德烈把一切的精神过程，都归到脑底机械的震动。心理学的联想，必定和生理学的某种联络相伴。然而他不把意识状态归到运动。他不确定这种关系是因果的不是。

普利斯特利（Joseph Priestley 1733—1804），是自然科学者（氧气底发见者），同时是神学者。他把精神过程和物质运动看作同一，像这样大胆接收心身问题底唯物论的解答。他底论证，大体是假如灵魂是非延长的实体，就不能够占有空间，因而不能够住在肉体之内。外物底观念（例如木头底观念），从部分成立。假如灵魂是非延长的、不可分割的，如何能够包含像这样的观念呢？假如灵魂没有肉体，能够独立行动，有什么必要，和肉体结合呢？像数学上底点一样底非延长的灵魂，包藏无限的观念、感情、意欲，不是更不可思议？假如说灵魂是从许多的原子组织成功，如何能够生起统一作用呢？换句话说，就是如何能够到达我底意识呢？普利斯特利，以为精神论底这种非难最有力，自白不能够回答他。然而同样的困难，在精神论底方面也有。什么缘故呢？从无数的观念、感情、意欲，如何产生我底意识，不能够了解缘故。反对者说，假如灵魂是物质的，神也不能够是纯粹灵魂。然而从神底遍在观看，神也可以看作物质的。像这样，他替唯物论辩护。把精神过程和物质运动，看作同一。然而他不但不否定神底存在和灵魂不灭，而且依从霍布斯，说把人类同神底灵魂看作物质的，也和基督教没有矛盾。

三　法国底启蒙思想

（1）感觉论

唯物论，在法国，比在英国更盛。关于感觉论，也同样。就中感觉论底最典型的代表者，是康的亚克。康的亚克说感觉是人心底根本作用，而其他一切精神作用，都是感觉底变化。康的亚克，分析精神现象，举感觉做最单纯的要素。把一切精神现象，由这个感觉说明。他赞同陆克一切认识从经验发生底学说。然而陆克，像在前面所说，把人心比做白纸，举感觉和反省两种要素，做把千差万别的观念引到这个白纸底窗户。康的亚克，把他归到感觉一种要素。倡导比陆克更严密的感觉论。依他，记忆，比较，判断，抽象，同反省，就是认识；不过是注意底种类。又感情，性欲，同意志；不外乎欲望底变形。而注意和欲望，都从感觉发生。所以一切精神的能力，不外乎感觉底变形。换句话说，就是我们底精神，只有所谓感觉底唯一根本的能力。复杂的精神现象，如何从单纯的感觉发展呢？康的亚克，用极其巧妙的譬喻说明他。他想象只具单一的感觉例如嗅觉底一种雕像，现在在这个雕像之前，摆一棵蔷薇。因为蔷薇底香气，刺戟雕像底嗅觉机关；于是起嗅觉。然而这个时候，雕像还不过只知觉香气。对象底观念，丝毫没有。不消说，他不知道他自己是这个感觉底主观；所谓我底意识，不外乎这个香气。然而意识集注在所谓香气底唯一的感觉，于是产生叫作注意底精神作用。试把这个蔷薇从雕像之前取去，香气底痕迹残留，而产生叫作记忆底精神现象。其次，再在雕像之前，摆紫罗兰、茉莉以及阿魏。最初光是蔷薇底香气，没有什么和他比较的东西。现在产生其他的感觉，于是和最初底记忆比较，发生愉快不愉快底感情。于是希求愉快的，排除不愉快的。对于不愉快的，感觉嫌厌、憎恶、恐怖。对于愉快的，怀抱同感、爱情、希望。就是从感觉和他们底比较，产生情绪、欲求、意志。意志不外乎感觉底变形。感觉，变成注意、记忆、比较、快感、不快感之后，变成欲求和冲动。另一方面，从比较，就是从感觉底复合；产生判断、反省、推理、抽象。做一句说，就是悟性。雕像，知觉不愉快的香气，同时想起给予快感底别的香气。于是过去底感觉，和现在底感觉对立而呈现。然而不是用直接的感觉底形式，只是感觉底摹写，就是观念。于是雕像向两种不同的观念注意，而把他们比较。所谓比较，是同时向两种东西注意。然而比较，必须认明两种东西底异同。而认明像这样的关系，是判断。所以比较底作用，判断底作用；都不过是注意。像这样，感觉，顺次变成注意、比较、判断。某几种香气，给予快感。其他的，给予不快。于是记忆当中，残留许多的感觉共通的快不快底观念。这些共通的特质，是从特殊的感觉所辨别，所分离，所抽象。像这样，于是产生所谓快、不快、数、继续等抽象观念。抽象是悟性底最高机能，然而也不过是感觉底变形。因而感觉包括精神底一切作用。内的知觉就是我，不外乎过去同现在底感觉底总和。康的亚克，像这样，从嗅觉引出一切的精神能力。嗅觉，是五官当中最劣等的感觉。嗅觉之外，拿味觉、听觉、视觉给予雕像底时候，他底精神生活，将要越发丰富，越发复杂。而要获得外界底观念就是延长、形状、固体、物体等类，必须触觉，触觉是拿客观的实在底知识给予我们的。所以触觉，是最高的感觉，是所有其他官能底指导者。所以一切的观念，从感觉尤其是触觉来。

像这样，康的亚克，倡导最彻底的感觉论。然而他不是严正的唯物论者，他以为物体底延长，是主观的。而且关于物体底性质，以为是不可知的。

（2）唯物论

在法国，最彻底的唯物论底代表者，是拉美脱理。他受笛卡儿和陆克底影响，著作《人类就是机械》，延长笛卡儿底动物就是机械观，说假如动物是机械，人类也是机械。假如动物用神经组织，能够感觉，判断；不是人类也同样，没有非物质的灵魂，也能够理解、意志么？并非唯独人类，是例外。自然底法则，拥抱万物。人类是机械，然而是比动物更复杂的机械。这个比较完全的动物，不是从天空中掉下来，不是从地土中钻出来，也不是从起初就被造成像现今这样，是经过长久的变化底过程，从下等动物渐次进化的。此外狄德罗（百科全书家），洛宾内（Robinet 1723—1789），波内（Charles de Bonnet 1720—1792）等。也是唯物论者，关于生物底进化，也主张和拉美脱理同样底思想。依狄德罗，宇宙是生命底不断的酸酵、发生、循环底过程，无一物恒存，万物都变转。动植物人类都这样。谁也不能够决定动植两界底严密的疆界。宇宙底进化，完全是一种纯机械的，像潜伏在分子当中底活力和感性等五六种特性，制作出自然现象来。自然事象，没有目的，只有偶然的发生。精神论者说，请看！人类是目的论底活证据。虽然，请看现实的人类，像适合造物主底目的的那样完全的人类，有一个人吗？试把现实的世界，和无数过去未来底可能世界比较，不过是一个蜉蝣，何况人类呢？

法国启蒙思想家，光是在枝叶底地方，有区别。在把那个自然现象看作被法则所支配，又把人类底精神的道德的生活，看作自然底必然的成果；他们互相一致。从这个出发点，爱尔法修（Helvétius 1715—1771），说明人类道德。数学者达兰贝耳，经济学者堵哥（Turgot 1727—1781），和数学者康多塞（Condorcet 1743—1794）；拿进化论做基础，发达历史哲学。何尔巴哈，著《自然底体系》，完成一大组织的世界观。都抱像上面所叙述底宇宙观人生观。何尔巴哈，说物质和运动，这两种实在包括一切的事物。支配宇宙的，不是神，不是运命，只是事物自体底本性不变必然的法则。宇宙不是邓·斯各脱斯底专制王国。又不是来布尼兹底立宪王国，是一个共和政体。一神教，是科学之敌。泛神教，是假装底无神论。机械观，能够说明一切。思维是脑底机能，离开神经，没有心灵。光是物质不灭，个体不然。非定命论底自由意志，是宇宙秩序底否定。没有两系不同的法则——物理的法则和伦理的法则，只有普遍的宇宙底法则。又法国革命前，医生喀巴尼思（Cabanis 1757—1808），在他底《人类论》，揭示心理学的唯物论。说精神和肉体，是同一样东西。灵魂是具有感性底肉体。肉体或者物质，不是呆钝的东西，具有思维，感情，意志。生理学和心理学，是同一种科学。人不外乎神经底一团块。理智和道德的现象，正像其他一切现象，都是物质底本性和统制万物底法则底必然的结果。

（3）福耳特耳

在法国，唤起新精神，散布新思想，而且把他传播到欧洲全体底首领，是福耳特耳，和《法律精神》底著者创唱三权分立底孟德斯鸠（Montesquieu 1685—1755）。在法国，笛卡儿以来，哲学大盛，英国底培根，霍布斯，陆克，休谟，都漫游法国，去丰富他底学殖。然而十七世纪底末叶，英国哲学，进步非常之快，法国反而输入英国底哲学思想。所以孟德斯鸠，福耳特耳，两个人；都以一千七百二十九年，从英国回来，盛鼓吹陆克，休谟底学说。尤其是福耳特耳，用遒健的文笔，深刻的议论，攻击当时底烦琐的学风，做启蒙运动底先驱者。他把陆克底思想（把他和牛顿底自然哲学同自然神教一同从英国带回）通俗化。他相信自然神教，说所有的自然，把神底存在，告诉我们。他在他底初期的著作，承认意志底自由，灵魂底不灭。然而到后来，关于死后底生活，变成怀疑的，又倾向宿命论。他说当我能够营为我所意欲底时候，我是自由的，但是我必然的意欲我所意欲。然而他常时攻击迷信和教会底威权，把天启底宗教，看作无知和诈欺底产物。他底宗教，根据不变的道德原理。

（4）卢　梭

启蒙运动，颂扬夸称人类所获得底知识，科学，艺术，文化。然而这个矜夸和自信，被卢梭所打碎。他把艺术和科学，看作奢侈和懒惰底结果，道德堕落底本源。而主张人务须复归于简朴的自然。人元来无垢善良，具有保存自己，和把他底才能伸张底冲动。然而同时也被对于别人底同情所激励，被宗教的感情、感谢和虔敬所鼓舞。道德和宗教，不是理论的思维底事情，是自然的感情底事情。人底价值，不依据他底理智，而依据他底道德性。就是唯独善意志，有绝对价值。人本来平等，然而社会由财产制度，把他弄成不平等，产生主奴，贫富，有教养没有教养底区别。因此，文明是不平等底结果，染污人类本来底善性；一方面产生奴隶性、嫉妒、憎恶，另一方面产生轻蔑、傲慢、残忍等类，叫人生完全变做人工的和机械的。脱离这个腐败的人工的状态底道途，是归于自然。而光是由创造自然的社会状态和施行自然的教育方法，能够成就。

卢梭，像福耳特耳一样，主张自然的宗教，排斥唯物论同无神论。在这种意味，他也是自然神教家。但是宗教，在他，根源于感情，是心胸底事情，不是头脑底事情。灵魂是非物质的，自由的，不灭的；未来生由战胜现世底罪恶，成为必要。

四　德国底启蒙思想

来布尼兹，是德国近世最初的伟大思想家。然而像在前面所说，他底著作，差不多都是短篇论文或者信札，而且一概用法文或者腊丁文。组织来布尼兹底哲学，叫他和常识适合，而且把他改做德文的；是服尔夫。他采取笛卡儿、斯宾挪莎、同来布尼兹底唯理论，又把哲学底方法和数学底方法，看作同一。同时主张经验底事实和理性底推论，互相一致。理性和感觉，都是知识底正统的能力。他依照精神底两种能力，就是认识和欲望，把科学分做理论的和实践的。属于前一种的，是本体论，宇宙论，心理学，同神学（以上四种构成形而上学）。属于后一种的，是伦理学，政治学，同经济学。科学，又依照他底命题，从理性引出，或者从经验引出；分做唯理的和经验的（像唯理的宇宙论和经验的物理学，唯理的心理学和经验的心理学等类）。而论理学，是一切科学底绪论。

来布尼兹、服尔夫底哲学，在启蒙时代，掌握德国思想界底霸权。对于启蒙运动，所贡献很大。像康德起初也是他底学徒。在这个时代，其他有名的哲学者，有来马鲁斯（Reimarus 1694—1768），温克尔曼（Johann Joachim Winckelmann 1717—1768），勒新（Lessing 1729—1781），孟特尔逊（Moses Mendelssohn 1729—1786），赫得（Johann Gottfried Herder 1744—1803）等。就中，勒新，占当时思想家第一等底位置。

第四章　康德及康德以后底哲学

第一节　康德底哲学

康德（Immanuel Kant），是启蒙时代底德国思想界产出底伟大的哲学者，是批判哲学底树立者。以一千七百二十四年，生在德国普鲁士底首府哥尼斯堡（Königberg）。他底先世，元来从休谟底祖国苏格兰移住。他底父亲，是一个制造马鞍底工匠，家计很贫寒。父母都是敬虔派底教徒，他在宗教的氛围气中做人，就中受母亲底感化，尤其深。他差不多一生没有出他底乡邑。起初在哥尼斯堡大学，学物理学，数学，哲学，同神学。大学卒业后，为生计关系，从一千七百四十六年到一千七百五十五年，大约八年间，当家庭教师。一千七百五十五年，充任母校哥尼斯堡大学底额外讲师，讲授论理学，形而上学，物理学，数学，伦理学，人类学，地文学等科。到一千七百七十年春初，才升充正教授，担任论理学同形而上学讲座。一直到一千七百九十七年，继续任职。同年，因为衰老，辞职归隐，心身次第衰弱。到了一千八百零四年，一病不起，享年八十。

他底讲义，流露他底深邃的学识和严肃的性格，钦慕他底学识道德的，不远千里而来，厕身他底讲筵。

他从二十三岁底时候，著作《活力底真计定法论》起；不断从事著作，大小不下四十多种。而他底著作，都本于精密的研究。尤其是像他底主著《纯粹理性批判》，叙述他底圆熟的哲学思想，是多年考察底结果。他底思想，大别做三大期。第一期，受来布尼兹同服尔夫底独断的唯理论底影响，叫他做独断期。第二期，受英国底经验论尤其是休谟底怀疑论底影响，叫他做怀疑期。第三期，站在自家独创底见地，叫他做批判期。批判期底主要的著作，是《纯粹理性批判》（*Kritik der Reinen Vernuft*），《实践理性批判》（*Kritik der Praktischen Vernuft*），《判断力批判》（*Kritik der Urteilskraft*）。他底学说，深远精确，在近世哲学，罕见其匹。

他底性情，温厚而笃实，日常起居，规律极其严正。他自奉甚薄，终身不娶，不求名闻利达，屏弃一切的虚荣浮华，献身于探求真理，足以做哲学者底模范。

一　批判哲学

康德哲学底特色，是采取支配启蒙时代哲学者底一切倾向一切动机，拿他做自家药笼中物；意识的或者无意识的，把这些各种倾向各种动机，综合调和，在近世哲学史上，开一新生面。

康德以前底哲学者，无论是经验论者唯理论者，都独断的确信认识底可能。在这个地方，经验论者，唯理论者，全然相同。不过关于认识底起源，和到达确实的认识底手段，意见不一样。康德底见解，和这些人不同底地方，是峻别认识底起源和认识底价值；以为要想阐明认识底性质，要不单由心理学的方法，探究他底起源；又由批判的方法，决定他底价值。这个认识底价值评价，叫他做认识批判，或者理性批判。

康德最初师事来布尼兹和服尔夫，倾倒独断的唯理论，后来从独断之眠觉醒，进入批判哲学。康德常时说：我们底时代，是批判底时代。所谓批判，是在断定之前，加以检讨；在认识之前，考察认识底条件。他底哲学，和来布尼兹、陆克底独断论，都有区别；在立说之前，辨别感觉底产物和理性底产物。他容纳经验派底主张，承认观念底材料，从感官来；就是映现在官能底感觉印象，是知识底材料。又容纳唯理派底主张，承认观念底形式，是理性底工作。理性，依他自己底法则，把杂多的感觉，改造成观念。批判论，不是感觉论，也不是唯理论，超越他们，站在他们底高处。比较他们，估定相对的价值和真理。他不是体系，是方法。他和苏格拉底底格言知道你自己相同，在建立体系之前，先考察他底材料和用具底来源。

二 纯粹理性批判——知识论

批判哲学底根本问题，是认识论。所谓知识，是什么呢？单是一个一个的观念，例如人，地，热等；不是知识。这些观念，要想变成知识，必须和其他的观念结合。而这些结合当中，必须有一个主语和一个说明语（谓语），就是必须构成一种判断，才变成知识。例如人是责任底主体，地球是行星，热力叫物体膨胀等等。一切的知识，常时用判断底形式表现，把事物肯定或者否定。一切的知识，都是判断。然而不是每一种判断，都是知识。

康德把判断分做分析判断和综合判断两种。所谓分析判断，是拿包含在主语当中底概念做说明语底判断，就是只分析释明观念底内容，没有把什么新东西加入他。例如说物体有延长。所谓有延长，已经包含在物体底观念当中。就是说明语，不外乎把已经包含在主语当中底内容，用别语解释。这个判断，没有告诉我们什么新东西，因而不足以增加我们底知识。所谓综合判断，是拿不包含在主语当中底意义做说明语底判断，就是不单说明既存底知识，而且是把新东西加入他。例如说地球是行星，所谓行星底观念，不包含在地球底观念当中，是新加入底观念。就是把一个新说明语，加入地球底观念。为发见所谓地球是行星，人类曾经用几千年底工夫。所以综合判断，增殖丰富我们底知识。而且只有他构成真知识。虽然，不是一切的综合判断，都拿知识给我们。有的是从经验得来，例如说一种对象，有像这样像这样的特性，或者像这样像这样动作，但是不能够说他必然有这些性质，或者像这样动作。换句话说，就是像这样的判断，缺乏必然。复次，缺乏普遍。我们不能够因为某种对象，有某种性质；就说所有的事物，都有他。像这样缺乏普遍和必然底判断，就是经验的判断，不是科学的。真可以叫作科学的知识底判断，必须是必然的。所谓必然的，是和他矛盾的，不能够思维。他又必须是普遍的，所谓普遍的，是没有例外。就是要想构成真正科学的知识，必须是主语和说明语，无论在什么场合，也不是偶然，必然保持联络底综合判断。例如所谓天暖底判断，确实是综合的，然而他不是普遍的，也不是必然的。不过是偶然这样，因为明天也许天冷缘故。所以不是科学的命题（判断）。然而所谓热力叫物体膨胀底判断，这个是明天后天，就是千年之后，也和今天同样真实底命题。就是这个是普遍必然的判断。这个是科学的知识。像这样的普遍必然，不从感觉和知觉来，从理性和悟性本身来。例如三角形底内角之和，等于二直角，而且他常时像这样，不等待经验（就是先验）而知道他。所以要想产生知识，判断必须是先验的。

这样，那么，我们底结论，是所谓知识，是先验的综合判断。就是科学的知识底定义，是先验的综合判断。分析判断常时是先验的。像这样的判断，依据同一和矛盾底原理，然而他不增加我们底知识。经验的综合判断，增加我们底知识，然而他模糊不确实。科学要绝对确实，而像这样的确实，光是在先验的综合判断可能。

康德不疑惑有像这样的判断，他确信物理学，数学，连形而上学，也有先验的综合判断。他把有普遍必然的知识，认做既定的知识。但是像这样的先验的综合判断，如何可能呢？就是像这样的知识底条件如何？这个实在是批判哲学底根本问题。康德仿效和他同时代底学者，承认知情意三分法，在知识底范围，研究这个问题的，是纯粹理性批判，就是认识论。在意志底范围，研究这个问题的，是实践理性批判，就是伦理学。在感情底范围，研究这个问题的，是判断力批判，就是美学同意匠（目的）论。就是康德把人类精神又理性，分做理论的认识作用，实际的道德活动，和目的观的或者艺术的想象活动；三方面。就是理论的方面，实际的方面，和想象的方面；三方面。而先在纯粹理性批判，处理认识问题。其次在实践理性批判，处理道德问题。更在判断力批判，处理目的观同艺术问题。以下略叙他底认识论、伦理学、美学同意匠论，细审他如何回答先验的综合判断如何可能底问题。

人们底知性，就是康德所谓纯粹理性，有三个阶段。（一）直观（Anschauung），（二）悟性（Verstand），（三）理性（Vernunft）。综合感觉所提供底材料的，是直观。综合直观，制作经验的；是悟性。综合经验底判断，制作形而上学的认识的；是理性底作用。三种都是综合作用，而高级的作用当中，包含低级的作用，做他底内容。康德遍涉这三种作用，研究先验的综合判断，是否可能。以为先验的直观底学问，就是纯粹数学底命题；尽管他是先验的，然而有客观的妥当性。先验的悟性底学问，就是纯粹自然科学底命题；也指示经验世界底真理。因此，在直观同悟性底范围，没有向先验的综合判断底可能怀疑底余地，只问他如何而可能就够。虽然，理性底学问，就是形而上学底命题；并不指示经验世界底真理，又没有客观的妥当性；所以先验的综合判断底可能，不无可疑；因而要先研究这个可能。像这样，所谓先验的综合判断是否可能底问题，可以分做三种去考察。就是纯粹数学，如何而可能呢？纯粹自然科学，如何而可能呢？形而上学，可能不可能呢？第一个问题，用先验的感觉论；第二第三两个问题，用先验的论理学解答。

（1）先验的感觉论

我们底感觉又直观，拿知识底材料，供给悟性。但是这个感觉所提供底材料本身，已经具有某种形式。换句话说，就是我们底感觉，不是全然是受动的。因而对于悟性，不是把悟性所需要底材料，照原样供给。感觉，在拿材料供给悟性之前，先拿他自己底形式，赋予那个材料。恰巧像手底轮廓，画在一把雪上；他在材料上，做记号。感觉，受动的，从外面获得粗笨的材料（色、声、重等类）；能动的，拿直观又感觉底形式赋予他。所以感觉有两种要素，就是先验的要素和后验的要素，形式和材料，理性自发的所产生底某物，和从外面来底某物。

这个所谓形式，是什么呢？所谓感觉从他自己底本性引出，而附加在每个直观底先验的要素；是什么呢？康德把认识底形式，分做直观底形式，和思维底形式，两种。直观，是感性底作用，和知觉差不多同样。思维和他相反，是悟性底作用，是把知觉统一底抽象的心象。这种先验的直观，是感觉论者所否认；而纯粹理性批判，却证明他底存在。直观底形式，更分做两种，一种是空间，一种是时间。空间，是外面的感觉底形式。时间，是内面的感觉底形式。就是凡知觉外物底时候，带空间的性质，就是有一定的延长、形状等类。然而直观内部底心的状态，他就常时互相作时间的连续。空间时间，是理性底原始的直观，在一切经验之先，是知识底前条件；就是空间、时间，是感觉底先验的条件。这个是康德底不朽的发见，是批判哲学底根本主张。虽然小孩子没有明确的时间空间底观念，然而在经验之先就是先验的，知道时底前后和物底前后关系，假使没有他，感觉将要终于乱杂混沌。其次，思想可以从充满时空底每物抽象，但是并不能够从时空自身抽象，这个证明这两种直观，不从外面来，就是和理性一致。又数学的真理，三乘三得九，三角形底内角之和等于二直角；是关于时空关系的，他不从经验发生，而从理性，确实有绝对的必然性。此所以时空观念，是内在又先验的。我们不能够感觉时空，然而一切的感觉经验，不拿时空观念做前条件，就不能够发生。时间空间，不是外界底物体，时空是主观的，是观念的。时空并非像古人底想象，是物体底属性和品质，是心底形式，是样相。就是空间时间，断不是客观的实在，是我们底心先验的就是在经验之先具有底形式。因而时空观念，断不是从经验生的，也不是由论证分析所得。康德关于这个，用下面底四条论据证明他。

第一，空间同时间，不是把经验抽象所得底经验的概念。现在把一种经验，加以检查；就可以看见他里面现象同时存在（俱在），或者前后相连续（继起）。人或者以为时间底概念，是把这个俱在或者继起底事实抽象所得。然而不然。什么缘故呢？像这样俱在或者继起底事实当中，已经含有又豫想时间底概念。没有所谓时间底概念，所谓俱在或者继起底事实，就也变做无意义缘故。和这个同样，空间底概念，也不是把某物体在同处或者在异处底事实抽象所得。什么缘故呢？那个所谓同处或者异处，不外乎空间当中底名称缘故。所以空间同时间底概念，不是从经验生的，反可以说经验是从这个空间同时间底概念所得。

第二，空间同时间，是先验的必然的观念。我们能够脱离一切现象，思维时间空间。然而不能够脱离时间空间，只思维现象。就是我们能够思维没有现象底时空，然而不能够思维没有时空底现象。像这样，时间同空间，是不可离的观念，就是必然的。是现象能够存在底要件，就是在现象之前存在底先验的观念。

第三，时间同空间，不是分析的或者普遍的概念。就是所谓时间，所谓空间，只有一个。种种的时空，是唯一时空底一部。例如古代，近世，百年，十二时；或者像此处，彼处，平面，立体；不是同一的时间同空间底分子，只是把时间同空间在某点加以限制。所以这些部分，像十二时，彼处，此处；断不能够离开全体而存在。像这样，时间同空间，是单一的观念，不是聚集各种的现象，把他底共通点抽象所得底概念。时间同空间，是不能够把他分析的，是不等待经验，只能够由直观知道底观念。

第四，时间同空间，是无限的。所谓一年此处等个别的时间同空间，像已经说过，不过是把唯一的时间同空间加以限制的。所以这个根本的时间同空间，不可不是无限的。然而像这样的无限的观念，是只能够由直观知道的，断不是能够由经验知道底概念。总之，所谓概念，是把同种类的事物抽象所得。例如所谓鸟底概念，是把所谓鹭、鹰、雀等许多东西底共通点抽象所得底概念。然而时间同空间，是绝对的，另外没有同种类的。因而不是概念，是直观。

像这样，时空，是先验的、必然的。因而他底观念，有普遍性同确实性。所以假如是纯粹依据这个观念底知识，他就不可不说是最确实的。这样，那么，依据像这样的确实的观念底知识，究竟是什么呢？是数学。所以数学是真知识，是先验的综合判断，又自明的真理。

但是空间时间，不是他自己存在底实在，也不是物自体底属性，不过是感性底条件，他实在是我们感觉对象底形式或者机能。就是感性当知觉杂多的感觉，用空间和时间底形式排列，去知觉他。假如世界上没有本来赋有时间空间底直观力的，世界将要不是空间的，也不是时间的。除去思维底主观，全世界将要消失。就是假如时间空间，离开理性和理性底直观，就不存在。那么，外界底事物，离开思维他们底理性，就要不存在在时空里面。所以假如感性只在时空里面，把事物显示我们，他就不是把事物自体照实显示。我们穿过时空底颜色眼镜，看事物；事物只呈现在感觉前面。这个意思，是感觉只能够把事物底现象给与我们，不能够给与我们叫现象成立底物自体就是实体。既然知识底材料，除感官以外没有别的经由他能够进来底道路，因而知识只限于现象界，藏在现象背后底物自体（实体界），永远不是感官所能够把捉。

像在前面所说，对象，由把感觉底材料按时空底形式排列而成立。然而像这样叫对象成立底能力，时空两种之外，还具有其他各种法则。那个就是我们将要论述底思维形式，又叫作范畴。

（2）先验的论理学

像前面所述，感性用从经验所得底材料，就是外来底印象；制作知觉。悟性把杂多的知觉，整理综合，制作概念，去构成判断。没有概念，知觉是盲目的。没有知觉，概念是空漠的。所以我们底知识就是判断，由感性和悟性底结合才成功。现在检查把知觉加以整理底悟性，更从两种要素成立。就是悟性和狭义的理性。悟性，是判断力；详细说，就是依照某种先验的法则，叫各种知觉（康德叫他做直观）互相连结底机能。狭义的理性，是判断底布置力，就是在普遍的概念底系列之下，把各种判断排列底机能。所以关于悟性底研究，应当分做悟性底批判和狭义的理性底批判；用康德自己底话说，就是先验的分析学，和先验的辩证法。

　　a. 先验的分析学

　　知觉机能，在时空上，知觉万物。悟性更依据亚理斯多德以来叫作范畴底一般概念，构成判断。例如热力叫物体膨胀，那个热力和膨胀底必然关系，是因果范畴底关系。康德和休谟相同，以为最高的范畴，就是因果观念，也就是被认做两种现象之间底必然关系的；不是从经验得来。然而休谟把因果观念看作习惯的经验底结果，我们所以发生这种观念，只是因为我们看见某数种事实，时常互相联合底缘故。因此把他看作对于科学，是有用的观念；但是没有形而上学的价值。反过来，康德主张因果观念，是先验的，天赋的。加上恰巧像时间空间，不是知觉底对象，是他底方法一样；因果观念和其他一切范畴，也不是知识底对象，是他底方便，是前条件。康德为证明范畴底先验性，订立一张四行三列底详表。

　　判断，是悟性底最高机能；范畴，是我们所依据而判断底形式。所以有若干种的判断，就有那么多种的范畴。范畴一共有十二个。就是（一）全称命题（就是判断），例如凡金属都是元素。（二）特称命题，例如某种植物是隐花植物。（三）单称命题，例如拿破仑是法国皇帝。（四）肯定命题，例如热是一种运动。（五）否定命题，例如精神没有延长。（六）限定命题，例如精神是非延长。（七）定言命题（直说判断），例如神是公道的。（八）假言命题，例如假如空气是温暖的，寒暑表就上升。（九）选言命题，例如这个物体是固体或者是液体。（十）或然命题，例如这个也许是毒物。（十一）确然命题（断言判断），例如这个是毒物。（十二）必然命题（确定判断），例如无论是那种结果，都必定有原因。康德把他像下面分类。

根本范畴	范　畴
一、分量	一　总全 二　杂多 三　单一
二、性质	四　实有 五　非有 六　限制
三、关系	七　实体和属性 八　原因和结果 九　交互作用
四、程式	十　可能或者不可能 十一　存在或者非存在 十二　必然或者偶然

就是十二个范畴当中，第一第二和第三，表示总全，杂多，单一。简单说，就是分量底观念。第四第五和第六，表示实有，非有，限制。简单说，就是性质底观念。第七第八和第九，表示实体，因果，交互作用，简单说，就是关系底观念。第十第十一和第十二，表示可能和不可能，存在和非存在，必然和偶然。简单说，就是程式底观念。

这四类十二范畴，可以把他大别做两种。分量同性质底范畴，关系直观底对象。关系同程式底范畴，关系这些对象底存在。把前面的叫作数学的范畴，把后面的叫作力学的范畴。又四类范畴，都从三个范畴成立。而他底第三，常时是第一第二底综合。

康德把这四类十二种先验的概念，仿效亚里斯多德，叫作范畴。范畴就是悟性底形式。四类当中关系一类，支配其他的一切，包括其他的一切。这个是最高范畴。什么缘故呢？无论什么判断，没有不是表示一定的关系缘故。

从上面底四个根本范畴，产生纯粹物理学底四个原则。这个原则，也是先验的。就是（一）从分量底见地立论，一切的现象，是一种分量；换句话说，就是一定的延长，一定的继续。因而原子（不可分）不能够存在。就是这个原则，排除原子说。（二）从性质底见地立论，一切的现象，都有一定的内容，就是一定的强度，因而空虚不能够存在。就是这个原则，排除空虚说。（三）从关系底见地立论，一切的现象，都被因果底结子所联系，而且在结果和他底原因中间，有一种交互作用；因而机会和运命不得有。就是这个排除机会说，又排除运命底观念。（四）从程式底见地立论，依照时空底法则所起底一切的现象，是可能的，是必然的，因而奇迹不成立。就是这个排除奇迹说。这个第一和第二原则，构成连续底法则。第三和第四原则，构成因果底法则（因果律）。

康德说人类精神，先验的具备这个范畴。因而把他综合底判断，实在又可以叫作先验的综合判断。纯粹物理学底原理，就是关于一般物质底原理，关于物质底运动和变化底一般的法则等类；是不等待经验，而从以上底范畴，例如本质性、因果性等类产生的。所以可以说是先验的综合判断，因而这些判断，必定有普遍性同必然性。

这些范畴和原理，住在悟性里面，是没有被经验所混浊底纯粹的先验的要素，他不能够在现象界发见，却是规律现象界底悟性本来底工具。但是他如何能够适用在现象界，获得判断和知识呢？又像这样得来底知识，有什么样的妥当性呢？

像已经知道，感性里面，有后验的知觉（直观），和时间空间底先验的直观。又悟性里面，有许多先验的概念（范畴），他把用时空底罗网所捕获底材料就是知觉，更转化做概念和判断。这些范畴，是和他底数目相同底区划，在他们里面，悟性储藏又精制许多经验底产物。像这样，这个知识底机能，包含许多的要素。但是虽然包含许多的要素，知识底机能本身，仍然是统一的。康德把他叫作统觉底超然的统一性。像这样，理性，在他底多样的活动当中，保持本质的统一；是那里有贯穿一切理智活动底自我缘故。康德不单把知识的机器分解做各是各部分，而且把他构造成功，去显示他如何工作，如何每一部分都和其他部分互相叶合。

现在看悟性如何把感性底与料（知觉），转化做概念和判断。依康德，纯粹概念和感性知觉，完全不同。这样，那么，如何能够把他们结合呢？两种底中间，有第三者，他一面是纯粹的（不是经验的），一面是感觉的，做两种底媒介。康德把他叫作先验的图式。这个就是悟性底图式论。时间底形式，满足这个要求，就是时间是纯粹的，而且是感觉的。所有我们底观念，都依从时间底形式。就是我们底经验，都生在时间里面。所以假如智力想叫感觉经验相关连，或者把他们结合，他就必须使用时间底形式。就是悟性把感性底与料转化做概念和判断底工作，靠时间底观念完成。时间，是知觉和概念底自然的媒介。虽然，时间和空间一样，属于感性。然而他比空间，物质性更少，而且带范畴底性质。时间底观念，类似范畴；所以作表象或者符号，用在感官底名词当中，表示先验的概念。因而变成直观底机能和悟性中间底译员。没有他，悟性就不能够于构成概念，有所帮助。因此时间底观念，为悟性底范畴，构成间架。感性提供石头，悟性提供水泥，去建筑知识底殿堂。

然而悟性批判底结论，也和感性批判底结果一致。感性穿过时空底颜色眼镜看事物，所以不能够把握物自体。检讨悟性底结果，也同样，更穿过几重颜色眼镜去看，所以那个并不是物自体，只是他们向我们呈现的（就是现象），或者却是把我们心底定型（时空和范畴）印在他们上面所改造。所以所谓现象，是印入感官底事物。感性自身，自我自身，制作现象。现象是广义的理性底产物，他不在我们之外，却在我们之内。他不能够超越直观的理性底界限而存在。在这里，康德接近柏克立底主观的观念论。理性不但创造现象，而且规定现象底交互的关系。理性有把现象用先验的范畴（分量、性质、因果关系）规律底立法权。经过理性，事物变成分量、性质、因果，他们不是他们自己。换句话说，就是拿他底法则，给予感觉底世界，制造现象底秩序（宇宙）的；实在是理性。

像这样，在所谓理性规律宇宙底思想，康德拿直接的基础，给予斐希特，谢林，黑智尔等底体系。虽然康德自己摈斥他们，然而黑智尔底泛论理主义，是他所生底儿子。但是他底哲学的倾向，和他底后继者等不同。他不把人智看作神圣，却主张把他加以限制。当康德说理性创造宇宙，或者至少于他底创造有所帮助底时候；意指全现象界。他承认现象界以外，有超越人智底实体界。他和泛论理主义，大不相同。他在悟性批判底第二部，证明纯粹理性，关于经验底领域以上，完全没有能力；而把形而上学看作关于绝对底学问，徒劳无功。

b. 先验的辩证法

康德在感性同悟性之上，把狭义的理性或者观念（物自体，绝对，宇宙，灵魂，神等理性观念）底职分，重视做最高综合机能。我们底认识，始于感性，中于悟性，终于理性。悟性，是判断，是法则底动力，是构成原理。理性，是推理，是原理底动力，是统制原理。悟性底范畴，虽然是叫经验可能底必然的概念；然而理性底概念就是观念，认识超越一切经验底形而上学的现象。对于我们底认识，是相对的；理性底概念，是绝对的。因而观念是学问底理想目的，超越认识。

我们用时空底先验的直观，收取外来底印象，拿来构成万象底知觉。同时悟性用他底范畴，把他们安排，而构成概念、判断和科学的命题。最后理性在宇宙底观念之下，把这些杂多的概念和命题包摄统一，构成所谓宇宙论底学问（宇宙学）。又在灵魂底观念之下，把许多内部的观念结合，构成所谓心理学底学问。更从绝对或者神底见地，观察万象底全体，构成神学。理性，原来不外乎是悟性底完全的发展。在严格的意味，不能够和悟性峻别。而理性底各种概念就是观念，也是先验的。

刚正像时间空间，不是知觉底对象，是知觉对象底方法；又像分量，性质，因果关系底范畴，不是知识底对象，是工具一般；宇宙，灵魂，神等观念，是理性底先验的综合；离开思维主体，不存在。至少也理性不能够证明那些观念底客观的存在。理性所真实知道的，光是现象，光从感觉收取他底材料。宇宙，绝对，灵魂，神等类，不是现象。这些观念，不从感觉收取任何内容，却不外乎把从感觉来底材料（观念和判断）加以规律底最高规范。所以是先验的。古来底形而上学，把他们看作客观的实在，那是错误。

我们不知道物自体是什么，只知道他向我们呈现的（现象）。同样，我只知道我向我自己所呈现，不知道我自体是什么。我虽然自觉自己底存在，自己底发动，然而那个不是我自体底知识。我穿过时空底颜色眼镜，去看自己。那个不外乎我底现象。像这样，我不能够知道真自我，只能够思维他。然而康德底认识论全体，实在站在这个自我论上面。所谓统觉底超然的统一性，不外乎这个自我。这个自我自体，不能够知道。然而没有综合万象底这个统一的自我，知识断不能够成立。

我们不能够知觉物自体我自体，所以不能够有超感觉的物象底普遍必然就是先验的知识。因而超越经验就是关于物自体（例如关于自由，意志不灭，神）底形而上学，不成立。我们只关于现象界，能够有先验的（普遍必然）知识。例如数学，仰仗空间同时间底形式，获得他底必然性。几何学，根据空间；算术，根据时间底观念。又自然科学，根据像实体，偶有性，因果，交互作用等范畴；所以能够获得普遍必然的知识。在这个地方，休谟和经验论者，是不对的。数学和物理学底知识，是普遍必然的。

但是他只是现象底知识。我们不能够知道物自体，在这个地方，休谟是对的。虽然，物自体存在，的确他们必须存在。不然，感觉就不能够解释。对于现象，必须有某物。必须有感动我们底感觉，而把知识底材料提供底某物，康德一时不疑惑像这样的物自体底存在，而且他在批判底第二版，简直进而证明他底存在（摈斥观念论）。但是因为他主张物自体底存在太强，叫他底学说底性质上，极其朦胧不定。他变成一种限制的概念，用感觉到底不能够知道超感觉的。然而虽然我们不能够知道他，却能够思维他。我们不能够把范畴适用在他上面。纵然适用，也没有客观的确实性。在这里，还有未了底问题。

悟性只能够知道能够经验的，然而理性想超越悟性底界限，去认识超感觉的事象；把概念和知觉混同，陷进种种的暧昧、误谬和矛盾。在经验界妥当底范畴（像因果，实体，偶有性），在超经验界就是实体界，没有意义。然而形而上学，往往忘记这个，把现象和实体混同，陷进误谬、错乱。康德叫他做先验的错误。把只适用于感觉界底主观的原理（时空和范畴），误解做客观的原理；把他适用于物自体，是理性难以避免底幻觉，发见像这样的幻觉，而且去防止他；是先验的辩证法底事业。

像这样，理性努力把一切心的过程，都摆在所谓灵魂底观念之下，成立唯理的心理学。把一切物的现象，都摆在所谓自然（宇宙）底观念之下，成立唯理的宇宙学。把一切现象，都摆在所谓神底观念之下，成立唯理的神学。所以所谓神底观念，是包容其他一切底绝对的浑一的最高观念。虽然，像这样的观念，是超越经验的，他们没有经验上底价值和用途。但是这些观念，在指导悟性底地位，有他们底价值和用途。他们有促进追求知识底能力。

依唯理的心理学，灵魂是非物质、具人格底一种不灭的实体。试检讨笛卡儿所说我思维所以我存在。从所谓我思维底自觉，伴随所有我底思想判断；换句话说，就是从所谓我是所有我底思想判断底主体，结论我是那些内的状态底常住的主体，就是实体。我思维底我，是论理上底主体。然而论理的主体，和形而上学的主体（实体），不能够混同。又在所谓地球是行星底命题，他底论理的主体，是作这个命题底我，而地球是真实的主体（被判断主体）。笛卡儿底有名的文句，把思维底论理的主观纯我，和被判断主体混同。康德把他叫作谬误推论。超越的自觉，就是伴随所有我们底认识去把他统一底纯粹自我，像在先验的分析论当中所说明，是我们底认识所不可缺底假定。虽然，纯我本身，断不能够做认识底对象。他虽然能够做主位，断不能够做宾位，所以是思维底论理的主观，不是真实的思维本质。是自觉底统一，不是精神底单一的人格。然而假如我是形而上学的主体，他就不可不是认识底对象。从认识上说，论理的主体，是主观。形而上学的主体，是客观。是完全别异的两物。所谓我思维，不能够做所谓所以我存在底证据。像时空不是感觉底对象，是叫感觉可能底基础一般；所谓我思维，是先验的判断，是一切判断底前条件。虽然，他并不豫示自我底本性。我关于这个自我，不能够下判断；像在法律上，一个人不能够同时是推事又是诉讼当事人一般；在论理上，论理主体和真实主体，不能够是同一。所以像把思维底论理的主观纯我，看作客观的存在而思维底实体；从主观的事实自觉底统一，引导客观的实存底灵魂；完全由于误解。服尔夫学派底唯理的心理学，证明所谓灵魂，是本质的，单纯的，有人格；因而他是非物质的同不灭的。是从论理学上中间概念底两义所生底谬见。总之，灵魂不能够论证，也不能够否定。所以依康德，论证灵魂底唯理的心理学，否定他底唯物论，都不能够成立。康德推翻唯理的心理学之后，更去破坏从来底宇宙学。

理性企图叫所有现象底各种条件，归着究竟的条件。把自然看作总全，去构成宇宙（浑一）底观念。就是唯理的宇宙论，想从世界底观念出发，获得关于世界底先验的认识。然而拿像这样的世界观念做认识对象去判断底时候，能够把像下面所列举四对互相矛盾底命题，论理上同样证明。康德把他叫作纯粹理性底二律背反（Antinomie）。所谓二律背反，是互相矛盾底两种命题就是措定反措定，同样能够用严密的论理加以证明。

第一二律背反，在分量底范畴。宇宙，在时间上，有始；在空间上，有限。（正）一宇宙，在时间和空间上，无限。（反）

第二二律背反，在性质底范畴，宇宙从单纯的部分（就是最单纯不可分的要素，就是不是复合的，就是原子）成立。（正）一世界没有单纯的东西（就是都是复合物）。（反）

第三二律背反，在关系底范畴。世界有自由，就是不被因果律所支配底无制约的原因。（正）一世界没有自由，一切由因果律就是必然的连环生起。（反）

第四二律背反，在程式底范畴，有绝对必然的存在者就是神。（正）一没有绝对必然的存在者，一切事物，是偶然的。（反）

这个措定反措定，实在不外乎有哲学的思维以来一直到当时底两大思潮，就是世界底空间的有限和无限，时间性和永远性，原子论和一元论，自由论和机械论，创造说和自然主义底对立；从大体说，就是唯心论的倾向和唯物论的倾向底对立。

像这样，从论理上看完全互相矛盾底措定反措定；然而从理性底必然性产生，毕竟是正反两方面，都根据同样的虚伪底前提缘故。所谓虚伪底前提，就是从拿所谓现象底全体结合就是宇宙底不可经验的理念，做可能的认识底对象来的。就是依康德底意见，我们底悟性，逾越自己底权能，拿外的现象底全体就是宇宙做对象底时候；陷于像这样的矛盾。所以措定反措定，都误谬。世界不是无限，也不是有限。又物质不是绝对的可分的，也不是不可分的。把人们底悟性和物自体区别，像这样的问题，就完全消灭。

虽然，康德适用这个解决的，单是第一第二两种二律背反。他对于第三同第四，采取稍微不同的态度。以为在第三同第四两种二律背反，措定反措定，能够同时都真实。假如把措定适用于物自体底世界，把反措定适用于现象世界，就措定反措定都真实。就是把所谓因果底系列，连续不断；因而没有自由，也没有必然的存在者；看作只在现象界，真实；而把自由同神移到物自体底领域，矛盾就完全消灭。不消说，从康德底认识论，像上面所说实体底世界，是不可知的。然而像康德就要说，从实践理性底方面，肯定实体底世界，承认神和自由底存在。

前面所述底第四二律背反，与其说他是关于宇宙学，毋宁说他是神学底问题。那个是豫示唯理的神学底无益的，康德更转过来，批判从来底有神论证。制约被制约底关系，叫我们构成一切事物底制约者就是完全圆满的存在底观念，叫他做纯粹理性底理想。我们底理性，不满足这个理想；单是观念拿实在性给他，把他人格化，叫他做神，证明他底存在。从来底有神论证有三种。就是（1）本体论的证明，（2）宇宙论的证明，（3）物理神学的证明。

本体论的证明，从神底概念，推论神底存在就是客观的实在。所谓神，是最实在者，最完全者。所以像这样的概念，必然含有所谓存在底性质。就是神是完全者，所以必然存在。不存在，就缺乏完全性。由神是完全者，证明神底存在性。对于这个，康德主张概念无论如何完全，也不足以证明他底存在性。存在，断不是论理的特征。存在不存在，和概念底内容完全不完全，毫无关系。譬如实际存在底百圆，和想象上底百圆，概念上，毫无所异。所谓最实在者底概念，并不包含存在。不能够从所谓最实在者底概念，推论神底存在。

宇宙论的证明，从偶然的、被制约的有限物底存在，推论究极的、绝对的、必然的实在。就是从所谓某事物存在底事实，推论那个事物底绝对的、必然的原因。而结论做那个必然的存在，是最实在者，是神。这个证明，不顾因果律只在现象界，从一项向次项，作不断的前进的关系、制约的关系而进行；乱用因果律，把因果律适用在可能的经验以上。就是把只在现象世界有效力底因果律，适用在超经验底世界。而且同时豫想因果的系列底终结，把他看作绝对的、必然的存在，就是他自己里面包有存在根据底存在；假定本体论的证明。就是纵然认许有绝对必然的存在，是世界底原因；然而我们不能够经验像这样的存在者。这样，那么，他底存在，如何能够知道呢？论者说绝对的存在者，是其他一切事物底原因；所以必然包含存在底一切条件，就是一切的实在；因而存在也不可缺。然而这个证明，是从绝对的存在者底概念，证明他底存在；就不外乎本体论的证明。本体论的证明，既然倒仆；宇宙论的证明，也不能够起立。

物理神学的或者目的论的证明，从现世界有秩序，有调和，美丽，合目的等事实，出发；推论神底存在。像这样的事实，引我们推论他底原因。而像这样的原因，必然比我们底任何可能的经验更完全。把这个最高原因，看作唯一的实体，有何不可。就是像这样的事实，只用自然底作用，不能够说明。必须拿具睿智底世界创造者做原因。这个证明，最古，最明白，而且最契合人们底理性。他是把自然底目的阐明的，然而我们不能够说他是确实。这个论证，是从自然的发生物，和人为的所造物（像房屋、船、钟表）底类似，推论自然底基底，也有同样的因果，就是悟性和意志。虽然，纵然有至高的睿智，是世界底合目的性、善、美和完全底原因，这个论证，至多也只能够证明世界建筑师底存在，不能够证明世界创造者底存在。加上现象世界，既然不是圆满至善，虽然能够证明极富于智力很丰于能力的世界建筑师底存在，断不能够证明全智全能的世界建筑师底存在。这个证明底出发点，完全根据美的宗教的感情，在认识上，完全没有根据。又这个证明，从世界推论他底原因，不外乎宇宙论的证明所假装，因而又归着本体论的证明。

总之，智力底批判，未必陷于无神论，然而也不引到有神论。他又不引到唯物论，然而也不能够证明人类底灵性和自由。换句话说，就是结局，关于形而上学底问题，逡巡不进，就是中止判断。我们被幽闭在直观（时空）、概念、先验的观念底迷宫，只能够认识、判断现象世界。就是只能够认识他自体绝对不能够知道底物体，和我们光是由他底现象知道他，而他底本质，包在永远的神秘里面底思维主体中间底关系。换句话说，就是只能够认识外物和思维主体中间底关系。而这个外物，他自体，绝对不可知。又思维主体，他底本质，永远被神秘所包，我们只认识他底现象。我们叫作世界的，不是宇宙自体。他是由我们底感性和思维所改造改变底世界。他是我们底智力和某种我们不知道是什么底外物结合底结果。他是本质上不可知的两个实在（心和物）底关系，是臆说底臆说，是梦底梦。

三　实践理性批判——道德论及宗教论

（1）实践理性和道德的神学

纯粹理性批判，像已经说过，用科学的精细和论理底锐锋，把我们推进怀疑论。虽然，假如把康德看作普通的怀疑论者，那就是重大的错误。诚然纯理批判底结果、归到怀疑。然而那个不是康德底真面目，也不是批判底终极目的。他底体系，并不反对道德的信仰和超越的实在，然而想在别的方面发见他底适当的根据。康德，不像巴斯噶（Pascal），蔑视理性。（巴斯噶说：比起无限大的宇宙来，人类同理性，就等于无。）不过想在所有我们底许多能力当中，指派他底适当的地位；在我们底精神生活底错综复杂的演剧当中，指派他底真正的角色。理性底地位职分，是从属的，规律的，修改的。并不是建设的，创造的。唯独意志，并非理性，构成我们底心力和事物底基础。这个就是康德哲学底指导概念。理性时时把我们诱进不可避的二律背反和怀疑。唯独意志，是信仰底朋友，是道德和宗教底本源，是拥护者。康德并不疑惑物自体，灵魂，神底存在。只说用推理底过程，不能够证明这些观念底真实性。他所极力论破，是依据纯粹理性底独断论，不管他是唯心论或者唯物论，是有神论或者无神论。就是排斥纯粹理性，脱离意志，只凭借自己，主张形而上学的威权底僭越。却逆袭的，把形而上学的能力，给与实践理性，就是意志。

意志，像悟性一样，有他自己底特质，独自底形式，独特底立法权，康德把他叫作实践理性。在这个新领土内，纯理批判所提出底问题，改变他底面目。一切怀疑，都让步给实践上底确实性。道德底法则，和纯理性上所意想底物理法则，本质上全然不同。物理法则，是必然不可抗的。伦理法则，不是强制的，只约束人，所以他有自由底意义。所谓自由，在纯理性上，不能够证明。然而至少也在意志前，毫无可疑。他是实践理性底自定（基本要求）（Postulat），是道德意识底直接事实。虽然，在这里，遇着哲学上底一大难点。试问我们怎样能够调和纯粹理性底定理，和实践理性底自定；叫他不相矛盾呢？纯粹理性，一再告诉我们：现象界底所有事件，都被必然的因果关系所绝对规定。这是多么和意志自由，相冲突底事？康德相信自然界底必然的法则，和道德上底自由，没有真正的矛盾。理性和良心底冲突，是表面的，不侵害理智或者意志各自底权利，能够解决二律背反。

康德已经在纯理批判，企图把二律背反所包含底困难，用反措定指现象界，措定指实体界底二世界观去解决。例如在第三关于因果底二律背反，在现象界，各个事物，被其他和他类似底事物所限制，被因果底羁绊所联系。因而我们底睿智，不能够在现象界，发见自由原因（不是其他事物底结果）。所以所谓自由底观念，不能够从经验引出，他是先验的超然的观念。自由就属于超然界（实体界）。把同一现象，看作时空世界底一部，他就是因果的连锁底一环。又把他看作超感觉的物自体底活动，他就是自由原因底行动，他在感觉世界，引起他底结果。现在在这种意味，用感性和悟性底颜色眼镜，观察人类看，他就是自然（现象）底一部，他有经验的性质，他是因果的连环底一环。但是在实体界，他是睿智人，是自由人。像这样的存在，就是人，能够独创活动。而人又自觉这个独创力，所以抱自己负责任底念头。理性，在这个地方，不是现象，属于实体界。

像这样，二律背反底解决，已经在纯理批判里面暗示。更在实践理性，获得他底确证。纯粹理性，虽然绝对不承认自由；然而事实，他只从现象界逐出自由，不是从在现象背后底超然界，实体界。然而纯理性扬言：自由，在现象界，虽然不可能；但是在绝对界，睿智界，全然可能；而实践理性，保证他是确实。因此，智力和意志之间，没有真正的矛盾。我们底行为，当发生在时间空间里面底时候，是定命的，不自由的。虽然，这些行为底本源，就是我们底睿智的特性（Intelligibler charakte）；不依据感性底两种形式（时空），是非定命的，自由的。

假如时间空间，是像独断哲学所意想底客观的实在；那就像斯宾挪莎那样不承认自由，是不错的。虽然，在康德，空间，尤其是时间，是感性底形式，不是事物底属性。因而定命论，是关于事物底一种臆说或者一种概念，并不表示事物底本质。康德对于自由问题底解决，就唤起严重的反驳。假如灵魂是睿智的特性，并不存在在时间上。又假如他不是现象，就不能够用因果底范畴处理（因为范畴只能够适用于现象，不能够适用于实体缘故）。因而灵魂不是一个原因，不是一个自由原因。统一底范畴，也同样不能够适用于不是现象底灵魂。所以他也不是和其他个体区别底个体，和普遍者，永远者，无限者，归到同一体。斐希特后年，从这个康德一流底前提，建立绝对我底教说。但是康德丝毫也没有豫想论理底归结，是这样。非特如此，他并且援用实践理性底名字，承认个灵底不灭，是解决伦理问题底必要条件。又承认有离开睿智的个我底一个神，是善底究极的胜利，和道德的秩序底最高保障。总之，康德底神观，不过是道德底附属品。神学，已经不像在中世纪底时代，是学问底霸王，却下降做伦理学底婢仆。康德底神，实在不外乎听理想和善意志使唤底自由。

关于这个事情，康德底确信，在"实践理性（意志）底优先权"底教说当中，表示得最为明显。虽然纯粹理性和实践理性，并不直接矛盾；但是关于伦理、宗教底重要问题，略有不同。前一种，把自由，神，和绝对者；看作没有可以证明的客观的实在底理想（观念）。后一种，断言自律的心灵，责任，永生，和最高存在（神）底实在。然而纯粹理性和实践理性，并不属于同等地位；后一种底地位，比前一种优越；而且在实生活当中，支配前一种。所以我们无论在什么场合，应当好像是那件事情业经证实，去动作云为。就是人类是自由的，灵魂是不灭的，宇宙内有至高的审判者、酬报者。

理智和意志底二元的对立，在某种意味，却是一件幸事。假如宗教的真理（神，自由，永生），是自明的真理，或者能够加以学理的证明；那么，我们将要为未来底善报而行善；我们底意志，将要不是自律的；我们底行动，也将要不是严密的道德行为。什么缘故呢？由良心底绝对命令以外底动机行动，纵然他是为友情，或者甚至于他是为对于神底敬爱，他也是他律的行为，不是伦理的缘故。

加之，宗教，单是在和道德完全一致底时候，是真理。在理性底界限以内底宗教，实在从道德成立。基督教底本质，是永久的道德。圣书和启示，应当依他底道德价值去判断。圣书，不是道德律底裁判官。真教会，是在神底法律（道德律）之下，恰巧像同胞一样，相扶相爱底道德的团体。

（2）伦理学

康德底伦理学，在《道德哲学原论》，《实践理性批判》和《道德底形而上学》里面；企图把直觉论和经验论，理想主义和幸福主义调和。他先探究善恶、正邪、义务观念底本质。卢梭告诉他，在这个世界，除掉善意志，没有绝对善。意志，在被道德律就是义务意识所决定底时候，是善。从性癖（Neigung）例如自爱或者同情来底行为，不是道德。虽然和自爱或者同情底冲动相反，然而假如不是只从所谓遵从法则底意识来底行为，就不是伦理。加之，行为底正邪，不依凭他底结果，以行为者底动机是善不是善为条件，结果如何，没有关系。关于实践底法则，都用命令底形式表示。命令有两种，一种只在某种条件之下，有效力；一种不要何等的条件，绝对的有效力。把前一种叫作假设的（Hypothetische）。例如说假如求幸福，就不要欺人。把后一种叫作直言的（Kategorische）。例如单说不要欺人。道德律，是直言命令，又无上命令（无上命法）（Kategorische Imperativ）。他无条件的下命令，他不附带条件说：假如你求幸福，成功，或者完成；就做这个事情。而说因为那个事情，是你底义务；所以叫你去做（为义务尽义务）。然而他不指示特种行为，或者甚至于给予一般的规则，只指定根本原则。就是依从道德底最高原理而行动。所谓道德底最高原理，是你底行为底格律（Maxime 意志对于自己所制定底规律）或者指导原理，同时能够成为普遍律，就是普遍的法则。实践律底自律，单主观的妥当底时候，换句话说，就是我一个人承认他底时候；叫他做格律。他同时有客观的妥当性底时候，换句话说，就是无论何人，都承认他底时候；叫他做普遍律。所以康德底道德律，是自律，然而也是普遍律。这个法则，是决定正邪底适切的试金石。例如你不能够愿望任何人做虚伪的约定，因为假如任何人做了，就没有人能够相信他。因为不能够叫欺诈成为普遍的法则缘故。又你不能够愿望轻视别人底福利，因为假如像这样的行为，成为普遍的；你自己也有一天受冷酷的待遇缘故。

这个法则，就是无上命令，是普遍必然的法则，是理性自身所固有底先验的法则。虽然人不明白的意识（觉知）他，然而他在极平常的人里面。他支配他底道德判断。他是正不正底规准或者标准。还有这个法则所包含底另一个法则，是无论是自己底人格或者是别人底人格，都必须把他看作目的，断不要看作手段。人人都把自己底存在，看作自身有价值底目的；所以必须把一切有理性者，同样看待。

因此，合理的意志，叫他自己担负一切人都可以适用底普遍的法则。假如人人都依从这个理性底法则，有理性者底社会，就是为合理的目的所组织底社会就成立。康德把他叫作目的底王国。所以一切有理性者，都是普遍的目的王国底一个立法员，应当依从他底普遍的法则而行动。他是治者，又是被治者。他建立法则，遵从法则。一个人，依从道德律，而不被他底冲动和自我的欲望所支配，就是自由。动物，不外乎本能和欲望底玩物。人知道这个道德律，所以能够制止官能的欲求和自我的快乐。人能够像这样制止他底感觉性，所以是自由。道德的命令，是人底真我底表现。最内的自我，就是真我，把他自己表现在道德律里面。是他底命令，是一切有理性者底命令，是自己给予自己底法律，就是他底自律。

康德，在他底认识论，说我们有不被经验所支配，却在经验之前，普遍妥当的又必然的直观，和思维底形式和法则。因而在第二种实际的道德活动底方面，也说人类精神，有不被经验所支配底普遍的又必然的道德律。

现实主义，说道德律是由经验得来。现实主义，把快乐、幸福、实利、实用等类，看作道德底最高目的。在康德，所谓道德，是离开这种功利主义的关系底更高更尊严的人格的，被快乐、实利和幸福等经验所束缚所支配，缺乏绝对性和自由底道德；断不能够说是真道德。假如说是道德，他就必定是绝对的，是不被什么东西所支配底自由的。

道德律是绝对无上命令底缘故，不可不离开一切经验的事实独立。总之，不可不是离开所谓快乐、幸福、实利底经验的内容，绝对服从理性底命令而行善底意志（善意志）。所以康德底所谓最高的道德善，意思是绝对服从理性底命令底意志。这个绝对的意志，不是普通的经验的实在，直接属于物自体底世界。超越一切的经验，离开一切的欲望和实利，却又具有能够支配一切的经验和一切的欲望底力量。

康德把道德生活，看作人类生活底中心。尤其置重道德的实行，就是尊严的人格底发露。所以在康德，道德，是一切文化当中顶重要的。道德生活底进步，同时可以看作文化底进步。像这样的文化底进步，是永远的。因而道德是永远进步的。换句话说，就是文化和道德，是有永远性的。上面底星空，内里底道德律，在康德，是永远的事实。

道德意识，不但包含意志底自由，而且保证神底存在和灵魂底不灭。这些观念，从前在纯理批判，不能够加以科学上底证明。实践理性，用道德的论证自定他。就是无上命令所命令，是绝对的善意志，道德的意志，神圣的意志。理性告诉我们：像这样的意志，应当享受幸福，就是善人应当享受幸福。因而至高善，不消说，是为道德树立道德，就是道德自身。然而假如不是道德和幸福一致，就是没有幸福底道德，就不是完全善。但是道德和幸福，在这个世界，难以一致。有德者未必获得幸福。理性告诉我们：应当有一个根据功过，分配幸福底存在者。因而这个存在者，必须有绝对睿智，就是全智。他必须洞见我们内心底壶奥，他又必须有我们底道德理想，就是全善。同时，他必须有叫道德和幸福结合底绝对能力，就是全能。像这样全智、全善、全能的存在者，就是神。灵魂不灭底证明，也依据同样的前提。就是道德律所命令，是神圣，是绝对的善意志。这个圣域，就是最上善，不是有肉体底现象我所能够实现。就是我们在现世不能够到达。要想完全实现他，必须向理想不断的精进。要想向理想不断的精进，必须我们永远生存，就是灵魂必须不灭。

四　判断力批判——美学及目的论

在实践理性批判里面，康德提出无上命令，良心底优越性，和道德底绝对自主性；去叫道德的感情，和对于自由底爱慕满足；确立他在纯粹理性批判里面，已经被动摇底信仰。现在他更进一步，在美学和目的论，逞思索底锐锋，构成判断力底批判。我们在纯理批判里面，已经看见过他如何把综合和分析结合，又如何把认识机关底不同的部分焊成一体。他在感性机能和理性机能之间，发见时间底中间的机能，就是他底性质，一半是直观，一半是范畴；去求两种底调和。同样的综合的冲动引导他，在判断底批判里面，渡过横在纯理性和良心之间底沟渠。就是美意识（美感）目的意识（目的感），是理智和意志底接续点。悟性底目的，是真理。自然和自然的必然，是他底论件。意志求善，拿自由做根据。就是认识底对象，是现象，就是自然。意志底对象，是实体，就是道德。认识底对象，是必然。意志底对象，是自由。美意识，目的意识；关于介在真和善、自然和自由底中间，就是美和目的。康德把他叫作判断。这是因为他底表现，和论理学上所谓判断类似底缘故。像判断一样，美意识，目的意识；建立互没有共通点底两种事物，就是应然和实然、自由和必然中间底关系。

（1）美　学

美意识，和理智、意志都不同，他底特性，不是理论的，也不是实践的，他是一种独自的现象。但是他有和理性、意志相同底地方，就是他底根据，本质上，是主观的。刚正像理性求真，意志求善一样；美意识求美。所谓美，是一种快感。快感有种种。美的快感之外，有从满足肉体上底需要所生起底快感，有从行善来底快感。然而这些快感，都起因于我们欲求对象，因而关心对象底实在。美的快感，单从表象、观想生起。他对于对象，什么欲求也不包含，因而他不关心对象底实在与否。所以康德把美叫作无关心的快感。

像这样的快感底起源，是美的对象，唤起认识能力底调和的活动。由这个调和所生起底快感，就是美。美不是对象自身底性质，又于对象底实质如何无关，完全在对象底形式对于主观底关系。换句话说，就是对象底形式，和认识能力底活动适合底时候，我们叫他做美。然而对象自身，没有什么目的企图。从对象底形式适合我们表象他所生起底感情，就是美的快感。所以美完全是形式的、主观的、无企图的合目的性。

美，不是物体所固有，离开美意识，不存在。像时空是理论的意识底产物一样，美是美意识底产物。叫人欢喜（性质），叫一切的人欢喜（分量），离开意欲和理论叫人欢喜（关系），又必然的叫人欢喜（程式），那就是美。

康德把美区别做优美（狭义的美 The Beautiful, Das Schöne）和宏壮（崇高 The Sublime, Das Erhabene）。以上底美论，关于美或者优美。此外有宏壮或者壮美底说明。优美是美底代表者，是无关心的快感底目的，是由感性和悟性底调和所实现。就是美底特质，是理解和想象完全一致底结果，所引起平和、静谧、调和底感觉。和这个相对，宏壮，扰乱我们，震动我们，叫我们不知所措。那个是理性所思维底无限和绝对，突破想象力底界限缘故；就是理性尽可以毫无限制的，测度自然底势力，和天体底距离，而且同时不被巨大的数字所压服；而想象不能够追随理性，进入无限底深度缘故。凡是人，都有一种宏大庄严底感觉，那个是因为他自己在理性当中，是宏壮的缘故。动物，不被自然美底宏壮所动，那个是因为他底理智，不能够超出想象之上底缘故。实在宏壮提高我们底灵魂。在宏壮底感觉，人们显示他自己在理性当中，是无限的；在想象当中，是有限的。

宏壮，从性质关系和程式三点看，全然和优美一致，单是在分量一点不同。就是优美，有一定的形式；宏壮，超脱形式，活泼泼地活动，所以没有一定的界限。因而对于优美，是性质；宏壮，是分量。对于优美底快感，是直接的；宏壮底快感，是间接的。对于优美，是积极的；宏壮，是消极的。换句话说，就是与其说是赞美或者鉴赏，毋宁说是惊叹或者畏敬。又分量有外延的同内包的两种。前一种，是关于时间同空间底数量的。后一种，是关于势力底强度的。前一种是数学的，后一种是力学的。于是宏壮也产生数学（数量）的宏壮同力学（活动）的宏壮底区别。

（2）目的论

自然底合目的性，有主观的和客观的两种。所谓主观的合目的，是说自然对于主观，适合目的。就是说一个事物，适合我们自己底了解力。所谓客观的合目的，是说自然自身，适合目的。就是说一个事物，适合那个事物底职分或者本性。前一种是美的判断，后一种是目的观的判断。依像这样的判断力，知觉一个事物适合目的底场合，常时伴随快感。就是我们对于事物，能够有满足不满足底感情就是快不快底感情，常时依他适合目的不适合而定。当理会自然底合目的性，采取主观的态度，在构成对象底概念以前，就是不受理智底帮助，直接唤起快乐、满足、内部的调和底感觉；构成美的判断。采取客观的态度，在唤起快乐以前，构成对象底概念，就是虽然也唤起快乐，然而是间接的，由于经验或者推理底中间的过程。这个构成目的观的判断。例如一朵花，在赏玩他底诗人，是美的判断底对象。在把他底药剂价值证明底博物学者，是目的观的判断底对象。光是美的判断，是直接的，自发的。科学者底目的观的判断，依据先前的经验。

纯理批判，把一切现象的自然，看作必然的结果。所以把目的观念逐出现象界。物理学，不过列举无限的因果系列。然而目的观，在因果（理想目的）之间，插入手段或者手段的原因。从理论上讲，目的观，实在没有价值。然而当我们研究自然，不得不应用目的的意味。假如我们不舍弃一种和理性意志同样真实同样必然底机能，我们就不得不承认眼睛耳朵和一般生活机构里面，有目的。机械观，能够把无机界完全说明。虽然，当我们研究生物和生理底时候，就不得不插入目的观。把全体看作目的，把部分看作手段，从意匠上说明他。就是客观界底事物当中，最能够表现适合目的底关系的，是有机物。在机械的关系，只有一部分做其他部分底所依，就是不过先有各个的部分，而后把他总括成一体。然而在有机体，不可不看作部分和部分底关系，由全体底观念决定。就是有机物底特点，不单是全体由部分成立，部分也由全体生起或者保存。总之，部分拿全体做目的而存在，全体为部分底存在，而营为统一作用。像这样，把有机物看作由目的的构成，就不得不把这个看法扩充到全自然界。就是自然界，也能够看作由目的意匠构成。

这个机械观和目的观底二律背反，也不是不能够解决。机械观，目的观，都不过是关于现象底学说。物自体不在时间上，他们并不连续，也不绵延。机械观底因果，目的观底自由原因、手段、目的；都是时间上底事件。离开我们底主观（时空），因果、创造的原因、目的，都同时存在，不能够分离。试设想一种不被先验的时空底形式所限制底悟性，就是一种自由又绝对的理智的直观，就手段目的，都包含在动力因就是能动的原因当中。像这样的内在的目的观，解决机械观和目的观底对立。

时间空间底主观性，是康德底独创的见解。时间空间，是心底眼睛。时空，把他底无尽藏的内容，完全显示给心看。然而时空同时指示知识底界限。心尽管有这个难以超越的界限，然而他感觉自由，感觉不灭，而且感觉神性。他在行为底世界里面，宣告他底独立。拿法则给与现象界的，也是心。道德律底源泉，也是心。叫美成功美底判断，他底主体，也是心。于是三个批判，都到达绝对的唯心论。康德自己，把他底事业，和哥白尼底事业比较。刚正像天体运行论底著者，在行星系统底中心，排除地球，把太阳放在地球底位置。批判底著者，把心放在现象界底中心，而且叫现象依据心。康德哲学，实在是近代思想当中最富于多方面的暗示底无限的宝库。

第二节　康德以后底哲学

康德底哲学，直接，虽然不过调和培根以来底经验论，和笛卡儿以来底唯理论。然而间接，企图裁定哲学史上底最大问题，就是实在论和观念论底争论。他底气魄底伟大，他底思想底致密，是近世哲学史上底第一人；足以和古代底柏拉图，亚理斯多德，翱翔驰骋。康德一出，德国国民底哲学的思索，陡然趋赴隆盛。仅仅一百年之间，出许多的大家，在哲学界称霸。虽然，当时不是没有反对康德底学说的，像哈蔓（Johann Georg Hamann 1730—1788），反对一切启蒙思想同理性哲学，和雅科俾一同创唱信仰哲学，因而他尊敬康德那个人，然而不采取他底哲学（主著——纯粹理性底练语癖批判）。赫得（Johann Gottfried Herder 1774—1803），爱好斯宾挪莎一流底泛神论，从一元论底立场，反对康德哲学。雅科俾（Friedrich Heinrich Jacobi 1743—1819），承认感情对于理性底上位，在理性认识以外，建立信仰做直观的认识，唱导完成信仰哲学。从这个立场，批判哲学各家底学说，就中，力图暴露康德知识论底归结。然而到底不能够抵抗哲学界底大势，康德底哲学，风靡天下，广受热烈的欢迎，当中受影响很深底最初的使徒，是席勒尔，来印候特，斐希特等。

在康德当时底德国，不独哲学者，而且伟大的文学家叠出。文学和哲学握手。康德哲学，由是哲学者而且是伟大的文学家底席勒尔和歌德流布。席勒尔，把康德底思想，托诗歌传达。歌德元来相信斯宾挪莎底哲学，后来和席勒尔结交，很受他底影响，自白他底哲学说，于康德大有所得。

来印候特，叔尔测（Schulze）之辈，汲汲于训诂释义之末，没有一步超出康德底范围。弘阐修正康德哲学，于哲学史上大有所贡献的，是斐希特，谢林，黑智尔，和赫尔巴特。就中前三个人，祖述他底观念论的方面。后一个人，宪章他底实在论的方面。

斐希特，把康德哲学加以历史化，拿永远的基础给他。黑智尔，完成他。斐希特，谢林，黑智尔；代表康德底三方面。他们底共同目的，是重建旧形而上学。他们手触康德底禁果，就是绝对。然而他们底出发点，是批判哲学。他们不单在绍继开展康德哲学底地方类同，而且他们底学说内容，近似底地方也不少。例如是观念论的，是唯心论的，是一元论的。就是斐希特底哲学，是主观的观念论。谢林底哲学，是客观的观念论。黑智尔底哲学，是绝对的观念论。从另一方面看，就斐希特是论理的唯心论，谢林是美的唯心论，黑智尔是论理的唯心论。

康德以后，到黑智尔底哲学，被称呼做浪漫主义哲学，又同一哲学等类。

一　席勒尔

席勒尔（Johann Christoph Friedrich von Schiller），是和歌德并称底德国诗人、文豪、哲学者。假如把歌德看作生来底抒情诗人，席勒尔就是生来底悲剧诗人。

席勒尔，以一千七百五十九年，生在符腾堡（Wurtemberg）。他底父亲，是一个军医。他幼年进符腾堡公爵为部下底子弟所建立底学校，修学法律。后来在军队式底教育之下学医。虽然，他底天性，不适于这种学问。到一度读莎士比亚，卢梭，歌德等底作品，他底天赋的才能，蓊然在文学底方面抬头。一千七百七十七年，他十八岁，著作他底处女戏曲《群盗》，发露他反抗压制，憧憬自由底心情。卒业后，当军医。一千七百八十二年，《群盗》，在曼亥谟（Mannheim）剧场开演，触符腾堡公爵之怒，逃到曼亥谟。后来住在那里，做剧场诗人。在那个期间，著作不少的作品。不久，他底兴味，移到历史研究。一千七百八十七年，到威马尔，和歌德结交。此后，这两个文豪，永远互相感得精神的交感。一千七百八十八年，由歌德底推荐，充任耶拿大学历史教授。从此热心研究哲学，尤其是康德哲学。一千七百九十一年，著《三十年战争史》。一千七百九十九年，移住威马尔，在那里出许多的大作。一千八百零五年去世。他是康德和歌德底结合，他不但是文学底天才，在哲学底方面，他底造诣也不浅。

艺术的理想主义

席勒尔，非常受康德底影响。他把康德底理想主义思想，加以艺术的表现，叫他最广而且最深的印象在民众底心里。然而他不是单把康德哲学，照他原样子宣传；而且从他自己底立场，把他加以改造变化，产出他自己底哲学思想。总之，他借康德底哲学，建筑自己底艺术观。所以席勒尔可以说是热心的康德学者，同时也可以说是艺术的理想主义底诗人。

席勒尔，依康德底学说，倡导道德至上主义。然而康德把无上命令，看作普遍妥当的道德律。以为依从这个道德律，为义务尽义务，是真道德。由其他动机就是感情和欲求所动底行为，不是道德的行为。就是像看见在雪花飞舞底街上站着底乞儿，而施与金钱底行为；是被同情所动底行为，所以不是道德的行为。

席勒尔，依从康德，确信道德律底绝对自由。然而反对把这个道德意志，离开感情。他觉得康德底道德说，过于严酷。他承认感情底价值。实在，根源于感情，被感情所动底行为；是自然而且真实的道德行为。在席勒尔，理性和感情底调和，是比什么也重大的根本问题。康德底判断力批判，拿最好的暗示给他。康德在判断力批判里面，把由纯粹理性批判和实践理性批判分离底经验界和实体界，就是现象和物自体，用艺术和自然目的观综合。被康德底学说所刺戟底席勒尔，想用艺术调和理性和感性。依他，现代是理性和感性全然分离底时代。是理性的道德和感性的感情，灵和肉，精神和自然，互相分离，变成二元底时代。古代希腊底理想时代，是理性和感性，精神和自然，互相调和成一元底时代。道德和感情，理性和感性调和，完全的个性才出现。这些东西，各自分离；就是应当是一体底个性，分裂成许多小部分。在像这样理性和感性底分裂继续不断底期限以内，真正的文化，永远不发达。所以要想把现代底文化，进到完全的境地；必须把现在正分裂底二元，调和还原成一元，这个是席勒尔底时代观。

席勒尔底理想主义的艺术观，站在像这样的意见上。就是艺术恰巧是理性和感性底调和，精神和自然底一致，又道德和感情底合一。艺术拿理性和道德做内容。然而理性和道德照原样底表现，不是艺术。理性和道德，穿着所谓感情底具体的衣服，采取特殊的形式而出现的，是艺术。感情和道德，感性和理性底调和；是艺术。调和是艺术底生命。古代希腊底理想时代，就是灵肉调和底艺术的时代。

他底有名的《艺术教育论》，就从这里生起。艺术断不拿教化做目的，他自身具有目的。然而艺术恰巧是感性和理性，自然和精神，必然和自由底调和；是统一。所以我们借艺术底力量，恰巧能够救济分裂成二元底时代和人心。在像现代分裂成二元动物的欲情旺盛底时代，想靠峻严的道德，叫他到达理想，就是进到道德的境地；那是不可能的事情。光是靠拿理性和感性底调和做生命底艺术，能够叫分裂底人心，调和成一元，到达最高的文化。就是艺术恰巧是叫人就感情，就感性，经验道德和理性的；所以极其容易，又自然能够把时代和人心，进到道德和理性底世界。

依席勒尔，所谓文化，由艺术开始。人类和其他动物，同样耽着感性底时候；首先就感性，把人类引进精神底世界，理性和道德底世界的；是艺术。假如没有艺术，人类就也必定和其他动物同样，永远停止在野蛮状态。所以艺术是文化底最初，同时又可以说是他底完成者。

他说感性和理性底调和，是艺术底结果。把像这样的调和底精神状态，看作人类最高的理想生活，他叫他做美魂（Schöne Seele）。所谓美魂，是理性和感性一致底理想的个性。我们自己不知道实现理性和道德，然而听感性，听感情行动；自然而然的，和理性以及道德底命令一致；是所谓美魂底活动。

席勒尔说这个美魂底活动，是最高意味底游戏。理性和感性底调和，是美。完全的游戏的状态，是完全的美。人类在游戏底时候，才是真人。游戏，不消说，是理性和感性底调和的状态。像这样的活动，像这样的游戏，就是艺术。美魂，是带极其强烈的艺术的色彩底活动。像这样看起

来，美魂，假使不完全是艺术活动，至少也是显著具有艺术的倾向底精神
状态。

他所谓美魂，和把道德的生活和美的生活综合相当，断然不是轻视道
德的方面。是叫实践的康德底道德精神，和艺术的精神活动，结合的。然
而他底性格，显著的叫艺术的色彩加强，叫道德的要素变薄。他以后底浪
漫派，于是把道德的要素，完全排除，化做美的人类主义（der Arthetische
Hamanismus）。

二　歌　德

歌德（Johann Wolfgang von Goethe），是德国底诗人、戏曲家、哲学
者、科学者。以一千七百四十九年，生在美因河边底法兰克福（Frank-
fort-on-the-Main）。他底父亲卡斯帕·歌德（Caspar Goethe），曾经被选做
重要的名誉职。他和他底妹子科尼力亚（Cornelia），一同在父亲底指导之
下，受教育。他聪明颖悟，从小时养成艺术、语言学等底兴味。一千七百
六十五年，在来比锡大学，修学法律，兼研究文学。中途得病，一千七百
六十八年，回家乡休养。一千七百七十年，进斯特拉斯堡（Strasburg）大
学，继续研究法学，在这里，得挚友赫得，受不少的感化。一千七百七十
一年，卒业，得博士学位。然而他天赋底性向，元来不适于研究法律，次
第移到诗、美术、科学、哲学。一千七百七十四年，发表《青年维特底烦
恼》（*Die Leiden des Jungen Werther*），诗人歌德之名，忽然轰传全欧文学
界，举世称赞他底才华。就中像威马尔底卡尔·奥古斯德（Karl August）
公爵，最爱他底天才，誓愿永远做他底保护者。维特热，一时支配多少的
青年男女。一千七百七十五年，应公爵之招，在他底宫廷做客，后来充任
他底总理大臣，参与枢密。他在这里，著作许多的诗篇戏曲。更旅行意大
利（从一千七百八十六年到一千七百八十八年），研究意大利底美术。那
个期间，又在解剖学、动物心理学、物理学等自然科学方面，作很重要的

发见。后来和席勒尔结交，受他底刺戟，建立古典主义的艺术观。一千七百九十年，著作他底杰作之一《威廉先生》（*Wilhelm Meister*）底前篇《威廉先生底时代》。他底后篇《威廉先生底漫游》，在一千八百二十一年出版。这个书，包含许多他底人生哲学。一千八百零八年，发表他底最大杰作悲剧《浮士德》（*Faust*）底前篇。这个书，是他毕生底大作。在出版前三十年，他已经着手著作。他底后篇，在一千八百三十一年出版。前后一共耗费五十八年底光阴。一千八百三十二年，他八十三岁，死在威马尔。

他底势力，绵亘文学、哲学、科学、政治各方面。他发动底浪漫主义运动，风靡十九世纪。他底思想，受斯宾挪莎、康德、谢林底影响。

伟大的艺术家，未必是伟大的艺术哲学者。这个在歌德底场合，尤其显著。席勒尔兼备诗的天才和哲学的思索力，歌德推奖席勒尔不已，一概是惊叹席勒尔底这个特征缘故。歌德从头到尾，是艺术的、直观的、诗的天才，是在特别的意味底学者。然而断不是概念的、论理的、哲学的思索家，就是不是普通所谓哲学者。虽然，他底思想，和理想主义哲学一致，和理想主义底发达，有密切的关系。

（1）人性论

歌德，是把赫得底理想主义更彻底的主张，极度高唱个性底尊严，而且把自己底个性，最无遗憾的发挥底大艺术家，大思想家。他底哲学，他底艺术，都是他底个性底发挥。他底个性，可以说是最典型的理想主义。他底两大杰作《浮士德》和《威廉先生》，都是最能够表现他底个性的。

歌德，是具有最巨大、最复杂又最灵妙的个性底伟人。他底巨大的个性当中，包含深远而且巨大的哲学思想。换句话说，就是歌德底个性，是把德国底理想主义，最完全又最具体的代表底巨大的个性。在他底巨大的个性当中，我们能够发见种种复杂的理想主义的思想。

尊重个性，是歌德思想底根本精神。在歌德，没有像个性那样尊严的。在说个性底尊严，他底思想，和康德底人格主义相通。然而歌德底个性，不像康德底人格是偏狭的。康德底人格，是道德的个性。歌德底个性，不只局限于道德，是最复杂、最普遍、最深刻，而且极其神秘的。

在他，主张个性，又把个性完全发挥；是人们底真生活。所谓真生活，不外乎把自己独特的个性，圆满完全彻底的发挥。就是叫人类自然具有底素质和倾向，完全发达。然而这个所谓主张个性，不是像所谓单叫某种知识发达，或者叫某种欲望满足。具有更普遍而复杂的意味。歌德，把个性，解释做无限复杂，无限微妙，开展自己底神秘的实在。他在他是神秘的实在底地方，把他比较大宇宙（Makrokosmos），叫作小宇宙（Mikrokosmos）。大宇宙是不可思议的实在，我们底个性，和他相同，也是不可思议的实在。一切实在当中，最不可思议的，是个性。个性有无限发展底可能性。个性底发展，在人生，没有比他有意义的。小宇宙底开展发达，就是个性底完成，是人生底目的。

（2）宇宙观

歌德底人性论，和他底宇宙观，有密切的关系。他底个性，不外乎宇宙底缩图。歌德对于宇宙，怀抱一种泛神论的神秘的思想。歌德尊崇斯宾挪莎，仿效他，把大宇宙叫作大自然（Natur），同时也叫作神。又把大自然和神两种合起来，叫作神的自然（Gott-Natur），又自然的神（Natur-Gott）。依斯宾挪莎，神，自然，实体（本体）；是异名同种的实在。歌德也站在和斯宾挪莎同样的见地，把大自然看作唯一的本体，看作灵妙不可思议的神秘的实在。大自然，是唯一的本体，而一切的现象，都是这个本体底显现。创造万物，支配他的，不外乎唯一的本体大自然。人们也从大自然生，因而受大自然底支配，是大自然底儿子。然而人们到底不能够贯通大自然底幽玄神秘的生命，只能够把自己底生命，寄托在大自然底神秘当中，去体验灵妙的情调。把一身没入无限的神秘底这个瞬间，在人们，是最尊贵的瞬间。所以宗教的境地，是人类生活当中最幸福的瞬间。

像在前面所说，像大宇宙是不可思议的实在一样，小宇宙也是不可思议的实在。图谋小宇宙底开展，就是不可思议的个性底完全的进步发展；在人类，意义最深。歌德底思想，结局归到所谓个性底开展。他感觉主张自己，是人类生活底中心问题。他底思想，和康德底学说，有显著的距离。然而都承认人格底尊严高唱理想主义底地方，一致。

（3）艺术观和学术观

歌德底艺术观，和他独得底学术观，有极亲密的关系。在具体的感性的歌德，像在前面所说，不能够抽象的、概念的认识事物。这样，那么，真认识又真学术，如何成立呢？只把自然底个物，具体的、感性的一种一种直观，真认识还不成立。真认识，是认识所谓事物底本原相（Urphänomen）或者本原的形式（Urform）。依歌德，各种事物，各各有他底本原相，就是本来的型范，或者原型，或者本体。换句话说，就是各种事物，各各有他底范围以内底事物共通普遍的原形，就是把他底范围以内底全体统一底原形。这个本原相，一切的事物都有。例如特殊的植物，各各有共通的本原相；而把从他底共通的本原相，次第成遂特殊的发达，加以研究底学问；是生物形态学，就是歌德底所谓变态（Metamorphose）。反过来，从种种特殊的现象，去把那些植物底共通的本体就是本原相，加以研究底学问；不外乎所谓形态学（Morphologie）。

拿原形做本原相，他底范围以内底事物，多少具有和这个原形不同底形质。就是本原相或者原形，是普遍体。而他底范围以内底个物，不外乎原形底特殊体。所谓普遍体，在歌德，也不是一种抽象物，仍然不外乎具体的原形。而聚集像这样的许多普遍体，更寻求他以上底更高的普遍体，我们能够发见本原相当中底本原相。像这样，一切本原相当中底本原相，不外乎那个最高绝对的神。

人们，和各种生物相同，也能够从各各个性底发达，接近一切个性共通的人类底本原相。所谓图谋个性底完全开发，意思就是接近所谓人类底本原相。所谓接近本原相，意思就是叫人类底素质和倾向完全圆满开发。

因此，歌德说所谓艺术，是把这个本原相加以感性的象征，是把人类底本原相，表现在个性里。

所谓学术的知识，依歌德，是关于事物底本原相或者原形底知识。先研究特殊的各个物，渐次发见普遍的本原相；又从本原相起始，渐次直观他底变形或者特殊相；是学术的认识底一切。艺术，同样显示事物底原形或者本原相。学术，在事实上，发见本原相。而艺术，在想象上，显示事物底本原相。

（4）人生观

歌德底人生观和宇宙观，是很复杂的、多面的。把充满种种的缺陷和罪恶，看作宇宙人生底实相。这个是他底人生观底特色。总之，不把宇宙和人生，看作纯洁的、透彻的，却看作迷妄和罪恶，飞扬跋扈的。然而结局，善美的力量，占胜利；是歌德底确信。人生，到底是充满迷路底暗夜。虽然，在那个暗夜里，发见一道光明的；是人类。人生底可悲在那里，人生底可贵也在那里。

像这样，歌德底思想，在完成个性，尊重个性。在他，发挥个性底行为，是人生底根本。他主张离开行为，没有生活。然而他底所谓行为里面，包含思索生活，艺术生活。

三 斐希特

英国底感觉论和相对哲学，是医学者所创立。德国底观念论和绝对哲学，从神学来；他底创立者斐希特，和谢林、黑智尔一样，最初都研究神学。

斐希特（Johann Gottlieb Fichte），是德国有数的哲学者。以一千七百六十二年，生在萨克森（Saxony）。他是一个贫苦的织工底儿子，小时候，某贵族爱他底慧悟，把他收领，帮助他底教育。起初进迈仙（Meissen）和叔尔普福塔（Schulpforta）底小学，后来在耶拿和来比锡两大学，学神学，兼学斯宾挪莎和服尔夫底哲学，遵奉宿命说（必然说）。其后，学康德底哲学，惊叹他底伟大的哲学思想，倾心师事他，于是他底思想一变。一千七百九十四年，应德国文化底中心耶拿大学之聘，继来因候特之后，充任哲学教授，执新观念论底牛耳。当耶拿时期（1794—1799），有《知识论》（*Wissenschaftslehre*），《自然的权利》（*Naturrecht*），《伦理》（*Sittenlehre*）等著作。他在所谓《信仰底根基》（*Über den Grund Unseres Glaubens an Cine Gottliche Weltregierung*）底论文里面，把神和道德的秩序，看作同一；大受非难。于是离开耶拿，移住柏林，在那里，和浪漫派底文人往还。屡次为学者开哲学上底讲筵，听众很多。移住柏林以后，他底学说，有多少的变化。所以通常把他底思想，分做耶拿时代底思想，和柏林时代底思想。在一千八百零七年，拿破仑底军队，还占据柏林底时期；作充满爱国的热情底讲演。第二年出版题做《告德国国民》（*Reden an die Deutsche Nation*）底慷慨淋漓的一篇短小的论文，大鼓舞德国国民底敌忾心。所以连不知道哲学是什么东西的，也无不知道他底名字。他牺牲健康，尽瘁国事底结果，一千八百十四年，赍志以没。

他底生涯，很富于变化。他一面是唯理的，人道的，是同情革命的。又一面，是神秘的，泛神的，是富于爱国心的。然而他底中心思想，是道德意志一元论。他和康德相同，确信道德理想。和斯宾挪莎相同，确信物心两界底统一。所以他底哲学，是似乎永远不能相容的一元观和自由观底珍奇的综合，是道德原理和形而上学原理底一致，这个是他底基础的教系。

他底著作很多，就中《知识论序论》（*Einleitungen in Die Wissenschaftslehre*），《意识底事实》（*Die Thatsache der Bewusstsein*），《全知识论底基础》（*Grundlage der Gesamten Wissenschaftslehre*）；最为世人所称道。

道德意志一元论——伦理的唯心论

斐希特对于康德，犹如柏拉图对于苏格拉底。柏拉图，在不完全的苏格拉底学派，执着苏格拉底学说底一端中间；单独推阐苏格拉底底根本思想概念论，唱导他底美妙的理型论。斐希特，站在祖述康德哲学底学者，执着康德学说底一面中间；单独发挥他底根本思想观念论的方面。斐希特，以为康德底根本思想，是理性底独立性，是精神底自由性。虽然，康德没有来得及充分发挥他底思想，所以他祖述康德底哲学，力图把他扩充。

斐希特底根本思想，是自由底概念。他把这个自由底概念，看作批判哲学底拱心石。意志，就是自我，并非许多事物当中底一种事物，只是因果连锁底一部；而是自由决定自己底活动。光是像这样的活动，是真正的实在。其余一切，都是死的受动的存在。他是生命和精神、知识和行为底原理，又是一切进步发达底动力。他是一切知识底根柢，又是论理的理性和实践的理性底共通的根柢。

总之，真正的实在，是善，是活动的理性，是纯粹意志，就是道德我。普通人所谓实在，不外乎现象。像在前面所说，康德底学说，关于物自体底概念，很暧昧。然而斐希特、谢林、黑智尔等，都采取置重物自体底唯理论的立场。就是斐希特说，我们底理性，是一切底主人；外界底自然、客观物，不过是从属理性的。理性，在我们，是最直接的实在。外部底事物，是被理性加以种种改造底现象。就是客观世界，像我们底观念上所映出底影子一般。没有把他映出底观念，客观世界，就不存在。反过来，我们底观念，我们底理性，虽然没有客观世界，他自身也独立存在。像康德也说，拿种种的秩序和规律，给客观世界的；是我们底理性，是自我。所以客观世界，完全是光为主观而存在底世界，不过是所动的。然而主观世界，人格世界，全然是能动的。

我们底根源，和我们所力求底最后和最高的原则，不是存在，是义务。不是实然的理想，是应然的理想。存在，不是实在，是现象。实在，是运动，是倾向，是意志。宇宙，是物自体就是真绝对的道德观念底象征，是纯粹意志底表现。所谓哲学研究，不是实然底研究，是应然、当为就是义务底研究。客观世界，是意志底产物，自我底表现；就是客观化的自我。除自我或者意识底学问以外，没有学问。知识并非全部（休谟、康的亚克）或者一部（康德），是感觉底产物。他是自我底创作。除理想主义以外，没有哲学。除先验的方法以外，没有方法。然而选择如何的哲学，由他是如何的人物而定。哲学是从心底深处涌出来的缘故。哲学，不发见既存的真理，是生产事实，是创造真理。

哲学，不用从外界所接受底事实做起点，而从自我底创造的行为发端。所以知识不是只观照反映在心镜底世界，而是决定自己底活动的过程。我只理解思想能够自由创造的，不这样的，不能够理解。像这样决定自己底理智的活动，依照对立和调和底法则，采取像康德底三行范畴（实有、非有、限制）所暗示正反合三体一致的过程。自我先（一）设定或者创立他自己。斐希特绝对的否定物自体就是本体，把一切万物，都归到自我底产物。我们叫作外界就是自然界的，毕竟也不过是自我底表象。康德所谓范畴，也不外乎自我底活动。直观，思维，意志；都不是离开自我而独立的。一切都是自我底产物。然而这里所谓我，是超个人的我，就是绝对我，纯我；不是个人的我。（二）非我和自我对立。超个人的绝对我，由无限的活动，产生非我。非我是一切万物。（三）自我和非我，互相制约。自我产生非我，自我和非我对立，就两种互相制约。非我制约自我，产生认识。自我制约非我，产生实践。然而这三种要素，只构成一种行为。自我在设定他自己底时候，同时产生他底对立和他底制约，就是客观世界。感觉世界，初看上去，宛然在自我之外，那是一种幻觉。自我底制约，就是客观世界，是存在。但是他底存在，由于自我，就是主观底活动。恰巧像光线遭遇障碍物，反映到他底光源，一样；自我由造作非我，制约自我；而创造世界，自觉自我。抑制自我，你就是抑制世界。所谓创造，不外乎意志或者理性底制约他自己。虽然，制约自己，由于自我底内的必然。自我不思维客体（非我），就不能够思维。自我和世界（非我）底二元观，是理性底幻觉。思维拿我们做现象界底俘虏，我们陷在事实和物质底定命观里面。从这个境地，把我们救出来的；唯独意志。自我，拿理性底绝对自律做理想，但是永远难以到达。然而这个理想我和经验我底冲突，证明我们久远的运命，他是我们进步底本源，是历史的运行底原理。

自由，是最高原理，是事物底本质，是比真理优越底最高真理。康德所宣言"实践理性底优越性"，现在变成斐希特哲学底中心教理。这个全实在底本源，正因为他是自由，所以不是经验的与料和运命的事实。假如自由，和自然界底事实一样，是所与底既制品，他就不能够是自由。真正的自由，是创造他自己或者实现他自己底自由。所谓自我实现，意思是经过各种阶梯，就是进入时间过程里面底自我发展。所以时间是理性底一种形式，是自由底要具。因而把自我分做主观（主体）和客观（客体）底理性，不外乎意志底工具，自由底婢仆。再者，自由使用在时间上知觉万物底理性，去实现他自己。所以理性和自由，不是对立的，前一种只是后一种底发展当中底一个样相。知识是手段，行为是原理，是存在底目的。非我，和亚理斯多德所谓形相（观念），为想实现自我，所必需底质料相当。他不外乎自我为想把他征服，而实现自我底本质就是自由，把他自己设定底制约。依斐希特，绝对的独立的自我，所以产生非我；是为实现自我底本质的活动，就是道德的活动。道德的活动，是努力向上，是排除障碍往前进。所以道德的活动，一定不可以没有障碍自我的，于是自我产生非我。非我，是自然；自然是和自我对立的，就是反对底概念。反对者产生，自我就要打胜他，征服他，于是产生道德的活动。没有反对，就没有胜利，而道德常时意指胜利。就是意志有对抗他的，才有道德的事业。道德不外乎打胜制约，而把意志底自由伸张底过程。就是所谓道德律，是自由。所谓自由，是脱离障碍。就是所谓主张自我或者实现自我，意指斗争。斗争，豫想障碍。而所谓障碍，指现象界，是感觉世界，是诱惑之巷。道德律，实在是不断的奋斗生活，因而是不灭，是普遍的目的，就是神。

斐希特把客观世界，都看作主观活动底材料；把主观活动底目的，解释做道德的。康德底哲学，也着重道德，把道德看得比认识着重，把所谓意志第一底实行的精神看得比论理着重。斐希特把康德底道德主义，更彻底的发展。斐希特哲学底中心思想，实在就在这个实行本位，道德本位。我们底理性，我们底自我，是积极的行为。

依斐希特，我们底认识作用，是自我底活动，理性底活动。不是认识作用，产生自我底活动；是自我底活动，产生认识作用。就是认识作用，是意志活动底一阶段。或者一种类。这个自我底道德的活动，经过种种的阶段，慢慢的发达。不是从最初是纯主观的，是经过本能、冲动、自觉等种种的阶段，自我才渐次独立自由的。自我越独立自由，就越发把自我以外底东西，主观以外底东西，征服支配。就是道德意志，十分发达；把所有的物欲和情欲，征服感化；于是地上底乐园出现，是人生底穷极的理想。道德底进步，不消说，是无限的。无限精进，完全是人生底实相。

自由，在时间上，拿思维做工具；就是由把思维底主体和被思维底客体，加以区别，去实现他自己。然而这个客体，就是外世界，也就是非我；从和个人我不同底无数我成立。在这里，斐希特，离开主观的唯心论，进入客观的唯心论。所以自由，不在个别的自我（经验我）里面，而在人类社会里面，实现他自己。斐希特所谓自我，是纯我，普遍我，绝对我，理想我。理想我，为想变成自由的实在，把他自己分做众多的历史主体，就是许多历史的个人。在他们交互底许多道德关系里面，实现他自己。而这些关系，就是生得权，刑罚权，统治权底本源。

离开实现他底个体，绝对我，理想我，就不过是抽象的观念。真神，是活神，就是神人。理想我，不是人格的。人格的存在，就是主体，没有制约他底客体，就不存在。但是无论是被自己或者被某物所制约，总之，主体是存在。然而不能够把神就是普遍我，看作受制约的。神就是宇宙底道德的秩序，不外乎在宇宙里面逐渐把他自己实现底自由。就是绝对道德——绝对自由——绝对自我——那些东西，就是神。他是超人格的超个人的普遍的活动，我们只能够把捉他底幻影。然而在哲人底最高自觉，就是理智的直观；自我回到自己，自觉自己底活动。到这里，他超越时空，超越现象的因果底世界，观察自己，认识自己。

斐希特否定神底人格性，其实是在斯宾挪莎底影响之下，批判他自己，至少也是他自己从康德底主观的唯心论出发底体系。由否定神底人格性，他否认绝对我底观念，也就是否认他是非我底创造者。注意这种矛盾的，是他底后辈谢林。

四 谢 林

谢林（Friedrich Wilhelm Joseph Schelling），是德国底哲学者，唱导审美论的唯心论。他和斐希特发展康德底道德哲学相反，是弘传他底艺术哲学，热心主张他，倡导一种艺术至上主义底诗人的哲学者。反过来，他可以说是哲学的诗人，他底哲学，可以叫作诗的哲学。

谢林，以一千七百七十五年，生在符腾堡底雷温堡（Leonberg）。他底父亲，是牧师，是学者。他十五岁底时候，进杜平根（Tübingen）大学底神学部，修学文献学同神话学，并且研究康德底哲学。当时和同学黑智尔，诗人赫尔得林（Hölderlin），结交。十七岁，在杜平根大学毕业。二十一岁，到来比锡，做家庭教师。又在大学，修学教育哲学，自然科学，医学。第二年，著作《自然哲学底观念》（*Ideen zu Einer Philosophie der Natut*），解释斐希特底知识论。一千七百九十八年，充任耶拿大学底额外哲学教授，和斐希特同事。一千七百九十九年，继斐希特之后，充任耶拿大学底哲学教授，次第发展自家独特的见解。第二年，招请黑智尔，做同大学底讲师。一千八百零三年到一千八百零六年，充任符腾堡大学教授。一千八百二十七年到一千八百四十一年，充任慕尼克（Munich）大学教授。一千八百四十一年，应柏林大学之聘，讲授哲学，和黑智尔哲学颉颃，然而没有成功。一千八百五十四年，死在瑞士。

他底著作很多，《自然哲学底观念》，同《先验的观念论》（*System des Transzendentalen ldealismus*），可以说是他底主著。

（1）谢林哲学底特色——艺术至上主义

谢林哲学底特色，是非常是想象的。他用灵活的直观，洞察事物底内容的性质；用明快的笔力写出他。所以接触斐希特底干燥的理论之后，到翻阅他底哲学组织，觉得津津有味。虽然，他富于想象力底结果，不知不觉之间，变更他底学说。他起初私淑来布尼兹，康德，斐希特。中间推崇斯宾挪莎，白鲁诺，新柏拉图学派，波姆。到临了，受亚理斯多德底影响。所以通常把他底哲学思想，分做三期。把从一千七百九十七年，到一千八百年；看作第一期。这个期间，他攻究自然哲学同超越哲学。把从一千八百零一年，到一千八百零八年；看作第二期。这个期间，他阐明同一哲学。把一千八百零九年以后，看作第三期。这个期间，他倡导积极哲学。

谢林，和诗莱尔马哈，同是当时德意志底文艺运动，就是浪漫主义运动底领袖。又是把浪漫思想，加以哲学的组织底学者。他把人类最高的生活，看作艺术的直观生活。像曾经说过，席勒尔说当时时代底特征，是理性和感性，精神和自然，主观和客观底分裂对立。当时底浪漫主义运动，实在是从这种二元的不调和所产生。当时参与浪漫主义运动底青年，是感觉这种不调和，这种时代底特征，最敏锐的。一方面憧憬高尚的道德理想，同时另一方面被低劣的情欲所苦闷。现实的人生，在他们，不外乎像这样的矛盾和不调和底世界。怎样就能够从这个矛盾和不调和逃出呢？这是第一个问题。然而从这个矛盾和不调和，从这个矛盾和不调和底苦闷逃出底道路，在现实世界，永远不能够发见。在现实世界，无论眺望那一方面，也只是矛盾和不调和，连调和底影子也没有。于是他们在现实以外底世界，寻求从这个矛盾和不调和底苦闷逃出底避难所。就是在空想世界，艺术世界；发见在现实世界不能够寻求底调和。席勒尔底艺术观，就是他底代表说。他说把道德和感情，理性和感性，融合调和的；只是艺术。谢林，也和席勒尔站在相同底见地。谢林相信艺术是调和这个矛盾的。我们除掉依靠所谓艺术底救世主，从这个矛盾底世界逃出之外，没有道路。艺术世界，不是道德的实行底世界，是想象、幻影、直观、情调底世界。那里没有矛盾，也没有不调和。只有艺术世界，是我们底最高世界。把我们引到这种理想世界的，是艺术。这个是浪漫主义底精神，又是他底主张。而谢林，就是把这种精神，组织做哲学底形式的。所以谢林底哲学，叫作同一哲学。

（2）同一——自然和精神底同一

谢林，崇拜用精神说明经验界底新观念论。然而对于斐希特底自然观就是自然是自我底产物，不能够同意。

依斐希特，非我（自然界）是自我底无意识的产物。所谓自我底无意识的产物，和所谓无意识的自我底产物相等。但是谢林反对说：无意识我，还不是真正的自我。无意识我，不是主体，也不是客体，却是主客未分。像没有自我，非我不存在一样；没有非我，自我也不存在。所以假如说非我是自我底产物，那么就同样，自我是非我底产物。因而客观世界底存在，实在是自我底存在所不可缺底条件。不单是斐希特所谓经验我，就连他所谓绝对我，假如被客体所制约，就断不是绝对的。非我，也同样，并不是无条件而存在。假如没有思维主体，他就不存在；也不是绝对的。像这样，自我非我，既然都不能够是绝对的。假如有绝对，他就不是自我，也不是非我；是超越一切对立底最高原理，就是包含自我和非我，精神和自然，就是斯宾挪莎所谓思维和延长底浑一无差别的实体。绝对，实在超越精神和自然底对立，然而是两种底根源，因而是两种融合浑一。谢林把他叫作主观（精神）和客观（自然）底同一，或者无差别（Identität，Indifferenz）。

依谢林，像这样的精神和自然底同一，我们由艺术，能够把他宛然像现实一般直观。什么缘故呢？艺术把主观和客观同化，而把我们引到绝对唯一的境地缘故。在鉴赏艺术底时候，鉴赏他底自我，和被鉴赏底非我，成为一体，他里面没有区别。所谓自他同一，是艺术底绝对境。艺术品，不外乎把像这样的直观，具体的作出。

（3）自然哲学

像这样，绝对，不能够说是自然，也不能够说是精神；然而他作自然和精神两样表现，因而哲学分做自然哲学和精神哲学两种。谢林把自然哲学，加入精神哲学，去补斐希特底缺陷。然而他底方法，也是演绎的。世界，不是自我底产物。所谓思维，不是产生，是复制。自然，和斐希特不同，是与料，是事实。自然也和精神同样，是同一绝对者底发现。自然和精神，只是发现底阶段不同。自然是精神底准备阶段。精神从自然发展，所以自然也是精神的。换句话说，就是自然，是还没有发展，在睡眠状态底无意识的精神；是正在转化底精神。自然是可见的精神，精神是不可见的自然。自然，具有生命，具有向目的活动底活力（物活论）。自然，实在是一大有机体。所以除掉目的观，不能够说明他。在这里，在康德不过是主观的判断底目的观，现在诠表客观的真理。

然而自我（精神）也不是非我（自然）底产物，思维和知识，不从感觉来，从精神和自然底共同根源就是绝对者来。经验，只是思索底出发点。先验的思索，是哲学底方法。事实底世界和思维底世界，有一个共同根源，就是绝对。所以经验底事实，不能够和思维底法则，互相矛盾。自然是存在底理性，精神是思维底理性。自然和精神，都依照同一的法则开展。虽然，自然和精神，存在和思维，不是像在斯宾挪莎，是绝对底并行的两面；而是绝对底进化底不同的阶段。绝对有进化的过程底历史，他底最高目的，是自意识，就是自觉。恰巧像我们底自我，从无意识就是不自觉或者半意识就是半自觉状态，进到明了的自意识就是明了的自觉；而自我常时同一一样。浑一的宇宙我，也次第从黑暗进到光明。从无生物进到人类，都表现一创造力，次第进化成完全的自由。自然，到人类，达到他底最高目的，就是自意识。在这里，知道自然和精神，本来同一。所以最完全的自然说，是把一切自然法，都归到知觉和思维底法则。

斐希特曾经说精神发达底论理的阶段，谢林也说自然发达底过程，有必然的阶段。他像在他以前底赫得，斐希特，同在他以后底黑智尔一样；发见世界底事实，有辩证的过程。以为两种相反的活动（正，反）相合，而由更高者（合）调和。他叫他做三重法。就是动作，跟随反动；从这个反对，生起第三底调和。这个调和，更挑发反对，永没有止境的运动。因而自然没有静止的实体（就是不变的原子），也不是全然流转；例如没有绝对的固体，又没有绝对的液体，只是两种相合。谢林把这个思想，适用在杂多的无机物和有机物。这个法则，表现在引力，拒力，重力；磁气，电气，化学；感性，感应，再现；里面。像思维采取正反合底辩证的过程一样，自然也有三阶段。（一）物质或者重力（正），（二）形式或者光明（反——物质底否定，组织化和个性化底原理），（三）有机的现象（合——物质和形式底综合）。就是自然可以大别做三种势能。第一种势能，是重力，发现做物质。第二种势能，是光明，发现做磁气，电气，和化学上底力学的作用。这里所谓光明，依谢林，只是一种电气。第三种势能，是生命，发现做有机的现象。普遍的物质，就是充实空间底物质，从引力拒力同他底综合就是重力三种势能底共动成立。要从无限的能产自然，就是世界精神；生成有限的个物，就是一切万有；先不可以没有障碍。所谓障碍，由自然底二重性（Duplizität）或者有极性（Polarität）生起。所谓二重性或者有极性，就是两种相反的本原力就是引力和拒力底相争。这两种本原力结合，于是产生重力。由引力拒力重力三种，构成根本物质。更在这个物质上，加上光明，于是产生化学上底力学的作用。就是把物质分化做特殊底作用。和引力相对应的，是磁气。和拒力相对应的，是电气。和重力相对应的，是化学作用。磁气底直线的势能，是凝集作用底基础。电气底平面的势能，是感觉的性质底基础，化学作用底立体的势能，是化学的性质底基础。重力和光明底结合，就是生命，加在这个力学的作用上，于是产生有机的现象。这个也有再生力，刺戟力和感觉力三种。再生力，位在这三种势能当中，最普遍，最下等；包含营养，生长，生殖，各种冲动。刺戟力，位在再生力底下面。感觉力，位在最特殊，最上等。这三阶段，和思维底三种原始的行动同样，不是分离的，是三体一致的。自然底万象，都有组织。就连所谓无机物，也是活物。假如自然不是活物，他就不熊够产生生命。无机界，是植物界底种子。动物，是升到高度底植物界。人类底大脑，是有机的进化底最后的阶段。磁性，电，感觉，意志；都是同一活力底发现。所以相互底差别，只是分量上底差别，就是阶段底关系。不是因果的，时间的，历史的；是价值的。自然没有死物。一切的事物，都是生命，运动，转化；是生产力和生产，扩张和纠缩，活动和反动中间底永远的振动；是两极相反，就是极性底冲突。他底综合原理，是世界精神。

实在，全然是活动，是生命，是意志。就是万物底本源，是创造的势力，是绝对意志，或者绝对我；是充满底浑一的世界精神。万物从他出，住在他里面，所以理想和现实，思维和存在，他们底根源同一。

（4）精神哲学

其次超越哲学（Transzendental-philosophie），就是精神哲学；拿精神生活底发展，自我底发生；做他底题材。而目的在证明物理和伦理底平行。

精神也有三种势能，就是认识，行动，和艺术。谢林，在关于认识和行动底研究，就是认识论和实践哲学；差不多照原样采用斐希特底见解。艺术哲学，是他底独创。

精神底发展，有三个时期。第一期，从原始感觉，到创造的想象。第二期，从创造的想象，到反省。第三期，从反省，经过判断，到绝对意志作用。精神，用感觉，知觉，抽象底顺序发展。这三种，构成理论的我，就是构成悟性底不同的程度。这个是主观由客观规定底阶段。其次，悟性，经过绝对的抽象，变成意志。就是理论的我，变成实践的我。这个是主观规定客观底阶段。理智是创造的，就是生产的；然而他底创造，是无意识的（就是不自觉的），是必然的。意志，是有意识的创造，因而有自由底感觉。精神生活，从设定非我（自然）底智力，和征服他底意志底相反的作用来。两种底冲突，就是人类底历史。精神和自然，逐渐融合成活统一。理想将要越发变成现实的，现实将要越发变成理想的。换句话说，就是绝对，就是理想和现实底同一，将要越发表现和实现他自己。历史是无限的过程，假如自我只是理论的和实践的，受主客二元底限制，他就断不能够实现绝对。就是理智意志，都不能够实现绝对。什么缘故呢？两种都豫想主观客观底对立缘故。然而由理智的直观，我们超越理智和行动，理想和现实，非我和自我底对立；我们把被自然具象化，被自我人格化底本来非人格的理性；看作和我们自己同一。简约说，就是我们部分的复归于绝对。

但是就连这个理智的直观，也还不能够全然脱离对立底法则。就是直观底我，和被直观底绝对者底对立，依然存在。主观和客观，只在艺术的活动，全然一致。当精神，在理智或者行动底地位，不能够获得或者实现绝对。但是在美的感情底地位，能够办到这一层。艺术，宗教，和启示；是同一物，简直比哲学高。哲学，用概念底形式，表现绝对。艺术是绝对底现实的表现，艺术就是绝对本身。艺术家，由美感参与绝对。又天才制作艺术底动作，等分含有意识的要素和无意识的要素两种。天才，不消说，十分意识自己底目的，而从事制作。然而在制作，他感觉像被他以上底一种力量所支配。他底制作，差不多是自然涌出来的。他底动作，和自然相同，是无意识的。因而他是意识的（精神的）和无意识的（自然的）两极，最亲密的融合的，而这个两极底无差别的状态，就是所谓绝对者。因而艺术是最明了启示宇宙底秘密的，他自身是小绝对者。所以谢林把他叫作哲学底真器官，真文书。他和哲学，有最亲密的关系。他们底对象，完全相同，都是阐明宇宙底最高真理。他们底方法，也相同；都是用理智的直观。但是艺术优于哲学，是他底直观同时是创作底地方。就是哲学抽象的表现真理，艺术具体的创作他。

总之，谢林生在大诗人底时代，受美的氛围气底影响。他起初把自意识就是纯粹自己反省，看作绝对最高底目的。以为这个光是用哲学者底直观，能够经验。然而到后来，把宇宙解释做一种艺术。绝对，用创造宇宙，去实现他底目的。因而人类底最高机能，是艺术，不是哲学的知识。在艺术品里面，主观和客观，理想和现实，形式和质料，精神和自然，自由和必然等类底对立；都变成一个，或者互相贯通。在这里，哲学所追求底调和，横陈在我们底眼前，能够自由见闻他。自然本身，是大诗；他底玄秘，被艺术所泄露。创造的艺术家，像自然底创造一般，从事创造，去实现他底理想。因而艺术是直观世界底绝对标准，是哲学底真机关。所以哲学者，不可不像艺术的天才者一般，有知觉宇宙底调和和同一底能力。美的直观，就是绝对知识。

谢林底哲学，是一种泛神论，把宇宙看作生成发展底一个有机体。然而他后年在波姆底感化之下，走到意志主义。把求存在底欲望（Desiderium essendi, desire-to-be），原始的意志（Ungründlicher Wille, primitive will）；看作事物底本源。这个欲望就是无意识的意志，在一切睿智和一切有意识的意志之前。恶，起因于这个欲望。

像上面所说，谢林把自然看作精神底准备的发达。因此史家往往把他看作达尔文底先驱者。实在主张生物界底一元，说阶段底发达，两个人中间，不是没有类似。虽然，进化论所谓发达，是时间的，因果的。先有一种阶段，然后顺次发达到上面底阶段。然而在谢林，种种阶段，都是同一活力底发现。所谓自然，是精神底准备的发达；是说他是同一活力，为想发现做精神所必然的不可不采取底下级阶段。所以谢林所谓发达，完全是价值上底关系。

五　诗莱尔马哈

诗莱尔马哈（Friedrich Ernst Daniel Schleiermaeher），是德国底宗教哲学者。以一千七百六十八年，生在北勒斯劳（Breslau）。从小受敬虔主义的教育，然而受新批判哲学底影响，感觉思想的动摇。一千七百八十七年，转到哈勒（Halle）大学，研究神学和柏拉图，亚理斯多德，康德等底哲学。卒业后，当家庭教师。从一千七百九十四年到一千八百零四年之间，当牧师。在这个时代，接触浪漫文学运动。一千八百零四年，充任哈勒大学底神学助教。一千八百零六年，遭遇拿破仑底战祸，失业。一千八百零九年，当三位一体教会底牧师，又在柏林，参与创设柏林大学。一千八百十年，充任柏林大学底神学教授。一千八百三十四年，去世。

他底主要的著作，是《神学研究纲要》，《基督教信仰》，《柏拉图全集》，《独语录》（Monologen），《教育学纲要》。

诗莱尔马哈底哲学，是最包含的折衷说。采取康德，斐希特，谢林，柏拉图，斯宾挪莎，来布尼兹等底哲学说，以及中世纪底基督教神学，把他同化、调和、统一，去构成一种带特色底哲学。

（1）宗教论

他受康德、斐希特底感化，然而排斥他们底观念论。理智，道德意志，都包含对立和冲突；所以不能够了解超越一切对立底绝对，就是神。能够认识神底存在的，只有宗教的感情。能够直接感知神性的，只有神的直观。宗教底起原和本质，不是知识，也不是意志，是感情。我们不能够认识神。然而唯一无限的绝对者底存在，不能够疑惑。相信唯一无限的绝对者底存在，就对于这个绝对者，自然起归依底感情。这个归依底感情，是宗教的信仰底基础。就是所谓宗教，是对于绝对的世界根源，绝对归依底感情。人类和其他生物等一切有限者，对于支配自己底绝对者，所抱底尊敬；是一切宗教的信仰底基础。这个尊敬底感情，在所有的人们，是自然而且本然的。因而宗教的信仰，是所有的人们共通的本具的。

诗莱尔马哈，把信仰离开知识和道德，去把他建筑在感情上。就是排斥神底理智的认识，替宗教开辟独自底途径。他底宗教论，显著包含神秘的色彩。

（2）神和世界　个人和绝对底关系

神和世界，不可分离。神离开世界，不存在。世界离开神，也不存在。神是普遍的创造力，是一切生命底本源，世界是神底时空的表现。所谓人格，意思是限制，所以我们不能够把人格性归属神。然而尊重人类底个性人格，个人的自我，是决定自己底原理。所谓自由，是个人的能力底自然的发展（来布尼兹）。但是个人的自我，被包容在普遍的实体当中，他们是宇宙底一员，他们底个性，必须和宇宙一致。虽然，各个自我，各各有他底特性，在全体当中，占绝对必要底地位。所以要想实现全体底性质，必须把他底个性表现。诗莱尔马哈，像这样尊重人格，主张自我发展和自己表现，是浪漫的倾向底特调。他尽管说绝对归依底感情，然而不叫人类灵魂，沉没在普遍的实体当中，去树立他底个人主义的伦理，完全从这个个人主义的倾向来。尊重个我，就是尊重其他个我。普遍意识底发展，是人格完成底极致。因而伦理的生活就是社会生活，是单一无类的各个人，尊敬自他底特性。他不相信个灵底不灭，把没入无限者，看作人生底归局。

六　黑智尔

黑智尔（Ceorg Wilhelm Friedrich Hegel），是康德以后德国底伟大的哲学者。他底影响，不单是哲学界和思想界，也波及实际界，尤其是政治界。不只限于德国，也波及英美。

黑智尔，以一千七百七十年，生在斯多德牙尔（Stuttgart）。十八岁底时候，在杜平根大学，学神学。这个时代，和赫尔得林、谢林，结交，拿重大的影响，给他底思想发展。他神学以外，研究自然科学和哲学。对于康德和卢梭，尤其有兴味。后来埋头研究古典。卒业后，在瑞士和法兰克福等地，当家庭教师。他在这个时代，治学最为努力，专心研究政治哲学、宗教哲学底问题。从一千八百零一年到一千八百零五年，充任耶拿大学讲师。在一千八百零二零三两年之间，和谢林共同刊行叫作《哲学评论》底杂志，发表许多的论文。他自己也倾向谢林哲学。一千八百零五年，升充额外教授。一千八百零六年，晋升正教授，开始发表自家底学说，完成他底最初的主著《精神现象论》。一千八百零七年出版。遭遇拿破仑底战祸，退职。从一千八百零六年到一千八百零八年，在班堡（Bamberg），当新闻记者。一千八百零八年，充任努连堡（Nuremberg）底中学校长。他从此越发发挥自家底思想。继续供职到十六年。他底第二主著《论理底科学》，就是这个时候底著作。从一千八百十六年到一千八百十八年，充任海得尔堡大学哲学教授。第二年，著第三主著《哲学的科学全书》。一千八百十八年，转到柏林大学，继斐希特之后，教授哲学。一千八百二十一年，著第四主著《法律哲学概要》，完成他底哲学组织。一千八百二十九年，升充大学总长。他底势力，和斐希特底当时无异。一千八百三十一年，被当时极其猖獗底虎列拉所毙。

他底著作。除上面所说四种主著之外，《历史哲学》，《美学》，《宗教哲学》，最有名。

（1）黑智尔底立场——论理的唯心论

黑智尔底立场，像在前面所说，是绝对的观念论，论理的唯心论，又泛理论。斐希特和谢林，都从康德底假定出发。依斐希特，物自体（绝对）就是自我自体。自我，为实现自我。用一种不自觉和不自由的创造，产生非我，就是现象界。然后用自由和自觉的努力，征服他。由打胜非我底对抗，道德的自我才实现。依谢林，产生一切的，是自然，是绝对。绝对，不是像斐希特所说底自我，自我只是他底一种所产物。也不是非我。而是自我和非我底共同根源。他是中性的原理，超越两种底对立。像这样，斐希特底绝对，偏于主观，不外乎对立底一方面。谢林底绝对，是两种底不可思议的超越的基本。所以斐希特底错误，是把绝对底半面，看作绝对本身。

黑智尔，在两个重要的地方，订正谢林底哲学。第一，在谢林，绝对是超越自我和非我底无差别平等的存在。这个和斯宾挪莎底实体同样，是抽象的。所以黑智尔批评他说：谢林底绝对，恰巧像手枪底发射，又像所有的牛都变成黑色底暗夜。他底意思，就是谢林底绝对，是突如的抽象。蔑视一切的差别。虽然，没有什么差别反对底原理，断不能够说明差别和反对底世界。因为我们不知道如何或者为何从他推出这个自我（精神）和非我（自然）底对立，构成现实世界。谢林底说明，不过是把所有的事物，任意嵌入精神和自然两种概念。

依黑智尔，自我和非我底共同根源，并不是超越实在的，他内含的在实在里面。精神和自然，不是绝对者底两种方面，是两种样相。绝对者，不是静的，是动的。他不是自然和精神底原理，是他自己顺次变成自然和精神。在谢林，事物，从绝对者发生，因而绝对者在事物之外。在黑智尔，绝对者是发生过程本身。他不产生运动和生命，他自身就是运动，是进化，是生命。他并不超越事物，完全在事物里面。也不超越人类底理智的能力。斯宾挪莎底实体（神），有无限的属性，超越人类理性。然而在黑智尔，人类理性底本质，就是绝对者；而绝对者能够完全理解。现在把他叫作神。世界底生活，就是神底生活。

第二，谢林把艺术和哲学，看作同一。以为艺术是实在底最高的表现，哲学是天才的直观底产物。哲学，是学问，不是诗歌。因而他底机关，不是直观，是概念。所以哲学是由概念（思维）去认识理解一切底学问。而他底对象，是绝对者。像这样，绝对既然用论理的过程，能够充分理解，他自身就也不可不是论理的。像这样，绝对是论理的过程就是思想底开展。

世界是思想底发现，譬如一大书籍。哲学底课业，是捕捉住在他里面底思想，就是意义。各章各节，互相有思想上如何的关系联络；而且他们对于全体就是绝对，有如何的价值呢？这实在是哲学底问题。像事实中间底因果关系，不妨附之不问。他不单把像这样的解释法，（像谢林一样）适用在自然界；更把他适用在历史界，人文界。结果，创建没有比类底宏大的体系。他底哲学，不单是谢林哲学底订正，实在是康德以来德国观念论底完成。

（2）绝对者——论理的理性

黑智尔底无限或者绝对者，不是实在，是运动，是过程，是开展。然而开展有他底法则，有他底目标。这个法则和目标，并不从外面来，是内含的在开展里面底绝对本身。支配人类底精神和无意识的自然底法则，是理性。而事物所想到达底目标，也是理性。不过是自意识的理性。因此，绝对和理性一样意义。绝对，就是理性。他在顺次经过无机有机自然底阶段以后，在人类里面，变成人格的。但是理性不像康德所说，单是人类悟性，就是灵魂底能力，就是我们根据他去思维事物底规条。他是事物依据他，而产生，而组织，而开发底法则。他是主观的，同时是客观的实在。他在我当中，做思维底本质和规范。在事物当中，做进化底本质和法则。理性底各种范畴，和康德哲学所假定不同，不单是从外面领受内容底空虚

的架子，而是从内面创造的充实自身底内容。他不是思维事物底方法，而
是事物本身存在底样相缘故。所以研究各种范畴底本性，尤其是他们交互
底关系，是形而上学底重要事件。各种范畴，毕竟不外乎基本范畴就是存
在底变形。康德虽然重视从这个基本范畴，引出各种范畴底先验的演绎；
但是他底演绎，实在不过是依据经验，把纯粹概念列举；就是他把范畴像
家具底抽屉一样，只配列起来，作成表。黑智尔进一步，依他底发生的顺
序，试作真正的演绎。这个是形而上学底最高尚而最繁难的事务，要想成
就他，我们必须排除一切成见、一切感觉的错误，只信任理性。我们必须
让他（理性）把他自己底内容展开；我们只追随他底发展，或者记录他底
神谕。让思维去发展自己，去把他放任他底自发的自我活动；这是真正的
哲学方法，就是辩证法（对演法 Dialektik）。这个是康德所已经指示，而
斐希特、谢林所已经使用，黑智尔也采取他，像他们一样，以为他有三种
要素或者三种阶段。就是先有一个抽象普遍的概念（正），其次，这个概
念，唤起反对底概念（反）。把前面底概念，叫作措定。把后面底概念，
叫作反措定。这两个概念，都偏于一面，于是更把他调和统一，构成较高
的第三概念（合）。这个，叫他做综合措定。就是：

在第一段——有一个措定生起。（These）

在第二段——就必定有和第一段底措定反对底反措定生起。（Antith-
ese）

到第三段——于是把第一段底措定，同第二段底反措定，加以综合统
括底综合措定生起。（Synthese）

例如巴门尼底斯，以为有（存在）永恒不变。赫拉颉利图斯，以为他变化
不绝。原子论者，两种都不是，又两种都是；以为某物永恒，而某物变
化。虽然，这个新措定，更唤起他底反措定同综合措定。像这样，对演的
过程，追随实在底进化而前进，临了于是到达普遍概念。就是思维，从最
单纯、抽象、空漠的概念出发，进到最复杂、具体、丰富的概念。然而单

是一种概念，纵然是最高概念，也不表现全真理，不过是部分的真理。真理，是概念底全体系，像合理的实在本身一样，是活论理的过程。

黑智尔，把用像这样的辩证法，去把纯粹概念就是范畴发生底径路研究底学问，叫作论理。所谓罗哥士（理性），是论理底对象，是我们思维事物底原理，同时是创造事物底客观的原因，就是物自体。所以他底概念底宗谱学（Genealogie），同时是事物底宗谱学，也就是宇宙底解释，就是形而上学。换句话说，就是研究论理上各种概念底系图，同时是研究事物发生底径路，也就是说明宇宙。所以所谓论理，就是形而上学。黑智尔底论理，是学林哲学底形式论理，加上他底本体论（形而上学）；所以也叫他做思辨的论理（Spekulative Logik）。像这样的论理，从物理化学底过程说起，连伦理都包含。理性，不但思维万物，而且创造万物。所以理性底科学，必须是包含一切特殊科学底普遍科学，就是形而上学。所以他底论理，是抽象的处理理性底科学；自然哲学和精神哲学，是显示理性把他自己实现在宇宙和历史当中底科学。

就是黑智尔底哲学组织全体，和辩证法底根本法则一致，从三大部分成立，第一论理学，第二自然哲学，第三精神哲学。黑智尔底哲学，他底对象，就是绝对者；是理性，就是精神。所以从头到尾，是精神哲学。然而那个精神，发现做自然界和意识界（就是狭义的精神界）。所以哲学区别做自然哲学和精神哲学。精神又离开像这样的发现，拿这个纯粹精神，就是（用黑智尔底用语就是）"世界创造前之神"，做对象的；是论理学。

（3）论理学

黑智尔底论理学，从所谓存在（有）底最普遍的概念出发，次第进到具体的概念，像这样去展开全范畴底体系。

a. 存 在

（一）性质 一切纯粹概念（范畴）底根源，是所谓存在底概念。所谓存在底概念，是最空虚而同时包罗最宏富，最抽象而实在性最强的概念。性质、分量、现象、活动等类。都是存在底样相，所以不过是存在概念底变形。但是这些变形，如何生起呢？他里面所包含底矛盾，是他所凭借而转变底原理或者力量。纯粹的存在，只是存在，就是什么规定也没有底纯粹的存在。说是白的，是黑的，是好的等类，都有规定，就是是什么。但是所谓存在，无论什么都不是。所以存在底概念，丝毫没有内容底时候；和纯粹否定就是非存在底概念相等。所以存在和非存在两种概念，是完全同一，然而也完全反对。转化（Werden）底概念，于是产生。详细说，就是从非存在移行到存在底时候，变成生起底概念。和这个反对，从存在移行到非存在底时候，变成消灭底概念。生起和消灭两种作用停止底时候，这就是存在底概念。存在是他自己，又是他底反对。假如他只是他自己，他就是不动，任何物也不产生。假如他只是非存在，他就等于零，全然没有力量。然而他是存在和非存在两方面，所以变成某物，变成他物，变成一切物。就是存在里面所包含底矛盾，产生转化就是发展底概念。转化是存在，同时是非存在，是把存在和非存在两种统一底更高的综合。

运行底原理，是一种矛盾。然而他和亚理斯多德以及来布尼兹底矛盾律（A 不能够同时是 A 又是非 A）不同，所谓存在同时是非存在，和哲人学派同调，依黑智尔，不单是思想上，实在自体，也包含矛盾，由矛盾争斗而进化。世界，不是和思维二元的对立的，他不外乎客观化底思想。所以不像康德苦于二律背反，黑智尔在矛盾背反本身当中，看见发展底原理。现在约略说明他底对演的发展最重要的地方。就是存在底概念，先变成转化底概念。存在，规定自己，限制自己。但是被规定的就是有限的存在，继续无限。有限就是无限。在这里，新矛盾（有限和无限）又发生。这个矛盾，由个体底概念综合。个体是有限和无限底综合。假如有限和无限互相排除，无限就不是无限，是有限。反过来，无限，是有限底本质。有限，是无限底表现。无限，由规定自己，限制自己，就是拿存在给自己底作用；变成有限。存在底条件，是规定自己，限制自己。存在就是有限。有限，个体，原子；是用某种样式存在底无限，就是受限制底无限。就是性质变成分量。

存在是有限的实在，也可以叫作性质。有限的实在，只关系自己，和他物没有关系。叫他做自对态（Fürsichsein）。自对态，排斥他物，所以生起一底概念。一排斥他物，所以建立许多的一。然而许多的一，相互没有区别。所以一就是多，多就是一，于是生起分量底概念。

（二）分量　从分量包含许多的一底地方看底时候，是分离。反过来，从许多的一有同一的性质底地方看底时候，是连续。然而缺乏连续底时候，分离不能够成立。缺乏分离底时候，连续不能够成立。所以这两种规定，毕竟同一。把有限的分量，叫作定量。定量也有多和一底要素。换句话说，就是定量是一种一定的数目，就是数（分裂）。对于定量，就是外延的分量；有内包的分量，就是度（集中）。度是单一的规定，所以有比定量近于性质底地方。把统一分量和性质的，叫作质量。

（三）质量　质量，是性质的分量。性质同分量，都不过是第三者底规定。把像这样的第三者，叫作本质。本质是实在底自己分裂，就是内在态。

b. 本　质

（一）本质和表现　元来纯粹概念，是互相对立然而互相关照而展开的。像本质和现象，力和表现，实质和形式，实体和偶性，因和果，根源和归结，活动和反动，就是。本质是内在态，就是反省的实在。所以犹如把实在底面貌掩蔽底面纱。现象是本质底真本质，现象没有本质，不过是假现。本质的和偶然的，物和属性底关系，大略也同样。假如把本质看作现象底发生原理，他就是力，或者动作者。那个现象，就是力或者动作者底动作，或者表现。然而力不过是现象底总体，而他底表现，不过是动力本身。本质和现象，根源和归结，力和表现，动作者和动作，实质和形式，这些二元，都归到活动底概念，就是前面各种概念底综合。这个，就是形而上学所谓自然。自然，是活动，是产生，是创造。把已经产生的，重行收回，更加以复制，永远再造。活动，和实在同义。活动的以外，没有实在的。实在的以外，没有活动的。绝对的静止，不存在（赫拉颉利图斯底流转说）。实在（现实）和单纯的或然比较，就变成必然的。所以必然也和实在同义。

（二）实体性和因果　假如把本质就是实在看作活动底必然的原理，他就变成实体。实体并不是基体，只是众多样相底总计。所以我们必须抛弃离开属性有物，离开自我有灵魂，宇宙之外有神底观念。虽然说实体是众多样相底总计，但是并非像在斯宾挪莎，是单纯的总计；他是用有机的结子和他底样相互相结合底活总全。他是样相底原因，样相是实体底结果。原因不能够和结果分离，像灵魂在肉体里面一般，原因在结果里面。样相，是已经表现底实体。没有在结果里面，不在原因里面；也没有在原因里面，不携带结果来的。结果底观念，不能够和原因底观念分离。非但不能够分离，而且每一个结果，就是一个原因。而每一个原因，又是前一个原因底结果。像 ABC……底因果系列，不是无限的前进，而是结果反应原因。结果 B，不但是 C 底原因，而且是 A 底原因。A 所以能够是原因，由于有 B。所以结果 B，是原因 A 底原因；原因 A，是结果 B 底结果。例如雨是湿气底原因，然而湿气又是雨底原因。人民底特质，依据政治底样式。政治底样式，又依据人民底特质。像这样，结果，不是由他底原因，像命运一般预定的，不过是反应原因的。所以宇宙底运行，不是无限的直线，不过是曲线。这个曲线，回到原来底出发点，就是圆圈。直线的运行，模糊而不确定。圆底观念，象征精密而明确的完成的总全，就是黑智尔底完成组织。

（三）交互性　像这样，结果对于原因底反应（交互作用），增加结果底重要性，而且拿自由底性质给他，这个是斯宾挪莎底体系所欠缺。根据这个哲学者，结果，必然依据先在的原因。虽然，实际上，结果不是绝对的被其他所规定。无论是在因果系列底开始，或者在他底中间，或者在他底终结，都没有把其他绝对的规定底原因，就是第一原因。绝对，不外乎因果连环底总全。各原因，是绝对底一部，是相对的绝对，不是绝对的绝对。

本质和现象，结局，被交互作用所结合，于是变成论理的总全。

c. 概　念

所谓概念，是说实体的全部，有主观，客观，和绝对总全三种。上面底各种概念，离开总全，没有实在性。质，量，力，或者原因；没有不是总全所产生。离开总全，就什么东西也没有。自然界里面，没有一种东西孤立而存在。思想界里面，也没有自存自律底概念。自律，只属于范畴（纯粹概念）全体。真自由（自律），只在总全里面。所以存在和本质，到达论理的总全或者概念，回到自己。

总全，分做主观的总全和客观的总全。生命观念底主要素，就是本质，现象，交互作用；在主观的总全当中，再现做普遍，特殊，个别。就是主观概念，包含普遍态，特殊态，和单一态三种要素。在判断（主观）上，普遍和个别，一般和特殊，有区别。然而在实际上，这种判断，不过是确认他们底同一。当说人终有一死，或者保罗终有一死底时候；意思是普遍一切生物底特性，就是不免死亡，属于特殊的存在（人）。翻转过来，个别的保罗，是不免死亡的生物，和生物底普遍性一致。然而在判断上，确认普遍和个别，一般和特殊底同一，是矛盾。解决这个矛盾的，是推理，就是三段论法。小前提，是大前提（普遍或者一般的概念）和断定（个别的概念）底连环。

主观概念，是没有内容底形式，他是目的因（理想）。但是在实际上，他并不存在。因此，他有把他自己客观化、具体化底倾向。在自然里面，他是生命底永远的资源。在历史里面，他是进步底永远的资源。客观化的概念（客观概念），就是宇宙。就是客观的总全。然而那又是矛盾。主观概念，是没有内容底容器。客观概念，就是无意识的宇宙，是没有容器底内容。两种底对立，由两种底互相交涉，就是万象底世界，到达自意识；回到绝对概念（观念）。

绝对，从理论的见地说，叫作真理。从实践的见地说，叫作善。这个是至高范畴，同时是至高实在。

总之，存在，是转化；他里面所包含底矛盾，是发展底原理。他经过性质，分量，度，本质和现象，实体和因果，交互作用，主观客观；回到绝对。

（4）自然哲学

所谓自然，是说观念变做他在态。换句话说，就是说观念出论理的抽象，入现实的具体。自然哲学，从自然底直接规定就是空间和时间开始，终于精神脱离自然，变做人类。于是自然哲学，产生机械态，物理态，有机态；就是无机的，物理化学的，和有机的，三大阶段。

（一）无机界　自然界，也和思想界同样；从最抽象的空漠的空间和物质开始，经过一条发展底长线，到最具体的完全的人类，达到极致。恰巧像论理上底第一概念就是存在一样，空间，存在又不存在；物质，是某物又任何物都不是。这个矛盾，是物理的进化底原理。他在运动里面，获得调和。运动把物质分做独立的单位，去构成天体。天体底生成，是个性化底第一步。个性化的倾向，贯通全自然，表现做引力。引力，是万物底发生和归着底理想的统一力，他是世界底水泥，是构造生活机械底个性，是灵魂。天体底世界，是豫想人类社会底初步的社会。就是天体界是一个初步的社会，这个初步的社会，是人类社会底先河。但是支配他底法则，还不过是机械律。天文学只处理他们底外部的关系，没有进入他们底本质。

（二）物理化学界　引力律，就是太阳系；是分量的规定，不是性质的规定。有性质的规定底物质，就是物理化学界底对象。物理化学界，处理有个体性底有机体。

自然界底第二进化，是物质底质的分化；由像光、电、热底力量，集散离合。他是一种内部的转变，是一种不单是场处而且本质也起变化底化学现象。他是实体变成主体，物质变成精神，必然变成自由（他是创造底最后目的）底序乐。没有一物，是固定的，或者凝聚的。但是自然不久就回到他自己。恰巧像在论理里面，纯粹思维，回到他自己，而构成一个圆圈，就是总全，一样；在自然里面，化学过程，回到他自己，而构成那些中心化底总全，就是我们叫作有机体或者生物的。

（三）有机界　物理态底最发展，是化学作用。而继化学作用而生起的，是有机作用。自然，在物理态，获得个体性。在有机态，获得主观性。有机态又区别做三个阶段，就是矿物界、植物界和动物界。生命现象。完全是自发的。单是机械作用，不能够产生生命。假如物质只是物质，就要永远只有直线的、远心的运行。但是物理过程底内部，有观念底进化，在那里流行。这个观念底进化，是万物底归局，是资源。换句话说，就是万物底最后目标，也就是他们底创造原理。地球自身，是一种有机体，是自然趋向实现底杰作底未成熟的轮廓。在这种意味，谢林和他底学派，说天体底灵魂，地球底生命，很为得当。这种生命，有他底变化，他底革命，和他底历史，就是地质学底论件。虽然他逐渐的减少，然而他像这样，只是想变成新的、真的、有机的和个体的生命底无尽的资源。从地球的有机体底灰烬，产生植物界。但是这个植物本身，仍然不过是不完全的有机体，他是一种联合或者同盟，他底肢体，多少是自治的个体。到动物界，真正的个体才实现。肢体各部，是中心的统一底仆役。动物用消化和呼吸，维护个性。更用感觉和音声，发挥特色。就是到动物界，自然才有运动、感觉、体温、音声等类，换句话说，就是发挥内的契合性。动物次第进化，经过甲壳类，软体动物类，虫类，鱼类，爬虫类，哺乳动物类。最后，在最高等动物，就是人类底形体里面；反映创造的观念底充实。物质界底进化，到这里于是完成。以后，就变成精神界底进化。

（5）精神哲学

狭义的精神底开展，经过三种阶段，就是一主观精神，二客观精神，三绝对精神。所谓主观精神，指个人的精神，所谓客观精神，指社会的或者团体的精神。所谓绝对精神，是总合主观精神和客观精神，把一切的要素，收在自己里头底最后的绝对精神。

a. 主观精神

人，就本质上说，是精神，就是意识和自由。然而在他刚离开自然之手底时候，还只原则上是这样。精神，和自然一样，被进化底法则所制驭。意识和自由，并不是在个别的或者种属的生命底黎明，就存在；他们是历史的进化底产物。

主观精神底最初阶段，是灵魂。灵魂，就是自然的精神，是还没有离开自然之手底个人的精神。自然精神，最初被气候、风土、人种和生活底方法等种种境遇所束缚，和其他的动物同样，在不自由的状态。虽然，次第发展，变成自意识。自意识变成精神。精神先发现做理论的精神，就是理智。理智更变成实践的精神，就是意志。理论的精神，发展成直观、表象和思维。实践的精神，发展成冲动、欲望和性癖。临了到达理性的意志。

还没有离开自然之手底人类，只被盲目的本能，利己的情欲所支配。在这个地方，和动物并没有轩轾，照自己底意思动作，所以在某种意味，就是在所谓放纵底意味，也许可以说是自由，然而实在是最奴隶的。什么缘故呢？屈从所谓本能底自然力缘故。然而当理性渐次发展，承认别人也和自己同样，觉悟理性（和自由以及灵性同义）不是个人底独占的财产，而是一切人共同所有；结果，真自由更加进步。什么缘故呢？所谓真自由，是说依从理性而动作缘故。像这样，承认别人底自由，就是限制自己底（盲目的）自由，服从自己以上底威力之谓。这个所谓威力，就是客观精神。

b. 客观精神

观念，就是普遍的理性，不单发现做自然同个人，更采取外的形态，发现做社会的制度同人类底历史。在这个意味，叫作客观精神。

客观精神，先用法律（权利）底形式发现。法律，总括自由的人类营为协同生活所不可缺底制约。法律，更用所有、契约、刑罚三种形式发现（民法底一部分和刑法）。法律，在个人意志和一般意志（客观精神）冲突底时候，才充分发露他底威力。个人意志，反抗适法的（就是一般的）意志底时候，产生不正当就是不法。法律虽然由不法行为，暂时被损害，然而就要求赔偿，这就是刑罚。刑罚，不是为矫正罪人，也不是为威吓他。实在不外乎对于罪底正当的应报。不是手段，是目的。而那个所谓应报，与其说是伦理的，毋宁说是论理的。法，不法，刑罚；恰巧站在正反合底关系。

客观精神底第二阶段，是道德。法律家只注意法律和他底施行，不管适法行为底内部的动机。一个人可以在所有各点，遵照法律底规定，他在他底外面的生活，可以完全受人尊敬。然而内心有和法律（一般意志）龃龉底个人意志。这个主观意志和客观意志底对立，必须消灭。这个叫作权利正义底客观意志，必须变成个人意志，必须变成他底行为底内面的法律。就是适法必须变成道德。道德，是心底适法，是和个人意志一致底法律。在伦理界，法典，变成道德律，良心，善底观念。就是在道德，意志底自由，进而变成自律。和法律是外面的相反，很带内面的性质。道德所依据，是主观意志底法律，就是良心。法律，关于行为。道德，不但查究像这样的行为，而且查究指挥命令他底精神。法律不接触良心，只规定生活底物质的关系。道德底目标，比这个高，他叫功利从属善。

道德，在种种的制度当中实现。道德实现底制度，有三个阶段。就是家族（狭义的），社会，国家。基本的道德制度，就是所有其余制度底基础，是结婚，是家庭。社会和国家，站在这种制度上面。没有家庭，就没有国家。因而结婚是神圣的义务。黑智尔在家族底条下，论婚姻，继承法，儿童教育。

其次，社会拿保护个人底利害做目的。在社会底条下，论社会阶级，职业团体，司法，警察。

国家，可以看作家族和社会底综合，他底目的，是实现完全的自由。国家是道德的人格，是地上底神国。国家，在不单追求个人底利益，和社会不同。国家拿实现理想做目的，为实现理想，纵然牺牲个人底利益，也不踌躇。国家是普遍底王国，客观底王国，理想底王国。家族和社会，不过是他底工具。共和还不是完全的政体。什么缘故呢？还以为有个人而后有国家，过于重视个人底利害缘故。君主政体，是正常的政体，在独裁者底自由行动里面，国家理想，获得他底适当的表现。国家，除掉具象的表现在君主之外，不过是一个抽象。国王，是人格化底国家，是变成人格意志底一般意志，这个是路易十四所谓朕即国家底真意义。然而黑智尔把立宪政体看作最好，就是立宪君主国，是国家底最高形式。

他虽然非难政治上底自由主义，然而赞许民族的自由主义和民族主义。从社会底功利的见地看，充其量，只可以有不同的民族底联邦，瑞士是像这样的联邦底一个例子。但是所谓国家，意指民族。而所谓民族，意指言语、宗教、风俗、习惯、理想一致。违反他底意志，兼并不同的民族底国家，犯违反自然之罪。在像这样的场合，纵然反叛，也合法。政治团体，没有共有底理想，就不可能。什么理想也没有，丧失存在理由底民族，例如法兰西底布勒通（Bretons）族，应当受罚。强有力的民族，代表活理想底国家，常时不断的勃兴，而获得主权。历史，不过是过去底国家和未来底国家之间底不断的斗争。国家底理想，由像这样的胜败，逐渐实现。各民族，对于建设理想国家，增加他底石材。但是各民族，也有他底原罪，叫他和理想反抗，而且迟早成就他底崩溃。每一国家，从某一方面，代表这个理想，但是没有一国充分实现他，所以没有一国是永存的。像论理上底概念一样，各民族，轮流被其他的民族所败，而用更发展和更扩大的形态，把他们底政治理想和他们底文明，让与他们底继承人，就是新兴的民族，完成他底使命；离开世界底舞台而去。

战争，由文明底进步，减少他底残酷性。但是在调整过和修改过底形式之下，他将要继续做政治的进步底必要手段。我们不再把他看作出于君主一个人底私意，而看作理想发展底无可避免的危机。到十九世纪，才自觉为理想而战争底意义，从前是从情热来底冲突，现在是为主义底战争。所谓一种民族，被其他的民族所征服；意思是那个民族所代表底思想，比优胜民族所代表底思想低劣。战胜国家，比战败国家，更近于理想国家。这个战胜底事实，就足以证明这一点。他底胜利，是谴责战败国家所代表底主义，是神底审判。像诗人席勒尔曾经说过：世界历史，是神底审判。

上来所述底国家论，是历史哲学底一部。黑智尔在他底最有特色的著作《历史哲学》里面，更绵亘人类底全历史，探究全拥抱的绝对观念底表现过程。历史，意指合理的自由意识底进步，他是叫没有制御底自然的意志，顺从一般意志底训练。

黑智尔把历史分做四大时期。一东方底专制时代，二希腊底民主的共和制度时代，三罗马底贵族的共和制度时代，四日耳曼族底君主制度时代。第一期，光是君主一个人自由。第二第三两期，光是少数贵族自由。第四期，是民众的自由底时代，在近代底国家，所有的人都自由。政治底最进步的形式，不是专制，不是共和制，是君主制。光是在君主国，所有的人都自由，君主是绝对理性底代表者。

c. 绝对精神

绝对精神，是精神开展底最高阶段。道德的国家，无论如何完全，也不是观念开展底极致。政治，不是精神活动底顶点。自由，是精神底本质，独立是他底生命。就连最完全的国家，也不能够实现自由。无论是立宪制，共和制，毕竟是一个牢狱，精神不能够无条件的服从精神以外底任何事物。于是他超越政治，进入艺术、宗教、科学底自由领域。然而他不排除国家、社会、家族。艺术，宗教，学问，只在强有力的国家保护之下发展。恰巧像无机有机底世界，同时存在，做最高的生命底基础一样；在精神的自由底发展，从自由被一切所要求底事实，发生底权利，财产，刑法，家族，社会，国家；做他底基础。就是灵魂底深处，发生自由底要求。从自由被一切人所要求底事实，发生权利，财产，刑法。而各种道德的制度就是家族，社会，国家；又建立在这个权利底坚固的基础上。这个建筑物底较高的层楼，先要有坚固的下层，破坏他们底下层建筑，上层建筑，就丧失坚固性。人最初是个人（主观精神），局踏在他底天生的利己主义里面，然后从他自己浮出，在别人里面，发见他自己。他构成社会和国家（客观精神），最后复归到他自己。他在他底存在底根柢，发现艺术底理想，就是美；宗教底理想，就是神；哲学底理想，就是真理。在这个三重理想就是最高自立底实现里面，他变成绝对精神。

在艺术里面，精神豫先享受科学为他留存底征服自然，就是对于外世界底胜利。艺术家底思想和他底对象，人类底灵魂和无限，融合；天国下降，进入灵魂里面，灵魂被携带到天国。天才是神底呼吸，是神底灵感。宗教，反抗艺术所预想底泛神观，显示超越的实在，就是神。这个超越的实在，不是天才所能够到达。由承认无限和有限底对立，宗教，在表面上，好像复归到外的羁绊。然而在实际上，他是精神底必然的危机，他叫精神在羁绊之下挣扎，发展他底力量，去接近神。完全的宗教，在耶稣基督里面，发见有限和无限底统一，而豫想精神底最高发展，就是哲学。哲学，实现艺术和宗教所预想。艺术和宗教，从感情和想象发生。科学，是纯粹理性底胜利。精神，由理解宇宙，把他自己从宇宙解放。自然和他底势力，国家和他底制度，他只是目前似乎像一种残酷无情的命运一般；一到精神在自然里面，发见理性底工作，就是他自己底工作；和把社会以及政治制度，看作住在他自己里面底道德的威权（客观精神）所反映；立即改变面目。假如每一实在的事物，都是合理的；理性就除他自己以外，没有其他的法则。在这个普遍的生命底顶点，自我和宇宙，永久结合。

绝对精神，用三种形式，去把他自己表现：一艺术，二宗教，三哲学。就是绝对精神，在艺术里面，用直观底形式，表现他底本质，就是真理。在宗教里面，用表象或者想象底形式；在哲学里面，用概念就是纯粹论理的思维底形式表现。绝对精神，不外乎把主观客观综合底最普遍的发现。而像这样的绝对精神底发现，是艺术宗教哲学三种底世界。艺术宗教哲学，就不外乎绝对精神——理性底最高活动——底活动。像这样，把艺术宗教哲学，放在现实的道德和实生活上。

（一）艺　术　绝对精神底第一步，是艺术。艺术是精神对于物质底预想的胜利，是观念透入物质，而依他底想象，去把物质改造。但是观念所使用，去把他自己体现底物质；有易驯和难治底分别。因此，艺术就是美术底形式，各各不同。艺术底最低阶段，是建筑。在建筑，观念还不能够完全征服他所使用底物质，就是不能够充分驱使他所使用底材料。建筑不过是一种象征艺术，只暗示观念，没有直接表现他。从金字塔到大礼拜堂，他暗示天空底宏漠的雄大和威压，端正和严肃，沉默的庄严，力底静穆，无限者底不动情态。然而不能够表现生命底千态万状，和实在底千变万化的美。进一步把观念充分表现的，是雕刻。雕刻使用和建筑相同底材料，然而自由驱使他，更把他精神化，连外形底微细的地方，都于观念有所裨益，他是观念底直接表现，和观念底直接启示。雕刻是观念和形式完全调和一致底艺术。但是雕刻还不能够把灵魂显示肉眼。雕刻还是三次元的。到绘画和音乐，渐次减少物质性，变成观念的。绘画，离开雕刻底感觉的形体性，接近心情底内面性。绘画底材料，已经不是三次元底物体，是平面。深度，由背景产生又精神化。虽然，绘画，只能够表现生命底一瞬间，固定不动，精神还被物质和延长所束缚。因为这种特质底缘故，绘画和建筑、雕刻，同属于客观艺术。

绘画为接近心情底内面性，把雕刻底三次元性，还原到二次元。然而音乐完全放弃空间性，跑到人性本身当中。音乐，是精神的主观艺术，他能够把人类灵魂底最内的本质，感情底无限的转变，如实再现。他是建筑、雕刻、绘画底反对，也是不完全的艺术。在完全的艺术当中，不能够有极端的东西。他是一切矛盾底综合，是音乐世界和客观的艺术世界底调和，这个艺术底艺术，是诗歌。诗歌拿言语做工具，所以是凡事凡物都能够表现，凡事凡物都能够创造底普遍艺术。雕刻，像建筑一样，用最粗粝的物质做材料。然而他叫大理石精神化，他拿生命和智慧给大理石块。诗歌，和音乐同样，使用音声。但是在音乐里面，音声和他所表现底感情一样，暧昧不确定。然而当供诗歌底使用，他变成明了确定的言语。就是在音乐，表现人性底音声，他自身是不确定的，他所表现底内容，不免是抽象的普遍。和这个相对，言语有限定的性质，言语艺术就是诗歌所表现，是具体的普遍。在诗歌，精神完全离开外的存在性，回到自己底具体的普遍性。因而在音乐，音声不过是一种象征。一篇乐曲，像一种教化一样，容易感觉许多不同的解释。至于诗歌，却叫音声全然从属观念。建筑，只暗示在星底那边统治天界底神性。雕刻，把神带到地上来。音乐，叫无限者在感情当中浮动。诗歌，把所谓自然和历史底无边的领域，奉献无限者。诗歌，像感动诗人底神一样，是全能，是无尽藏。

雕刻和诗歌，叫观念下降到现实里面，是泛神的艺术。建筑和音乐，是超越的，一神的。所以建筑和音乐，是宗教底忠实的部下。雕刻、绘画和诗歌，虽然也被登记入宗教的信仰底服役名册，却不很帖然就范的事奉他。雕刻是异教的，因为他包含泛神的意味。所以神底雕像，被摩西教（Mosaism）和严格的新教所非难。诗歌，在宗教底领域之外，庆祝他底伟大的胜利。像莎士比亚和歌德，并不是比索福客俪（Sophocles）和品得

（Pindar），更是基督教的。近代的宗教诗，似乎被干燥无味所苦。那是因为伟大的诗歌，是神的和人的元素底极亲密的融合，以致于超越的神观，被他所抹杀缘故。诗歌，是一切艺术底缩图和精髓。他建筑，雕刻，绘画，歌唱。他就是建筑，就是雕刻，就是绘画，就是音乐。所以他是一切艺术底综合。

诗歌，可以区别做叙事诗（正），抒情诗（反），剧诗（合）三个阶段。叙事诗，叙说客观的事件，和建筑、雕刻、绘画，尤其是金字塔相当；代表诗歌底儿童期。他像儿童底想象一般，是喋喋多言的，是装潢美丽的，是充满惊异的。又像生命底初年一般，无定限的长。抒情诗，是主观底端的告白，和音乐相当。叙事诗，像客观的艺术一般，爱描写自然和他底奇迹，历史和他底光荣。抒情诗，回归叫作人类灵魂底不可见的主观世界。所以两种都是极端的和不完全的。把两种世界调和底完全的艺术，就是诗歌当中底诗歌；是剧诗。剧诗根据性格和目的，描写人们底行为底冲突葛藤。结果，表现主观的内面性和客观的事件两侧面。单是在文化人中间繁茂底戏剧，再现历史，自然，和人类底灵魂，连带他底热情情绪和葛藤。剧诗，就是叙事诗和抒情诗两种要素底辩证法的统一，又是绝对精神本身底具体的发现，是全艺术体系完成底顶点。

他把艺术底发展，分类做三个阶段：第一象征的艺术，第二古典的艺术，第三浪漫的艺术。他把这三个阶段，用观念和感性（现象）底关系说明。第一象征的艺术，是古代东方底庄严的宗教艺术，就是建筑。象征主义，属于艺术史上最幼稚的时代。在这个时代，人类去自然的生物不很远，精神差不多完全被埋没在物质之间，人在这个无限的天地间，不过是块然的一小动物。世界，在他，是视听触底世界，他只敬畏他底广大和神秘。于是想用拟人法去说明世界，而想用一个象征去把这个概念表现底艺术生起。埃及、亚述（Assyria）、印度底古代艺术，都属于他。他底特性，是物质凌驾精神。就是东方古代底艺术，都属于象征主义。他欢喜寓言和譬喻。他和自己说明自己底希腊杰作不同。他底作品，必须加以解释，而且可以加以种种不同的解释。他不能够战胜物质，他轻蔑形态、精巧和详细，爱好讽刺、夸张和巨大。他底作品，显示他对于无限和不可测底偏爱。在这个阶段，是美底感性的材料，力图到达观念底状态。观念，不过只被暗示，被指示。

第二古典的艺术，不消说，是古代希腊底雕刻。在象征时代，人犹如在暗中摸捉。对于自己底理想，没有明划的意识，因而无从求足以发表自家底适当的对境，仅仅用象征去安慰他底心灵。虽然，自己底精神，和围绕自己底自然，完全不同；于是在某种范围以内，主张精神底自由。对于自然底抑压，维持他底独立。艺术底历史上，代表这个时期的，是希腊。在希腊艺术，象征主义，被直接表现取而代之。全观念下降到形态里面。在这里，观念和感性，不思议的调和一致。感性和理性，自然和精神，客观和主观，现象和神性，都微妙的调和又均衡。希腊底神，是希腊人底理想的模型。而希腊人，是对于自然，维持精神底自由，在这两种底调和当中，求人生底理想底人民。虽然，在这个时代，精神底发达还幼稚，还没有凌驾自然而支配他。所以希腊底神，不免受种种自然的束缚。奥林帕斯（Olympus）底最上神，也去全能很远。物质力，虽然到某程度，被神力所左右。然而仍然不丧失精神以外俨然的存在。纵然是神，也不能够奈何这个自然底势力。而且宿命也支配神。然而神不但是运命底奴隶，而且在人类底制约之下存在，丝毫和人类自己无异。

希腊艺术，纵然是崇高的，而且几乎是人力所不及的圆满无缺，也是偏颇的不完全的，观念完全贯入物质，结局，不能够和他辨别，成为外形美底牺牲。这个缺点，在基督教艺术，被加以修正。

第三浪漫的艺术，就是基督教艺术。在东方艺术，自然有绝对的势力，精神屏息不出现。在希腊艺术，精神和自然融合，保持均衡。虽然，本来自由的精神，非完全脱离自然底束缚，翻过来做自然底支配者，不甘心。于是迎接浪漫主义底新理想基督教的或者浪漫的艺术，做一句说，就是精神支配自然底艺术。基督教把艺术，从在他里面艺术曾经丧失他自己底可见的世界召回，叫他复归于理想世界，就是他底真正的家庭。在福音底感化之下，美底观念，被精神化。物质美底礼赞，让路给道德美、纯结和神圣底崇拜。圣母马利底崇拜，接替维那（Venus）底祭典。基督教的或者浪漫的艺术，并不排斥物质美，但是叫他隶属精神美（超越美）。然而物质的形态，毕竟不适于道德理想。最完成的杰作，不能够叫基督教艺术家满足。他所梦想底圣母，永久的乐园，天界底音乐，和神的生活；简单说，就是他底理想，更美丽。像这样的美丽，实在不是雕刀、画笔、乐弓等物质所能够表现。因此，基督教艺术，对于他底表现力，觉得失望。末了再陷于鄙弃形式和过度的精神主义。这个是浪漫主义底长处，也就是他底短处。

（二）宗　教　人在艺术的灵感底瞬间，虽然感觉和无限者一致，就是把他自己看作和神同体。然而当他来把物质的形态，给与自己底理想；就是他想把他底理想，用物质的形态来表现底时候；就即刻发现他底没有力量。于是宗教从艺术发生。原始艺术，是宗教的。自然宗教，是艺术的。崇拜偶像，是宗教和艺术底连环。宗教想用表象底形式，捕捉绝对。然而绝对是绝对，不能够假借物质。后来宗教觉知他自己，破弃偶像，把他自己从艺术解放。圣书非难崇拜偶像，是他承认人没有用物质表现无限底力量缘故。他禁止石头做的偶像，是承认观念除他自己没有适当的形态缘故。但是他虽然禁止我们描写不可见者就是神，然而不阻止我们对我们自己描写他。他禁止外面的想象，就是把神移到外物；然而不阻止在心里表象神，就是他不禁止想象本身，和想象用他去充塞精神底观念。事实，宗教底本质，是表象。艺术也表现无限，然而宗教把他表象做人格的而超世界的实在。拟人观，是他底特征在美的感情当中业经融合底有限和无限，尘世和天国；在宗教思想当中，重行分离。人降下地，神升上天。距离如此之高又如此之远，他为和人世间通消息，需要天使服务。宗教是二元的，但是他底二元当中，没有究极的事物。他把天和地分离，只是想把他们结合。他把人和神分离，只是想把他们调和。宗教底主要的要素，就是无限的神，必死的人，和他们底关系，在宗教史里面，以次展开。

一切宗教底内容，不外乎精神脱离一切矛盾，去和绝对融合底过程。虽然，宗教也有东方底自然的宗教，希腊罗马底多神的宗教，和启示的宗教就是基督教；三个阶段。在东方底宗教里面，无限底观念，占优势。他们底显著的特征，是泛神论，是超宗教的泛神论。虽然，他底意义，和无宇宙论相同；而且可以用几句话概括，就是神是一切，人是虚无。婆罗门教，是亚细亚泛神论底最完全的表现。摩西底一神论，虽然其他的方面，和印度宗教不同，然而也表示同样的特质。东方底神，对于人底关系；如同东方底王者，对于他们底臣民一样。神是造物主，人是被造物。所以神能够生杀与夺，任意支配他们。神是陶工，人是陶器。人们底自由和任意，都不是问题。意志行为，都从神来。神不管是善是恶，注定一切。人全然无能，而悲哀的自弃。湿婆神（Siva 印度），摩洛神（Moloch 闪族），和萨腾神（Saturn 罗马），啖食他们自己底儿女。就算这个事不发生，他们儿女，也知道他们底存在，是神所不悦，毁灭自己，或者忍受缓慢的痛苦，或者绝对舍弃他们底人格。

希腊，爱好有限和形态。他底宗教，和他底天空一样晴朗，和环绕他底氛围气一样透明照耀。神和人融合，艺术和人性底崇拜一致。他底神，是人底权力、智慧和美丽底理想化，是被扩大底人。他底神，是相对的存在。这个神话的天界，虽然永远的青春辉耀，然而实际上也隶属运命底支配。这个诗人所高唱底运命，和东方宗教底无限者类似，他像莎士比亚底鬼怪一样，出没多神教底世界。

东方宣言无限和抽象底宗教，希腊崇拜有限，这两极端，被基督教所调和。神和人底具体的统一，就是基督教所启示底神，不像东方宗教底神，是无限的存在；也不像异教底神，是有限的存在。绝对神，从他底宝座下降，进入有限的世界，生活我们底生活，和我们一样受难和就死，然后从死复活，进入他底荣光。基督教，是包容一切宗教而且同时把他纯化和完成底综合，就是绝对的宗教。

（三）哲　学　艺术，宗教，哲学，虽然都是绝对精神底发现，但是在艺术和宗教底阶段，绝对精神，还没有十分完全。艺术，用直观底形式，表现绝对精神；宗教用感情和表象底形式，表现他。然而绝对就是理性，元来是论理的。所以绝对精神，用概念底形式开展底时候；才可以说是最完全的发现。这就是哲学。用概念底形式表现他的、是哲学；缘故。所以依黑智尔底学说，哲学，是绝对精神发现底最高阶段。因而哲学是最高最完全的真理。

基督教底教理，是用表象形式表现底真理。内含在理性底发展当中底三个阶段，就是观念，自然，精神；变成三位。无限和有限，在人们底意识当中，合而为一。在这个形式，教理不是真理底适当表现。况且他被外的权威，从中把持。然而精神，在本质上，是自由的。所以到达他底发展底顶点，就抛弃表象的教理，采取合理的形式，进到更高的阶段，这就是哲学。福音和哲学，内容相同，但是容器不一样。在基督教徒，他是想象。在哲学者，他是理性。哲学的真理，是用概念底形式表现底宗教的真理。在这里，绝对观念，变成绝对精神，绝对自意识。就是绝对，在哲学，到达最完全的自己认识。

然而哲学要想到达充分的真理，也必须等待历史的发展。哲学史，和一般历史同样，再现观念展开底过程，就是再现范畴底全体系。例如埃里亚学派，是有（存在）底哲学；赫拉颉利图斯，是生成就是转化底哲学；而德谟颉利图底原子论，是个性底哲学。像这样，到黑智尔底绝对的观念论，哲学到达完全的发展。

现在把黑智尔哲学底辩证的就是对演的展开，约略图示像下面：

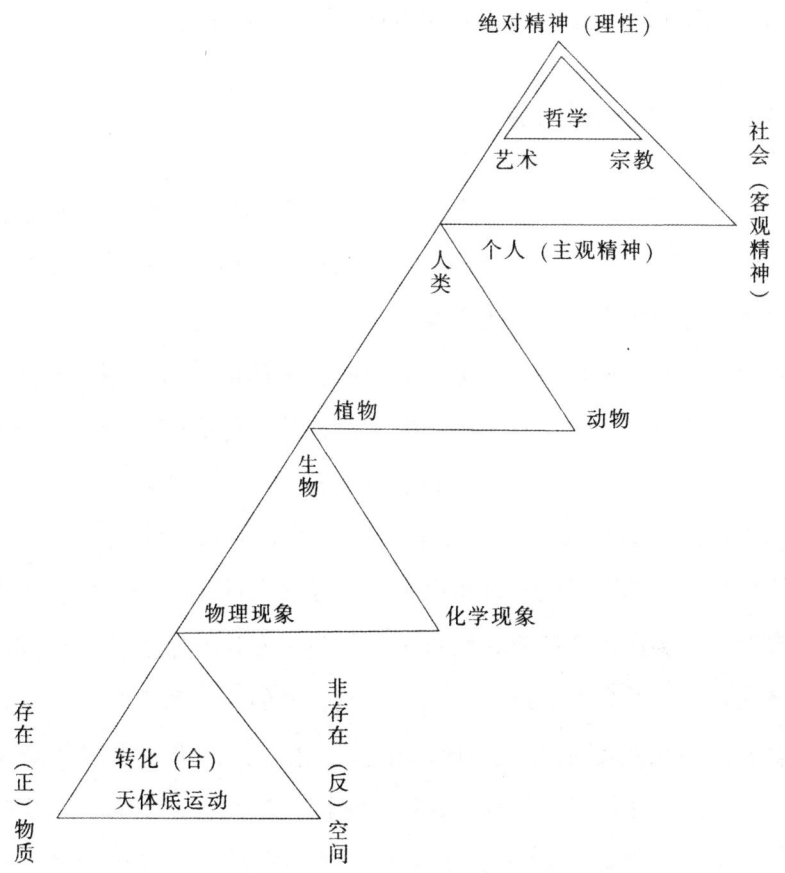

　　黑智尔底哲学，在把一切都看作绝对观念底发现，拿一个中心思想做根据，去试作全学术底包含最丰富的结合；他是哲学史上未曾有底努力。康德以来，没有像他拿像这样有力的一种动力，给予近代思想的。法理学，政治学，伦理学，神学，美学，一切精神的学问底研究；无一不受他底影响。

　　由黑智尔底刺戟，哲学史和宗教史底研究盛起。大哲学史家特棱得楞堡（Trendelenburg），李忒（Ritter），布蓝狄斯（Brandis），爱尔特曼（Erdmann），宰拉（Zeller），斐西耶（Kuno Fischer），文德尔班和宗教史家普夫来得勒（O. Pfleiderer）都从他底学派产生。

费儿巴黑和马克斯，是黑智尔派底左翼，倾向唯物论。

七 黑智尔底反对者

黑智尔底哲学，从一千八百二十年到一千八百四十年，他底逝世前后二十年间，风靡全德意志，掌握学界底霸权。然而不久就分裂衰颓。而他底反对者，在他生存当中，也不少。

黑智尔反对者底极端的，把所有形而上学都排斥做无用的理解。新德国运动，都努力攻击他底观念论，他底泛神论，他底唯理论，和他底先验的方法。就中重要的反对者，是赫尔巴特和叔本华。他们都于自然科学有兴味，都在经验的事实里面，寻求他们思想底根柢。他们都建立形而上学，然而赫尔巴特，复归于来布尼兹，倡导多元的实在论。他在提倡多元论和唯物论、实在论底地方，反对黑智尔底一元论和唯心论。叔本华倡导和谢林底自然哲学相类底泛神论的观念论，又倡导和斐希特底哲学以及谢林后期底哲学相类底主意说。他由主张主意主义，排斥黑智尔底论理主义。这两个人，在他们底性格，在世界观同人生观，差不多什么类似的地方也没有。但是在以康德哲学复兴者自任底地方，却互相一致。赫尔巴特，自称一千八百二十八年底康德学徒。叔本华，自称康德底真正的继承人。

八 赫尔巴特

赫尔巴特（Johann Friedrich Herbart），是德国底哲学者，教育学者。以一千七百七十六年，生在鄂尔敦堡（Oldenburg）。幼而颖悟，还没有进耶拿大学以前，已经通晓服尔夫同康德底哲学。后来进耶拿，受教于斐希特。卒业后，在瑞士，当家庭教师。那个时候，和有名的教育家斐斯塔洛齐（Pestalozzi）结交。一千八百零二年，充任格丁根（Göttingen）大学讲师。一千八百零五年，升充额外教授。一千八百零九年，转到哥尼斯堡大学，继承康德所曾经担任底讲座。一千八百三十三年，重行回到格丁根，充任教授。一千八百四十一年，去世。

他底主要的著作，是《一般形而上学》（Allgemeine Metaphysik），《科学的心理学》（Psychologie als Wissenschaft），《一般教育学》（Allgemeine Pädagogik）。他最长于教育学，心理学在其次，形而上学又在其次。

康德底批判哲学，虽然在唯理派底哲学当中，特别占重要的地位；然而还不可以说是充分圆熟，具备种种的方面，同时包含种种的疑问。所以康德以后底哲学者，随便采取他底那一方面，去研究他，发展他，各自称光是我传承康德底真意。虽然，他们多半采取唯心论。所谓斐希特，所谓谢林，所谓黑智尔，都这样。就是这个时期底三大思想家，尽管有许多的相异点，然而有下面两个共通的特色。（一）他们都采取一元论。换句话说，就是用唯一的根本原理，解释世界。（二）他们都采取唯心论。换句话说，就是拿理性做根本原理。单独从经验论出发，发展实在论，追溯来布尼兹底单子论乃至远到希腊底原子论，把他和康德底学说调和，去完成自家底学说的，是赫尔巴特。

（1）实在论　哲学底任务（概念底修整）　哲学底问题

赫尔巴特底著作，有独自的坛场，他底主要的特质，是系统的反对黑智尔底原理方法和结论。事物，并非只是我们底思维，他们离开思维他们底理性，有独自的存在（实在论）。所以哲学底问题，不是构成宇宙，是照实接受他，说明他。观察和经验，是思索所必不可少底基础，不拿科学底实证做基础底哲学，是空洞的。哲学底任务，是把经验和科学底一般概念，用形式论理审查，叫他们底意义明了精确，除去他们所包含底矛盾撞着，把各种概念分析、比较、调和。就是哲学不可不从经验出发。然而经验给与许多矛盾的概念，就是经验充满矛盾。虽然包含矛盾，然而那些概念，不能够完全排斥。什么缘故呢？是经验所与缘故。又不能够就这样弃置。什么缘故呢？矛盾，违背论理底法则，因而不能够思维缘故。经验的概念，在经验上妥当，同时在论理上不合。所以我们不可不把他修整，而除去他底矛盾。哲学底任务，实在是概念底修整（Bearbeitung der Begriffe）。黑智尔以为矛盾是思维和事物底本质，擅自废弃论理学底矛盾原理。黑智尔底奇论（Paradox）就是包含矛盾底调和，并不是一种解决法。赫尔巴特，复兴论理学底矛盾原理。论理学，在发见似乎单纯明了的概念底难点矛盾，例如物、变化、原因、自我等概念，似乎单纯明了，然而包含一窝的矛盾。普通所谓物体，是许多性质底复合体。就金子说，金子是综合重量、黄色、可熔性等性质的。一物就是多物，一就是多。又变化，转化，转动；意指是有同时是无。原因底概念也同样，被某种原因所改变底事物，和以前是同一物，又不是同一物。最后自我底概念，附着许多矛盾的性质，把自我看作单一，是矛盾。像这样相反底有和非有，一和多，肯定和否定底混乱，他如何能够除去呢？这个是哲学底问题。

（2）形而上学

赫尔巴特，在他底形而上学，想解决像上面底问题。他采取康德经验只显示现象底教义，以为现象底存在，不能够怀疑。像无论什么怀疑论者，也不能够怀疑怀疑底存在一样；纵然事物底存在，可以怀疑；然而所谓似乎存在底事实（现象），不能够怀疑。假如任何事物都不存在，就连似乎存在，也不可能。现象暗示实在。没有实在，现象也没有存在之理。所以物自体，虽然不能够直接认识他，然而能够间接认识他。虽然，实在是不是在时空上而被因果底结子所连结呢？那是疑问。我们所看见底现象世界，像已经说过，是矛盾底世界，是有许多的性质和变化底世界。矛盾混乱，从有限关系底概念来。依赫尔巴特，实在不容许什么否定、界限。所有的事物，和他自己同一，是绝对的一。承认事物有种种的性质和变化，那已经是矛盾。就是事物是单纯，不变，常恒的存在，没有延长，绝对，不可分。只有一种性质，不是时空上底存在。然而事物假如是单纯不变的实体，如何说明复杂变化的幻觉呢？就是什么缘故，我们有复杂变化的幻觉呢？什么缘故，我们所经验底事物，似乎有许多的性质变化呢？这个光是用有无数单纯不变的众多的实在底假定，能够解释。所以赫尔巴特底实在，和来布尼兹底单子相近。然而单子拥抱许多的性质和变化发展底原理。赫尔巴特底实在，绝对单纯，只有一种性质，他们不受内部的变化。他们是不变的。一事物，似乎有许多的性质。其实不然，他不外乎许多的实在底积集。实在是没有延长底实体，所以无数的实在相重，合成一事物底现象。就是某种实在，互相作某种结合，作某种关系，就产生某种现象。所谓事物，有许多的性质，所以我们不可不承认有许多的实在。就是感官所知觉底对象，他有许多的性质，就包含许多的实在。所谓变化，不是实在自己变化，不过是实在和实在就是单子和单子中间底交互关系，不断的变化。就是所谓变化，是实在底去来；而所谓事物改变他底性质，不外乎改变组织他底实在，就是单子底关系。同一线条，能够变做一圆底半径，也能够变做他圆底切线。同一植物，能够变做毒物，也能够变做药剂。他由于不同的关系。实在，是单纯的，绝对静止的，丝毫没有变化生成，只有保存自己底倾向。所以同质的实在，在同一点上，保持安静。然而异质的实在（单子）中间，不免冲突。各单子，力图排除异质或者反质的单子，维持自己底单纯不变的本质，于是产生矛盾搅乱。这种情况，在我们，就是现象，所以现象不外乎第二次的性质。

（3）心理学

赫尔巴特底心理学，是形而上学底一部，是唯理的心理学，建立在经验、形而上学和数学上。灵魂，是单纯，绝对，没有时间空间底实在（单子）；因而他不是像当时底能力心理学者所说，有种种的能力；只有一种把自己底独自性保存底倾向。然而他底唯一的能力，由和同质异质或者反质的单子冲突，发现做许多种不同的能力。从像这样的冲突，发生思维。一自我和其他自我不同，又发展底程度不同；由于像身体机关底外面的条件。思维，依照对象底性质，无限的变化。因而知觉无限的差异。自意识，就是叫作自我底实在，对于其他的实在底各种关系底总计。所以内观不是灵魂底本质，他从自我和其他的实在（主和客）底冲突产生；假如灵魂单独，就不是思维，不是感情，也不是意志。感情，是被其他强烈的思维所抑制底思维。意志，也不外乎一种思维（斯宾挪莎）。所谓道德的自由，是反省的思维，支配感情。保持均衡，他被和物理的法则同样的法则所支配。精神生活，是被加以数学的决定底机械的现象，没有自由意志。

精神生活底基础，不是所谓自己同一的自我，就是自意识的人格；是灵的实体（单子）。自我，不能够同时是认识主体，又是被认识客体。自意识，比对于他我和他物底意识，发生在后。斐希特底纯粹我，不外乎抽象。赫尔巴特底心理学底特征，是把表象看作精神生活底基础能力，重视统觉，联想，交互作用。

（4）美　学

形而上学，是论实在底学问。美学，和他不同，处理价值。理论的判断，和美丑、赞赏非难底判断不同。价值判断，属于美学。就是美学底问题，是考查那些判断底对象，发见给与快不快的。事物底形态的关系，唤起美丑、赞赏非难底判断。实践哲学，是美学底一部，处理道德美。在这里，我们赞赏非难意志底某种关系。

赫尔巴特底哲学，和黑智尔底自己活动的实在，绝对相反；而结局不过是建立没有生命底抽象的实在。重视关系，叫实在自身底本质，变成空虚。他用粉末的宇宙观排击底一元论，不久用其他的内容复活。叔本华底哲学，是思辨和实证知识中间底中道，拿很大的影响，给近代德国哲学。

九　叔本华

一千八百三十年前后，歌德，黑智尔，贝多芬，相继逝世，德国文化底光华灿烂的时代，已经过去。欧洲底天地，被法国革命（一千七百八十九年）和拿破仑战争所蹂躏，民众非常疲敝。十九世纪底初头，产生许多悲观的天才，像摆伦（Byron），海涅（Heine），普式金（Pushkin），叔柏特（Schubart），叔曼（Schumann），勺旁（Chopin）等就是。叔本华，也是其中底一个。

叔本华（Arthur Shcopenhauer），是德国有数的哲学者，唱导非理性的观念论。以一千七百八十八年，生在普鲁士底但泽（Danzie）。他底父亲，是富有的银行家。母亲叫作佐罕那·叔本华（Jahanna Schopenhauer），是当时知名的小说家。叔本华幼时，家族移住汉堡（Hamburg）。九岁，跟随他底父母，旅行比、法、英、瑞（瑞士）、德等国。起初，依父亲底意思，从事商业。父亲死后，十九岁底时候，才得到委身学问底机会。二十一岁，进格丁根大学（1809—1811），修习医学。他通晓自然科学，完全由于有这个素养。既而在怀疑论者叔尔测（Schulze）底指导之下，修习哲学，依他底劝告，专门研究柏拉图、康德两家。后两年，转到柏林大学（1811—1813），列席斐希特和诗莱尔马哈底讲筵，起初很为倾听斐希特底讲演，然而渐次不满意他。一千八百十三年，退隐威马尔，起草博士论文，得博士学位。在威马尔时期，和歌德交游。第二年，获得印度底古圣典优婆尼杀昙（Upanisad）奥义书，因为他和自己所怀抱底厌世思想契合，热心研究他。他底哲学思想，为之一变。他静居德勒斯登（Dresden），专门从事著作。他底杰作《意志和表象底世界》底第一卷，就是这个时候所著。一千八百二十年，回德国，充任柏林大学底讲师，开哲学底讲筵。这个时候，黑智尔也充任柏林大学底教授。他想压倒这个学说上同性格上底劲敌，特意选同一的时间讲学，然而没有成功。于是他愤慨之极，詈骂黑智尔，谢林，斐希特等。他骂黑智尔是曲学阿世之徒，把他看作毕生底仇敌。其后重行在柏林大学，执教鞭，也没有成功。从此以后，专门尽力著作。一千八百三十一年，躲避流行底虎列拉，逃出柏林，退隐法兰克福。从一千八百四十四年，五年光景，他底价值，逐渐被世人所认识。"法兰克福底哲人"底声誉，逐渐高起来。一千八百六十年，以七十二岁底高龄，死在光荣之中。

他底文章流丽，思想明晰。他底哲学，是护持浪漫派底立脚地，然而巧妙的采取新时代底科学，继承柏拉图底理型论、康德底认识论，加上印度底泛神论的思想和厌世思想，所构成。

他委身哲学，没有朋友，没有家，没有妻子。他底厌世观，当时很受欢迎，相信他而自杀的不少。

他底主要的著作，是《充足理由底四根》（*Über die Vierfache Wurzel des Satzes vom Zureichenden Grunde*），《意志和表象底世界》（*Die Welt als Wille und Vorstellung*），《自然底意志》（*Über den Willen in der Natur*）等。

（1）叔本华底立场——主意主义——意志和表象底世界

叔本华底立场，是主意主义，又非合理主义。依他，世界是自己底表象。然而自意识底基础，是意志（Wille，will）。所以万物是意志底发现。简约说，就是叔本华拿盲目的非理性的意志，做世界底本质。

叔本华底主著意志和表象底世界，遵奉康德底观念主义，劈头揭载世界是我底表象。然而他不否认世界底实在。他区别离开我底感觉和思维底世界自体，和我所看见所思维底现象世界。现象界，是我底主观所产生。假如我底构造不同，现象就也将要不同，至少也将要似乎不同。把世界当作实在看待，他就离开我而存在。但是把他当作感性悟性底对象就是现象看待，他就依据认识他底我（主观），他就是我和思维底先验的条件所创造。然而现象底背后，有不依据我们底实在，绝对，物自体，是意识所确认。康德承认思维底先验的范畴，也不能够把握他。理性所能够到达，只是现象界。就是依康德，世界底本体，是不可知的。我们所知觉底世界，是现象界。我们不能够用理智的直观，和物自体对面。因而除掉所谓他存在之外，丝毫不能够知道他。精神，空间，时间，因果等形式，于他都不能够适用。虽然，我们自身所具有底知觉，不是至少也拿物自体底映象给我们么？假如我们单是主体，那就无疑的不能够知道客体底本质。然而我是我底思维底主体，又是我底思维底客体，像我是别人底思维底客体（对象）一样。我自觉我是许多物象当中底一个物象（客体）。像这样于是思维主体和物自体中间底空隙，得到部分的架桥。把所谓我（主体）是客体底命题变换，客体（全物象，全客观世界）就是我。可以说是他底本质，和我底本质类似。所以我们有根据我们在我们自己里面所发见，去判断事物底权利。但是我们必须审实在我们里面所发见，是不是确实是真正本质的，原始的，基本的。依笛卡尔，斯宾挪莎，来布尼兹，黑智尔和所有的唯理论者，这个本质，是思维，是智力。万物有某程度底思维和感觉。但是这个假定，经验并没有证实。依叔本华，我们自己里面底本质，是意志。思维不过是附随意志底第二次的现象。自己底本质，就也是一切事物底本质。于是他由类推，把自己底本质，推扩到世界一般。我底本质，是意志。宇宙，本质上，也不外乎把他自己客观化（具象化）而变成身体，或者现实的存在底意志。

在这个地方，叔本华底思想，和康德底思想不同。他说诚然假如我不过是理智的存在，就只知觉用空间时间和因果关系排列底现象。虽然，我在自己底最内的意识当中，和我底真实的自己对面，在这个活动意识当中，觉知物自体。就是物自体是意志，他是超越时间、空间、因果底原始的活动，表现做冲动、本能、努力、欲求。我又把自己看作一种现象，一部分的自然，想象自己是有延长底有机的身体。就是我把自己看作意志和肉体两样。然而他是一个意志，他在自意识，呈现做活动意识。在知觉，呈现做物质的身体。换句话说，就是意志，是我底真我。身体，是意志底表现。就是我底意志，客观化做身体，表现做活有机体。而我由我底身体所知觉底一切万象，他和我底身体一样，是和我底意志类似底意志所产生。这个意志，是一切存存的事物底原理。司理血液底循环、消化和分泌等类底神秘的力量，是不和智力连接底纯粹意志。他和刺戟性（在现代语，就是本能冲动）相同，在和智力相连底时候，通称意志和自由意志。他是根据动机而行动底意志，有意识的意志底力量，非常之大。本能的刺戟或者自由行动，尽管他底表现，千差万别；但是在都是意志底地方，却同一。没有有意识无意识底差别，意志不断的我们里面活动。肉体和智力，逐渐疲倦，需要休息。然而意志不屈不挠，纵然在睡眠中，还活动，以至于做梦。身体底各部分，和意志底主要的欲求相应。例如齿、食道、胃，是食欲；生殖器，是生殖欲；手足，是其他间接的欲求——所客观化。就是都是意志底机能所产生。不是有机关而后有机能。是机能产生机关。不是鸟有羽翼，所以飞翔。是想飞翔底意志，产生羽翼。山羊和牛，在他们没有角以前，就抵触。从想抵触底欲望，产生角。野兽，从想吞食食饵底欲望，发达齿爪和筋肉。意志，应他底必要，创造有机体。就是意志，是机构底本源，是创造的进化底中心要素。猛兽和鸷鸟底利齿锐爪，柔弱的动物底敏捷的脚，水鸟底喙，猫头鹰底眼睛，都无不是生活意志底发现。生活意志，是生活底基本原理。

所有这些工具，没有一种足够。意志用更有效的保卫，也就是最有效的保卫，供给他自己，就是理智。就是在人类，这个原始的冲动，变成有意识的，他创造超越鸟兽底各种敏捷的机关就是理智，做他底机关，或者工具。理智，能够把意志藏在虚伪的形态之下，所以是最强大的武器。而在动物，这种意向，常时是明显的，而且常时属于一定的特质。在植物界，我们也发现有无意识的努力又冲动。就是在植物界，意志是无意识的欲求。树木希望阳光，把枝子向上方伸张。又需求水气，把根柢推进土壤。菌，常时发挥可惊的意力。他为想到达阳光，把岩石分裂。生长在地窖里底马铃薯，把他们底幼芽，不错误的转向阳光。这个都无非是盲目的意志底发现，他和动机刺戟人类意志无异。矿物界，在重力和化合等类底现象里，我们发现意志、同情（亲和力）和反感（反拨）底显著的实例。像磁针常指北方，物体常用垂直线落下，都可以证明自然当中有和我们底意志相等底作用。

像这样，一切事物底本质，是意志。然而世界底种种现象，不是各个不同的意志底发现。所有的事物，是同一意志底发现。什么缘故呢？彼此底区别，由时间空间（个体原理）产生。在没有时间空间底本体，没有个体。因而一切归到一。本体是一而一切。埃里亚学派底全一，斯宾挪莎底实体，谢林底绝对；就是叔本华底意志。然而叔本华和泛神论者同样，不把意志看作人格，他把意志看作无意识的力。这个无意识的力，他产生在时空底世界当中生活底个体。就是盲目的意志，是个体化底原理。他自己不被时空因果底法则所拘束，但是他底表现，是在时空因果底系列当中生起底万象；至少也智力在时空因果底系列当中认识他。他不是存在，是求存在底努力，求生底意志。

这个普遍的意志底现象，从最下到最上，作整然的阶段，用离开时间、空间、因果律独立底一定的形相发展。这个定相，是事物底求恒的原型。叔本华仿效柏拉图，把他叫作理型（Idee，和希腊语 Idea 相当底德语）。理型，在无机界，是自然力。在有机界，是动植物底种族。在人界，是个性。自然力，是重力，不可入性，凝固性，流动性，弹性，电力，磁力和化学的力。自然力在某时某处出现底事情，被因果律所规定；然而力本身，不受因果律底支配，常时到处存在。动植物底个体底出现，被刺戟（因果律底一种）所规定；然而种族底典型，在他底支配之外。个性底发现，等待动机（所谓动机，是通过认识底因果律）；然而个性本身，不能够用动机说明。理型，和意志本身相同，永恒不变。单是个体不断的生灭。例如种种有机的种类，是永恒不变的样式，没有变化。属于种类底个体，虽然不断的生灭，然而种类永恒存在。

理型，从最下等的存在，到人类，构成一个上升的阶段。各有机体，代表他底类型，和较低劣的存在争斗，去把他自己底典型美完全表现。意志底不同的类型，为把他自己具体化，为他们所需要底物质、时间、空间，和其他的存在争斗。于是生存竞争生起。这个是自然底特征。就是意志，力图从劣等的典型，进到高等的典型。高等的典型，常时和劣等的典型争斗，征服他之后，才能够占领物质，而变成现象。因而在自然界，到处争斗流行。就中，在动物界，尤其显著。最后，人类征服自然界。然而人类本身之间，又有大争斗。像这样，意志为想进到高等的典型而竞争之间；经过植物，到动物；产生智力，做竞争底手段。就是到了动物，任凭盲目的努力，就像暗夜没有灯火而摸索，站在竞争场里，有落后底恐慌。所以意志为想照明自己底前方而点灯火。这就是智力。就是智力是意志底提灯。智力渐次精巧，到人类，到达他底极点。智力，像这样，完全是意志底奴隶，又是脑髓底作用。脑底思维，犹如胃底消化。表象底世界，和脑同智力一时出现。叔本华，在这个地方，和唯物论者意见相同，然而和他底认识论矛盾。依他底认识论，一切的现象，从而脑，也是智力底产物。然而现在把智力看作脑底作用，从而脑离表象独立。

意志，是永远的存在底欲求，是现象界底无限的本源。有意志就有宇宙。个体虽然生灭去来，但是产生个体底意志，是永恒的。因而我们底本质就是意志，不灭。光是他所表现底各个的形式灭。生死不适用于意志，只适用于他底表现。死，不是悲痛底现象。他和生同样，是宇宙的秩序底必然的循环。自杀，只断绝我底现象的存在，不能够断绝存在底本源。就是自杀，意指破坏意志底各个的表现。不是破坏意志本身。因而真我，就是灵魂，也就是意志；永恒不灭。

（2）厌世观

意志，是所有的生命底无尽的本源，因而也就是所有的罪恶底本源。就是存在意志，生活意志，是一切争斗、悲哀和罪恶底本源。意志所创造底世界，不是来布尼兹所谓可能的最好的世界，实在是最坏的世界。自然充满争斗。在不断的竞争和战斗底世界，种种的盲目意志，互相奋斗，恰巧像小鱼被大鱼所吃。我们单把劣败者底苦难，和优胜者底满足比较，就深信苦痛底总额，超过快乐万万倍。人类底九成，常时为生计和穷困打战。

人生充满不幸，所以没有生活底价值。而人生像这样有不幸苦痛，他从人类意志底本性来。叔本华底意志，像已经说过，是盲目的努力。努力、从缺乏就是苦痛产生。意志是盲目的非理性的，所以没有一定的目的，因而没有究极的满足。一旦苦痛痊愈，新欲求又生起。努力底车轮，又更不得不开始回转。像这样，苦痛没有终极，因而没有界限。我们不能够永远满足，花都有虫。我们恰巧像遇难的船舶底船员，徒然挣扎又挣扎，去挽救他们底疲敝的身体；结局，只是被险恶的波浪卷去。多数人底生命，都不过是不断的为生存竞争——他底奋斗，结局终于失败。我们底每一呼吸，不断的逼迫我们和死对抗，刹那刹那，我们和死打战。虽然，结局，死战胜一切。什么缘故呢？我们出生，已经在死底手里。他不过是在吞食他底食饵之前，暂时玩弄他。然而我们尽我们所能，去延长我们底生命；恰巧像我们知道肥皂球临了必定破裂，而尽我们所能，把他吹大吹长。一生命撞沉之后，意志进入新个体当中，反复和以前相同的过程。多数人底生命，是疲劳的爱慕和苦恼。

历史，不过是一套无穷的残杀，劫掠，阴谋，诈伪。假如你知道他底一页，你就知道他们全部。历史是反复缘故。但丁，聚集这个世界底苦痛，制造真地狱。然而他底天界，什么样的贫弱。这个世界缺乏材料缘故。

又人生是自利的，是卑劣的，所以是罪恶。这个也从意志底本性来。知识和文化底进步，不是把事件改良。他只唤起新需要，只赍与新苦痛和新形态的自利、不道德。所谓道德，像勤劳，忍耐，节约等类；都不外乎美化过的利己主义，不外乎装潢精美的罪恶。除同情或者慈悲（佛教底道德原理）之外，一切的道德，都建立在生存底意志，享乐底意志上。一切的努力，一切的奋斗，他毕竟有什么用处呢？生命是他底目标。但是越完全的生命，就是理智越进步的生命，反而越不幸。就是智慧越多，就悲哀越多。人类所遭受，比无智的兽类，多到无限。笑和泪，是人类特有的现象。

（3）解脱论——艺术——伦理——宗教

叔本华，最后说从像这样的苦恼和争斗底世界解脱底方法。人生是苦痛底牢狱。在我们，最紧急的问题，是脱离这个牢狱营为幸福的生活。如何就能够脱离这个充满苦痛底最坏的世界呢？把我们系在苦痛底牢狱的，是我们底生活意志。假如否定生活意志，我们就能够免除这个苦痛。就是自利的意志，是一切罪恶底根柢，是一切悲痛底本源。要想享受幸福，必须否定意志，制止他底自利的欲望。否定意志，有种种的方法。艺术的或者哲学的天才，能够脱离自利的意志，忘却自我，把自我没入美的考虑或者哲学的思维。离开一切个人的利害得失底念头，纯粹只为直观而直观，是艺术的态度。在他，意志，是绝对的物自体，又是一切流转的现象底本体。而美是超感性的理型底直观。理型，是意志底客观化，是超越时空、因果底超自然的实在。直观像这样的理型，就能够直观所谓意志底物自体，艺术，纯粹是像这样的理型底直观。所以所谓美，就不外乎理型底直观。理型，是超自然的概念，所以不能够由依赖普通的因果律底认识去直观。艺术的直观，是一种特别的绝对的直观——领会超自然底一种不可思议的直观。像这样的绝对的直观，如何可能呢？依叔本华底说明，艺术的态度，是离开一切利害得失底念头就是离开一切意志底支配底独得无二的境地。我们纵然是一时的，然而能够离开意欲底支配，光是在纯粹艺术底境地。在像这样的境地，我们采取和普通完全不同的态度。就是我们完全离开自我，直观理型。就是进入一种绝对的超自然的认识境。所谓艺术底绝对境，不外乎像这样的忘我底境地。像这样，艺术底内容，又是一切事物底精髓，是最普遍的，又是最本源的。天才，就不外乎把像这样的普遍的理型画出的。所以所谓画出理型，又是写出各种事物底本性或者本体。

　　各种艺术，在各种不同的程度，写出各种理型。艺术当中，位置在两端的，是建筑和诗。建筑，表现无机界底理型，就是重力，弹力等类。诗，表现人界底理型，就是性格。就中戏剧，是诗底最高形式。音乐，在艺术底阶级，占特殊的位置。可以说是最高艺术——艺术当中底艺术的，是音乐。所有的艺术，是理型底表现，然而音乐，是意志本身底表现。所有的艺术，讲说影像。然而音乐，讲说本质。

　　艺术，是人生底一种救世主。尤其是由音乐，我们能够直接观照宇宙底本体，而且最能够从现世底苦痛解脱。叔本华底艺术观，拿很深的影响，给瓦格涅。而瓦格涅底浪漫的艺术观——音乐观——又拿相当的影响，给他底当代。在叔本华底感化之下，他主张同情，是艺术的天才底根本资格。把人生底苦恼，看作产生艺术底根本动力。

　　然而艺术底解脱，只有在鉴赏底状态之间，因而不过是那个时候底一时的解脱，不是永续的。所以永久的解脱，不可不进入别的境地，这就是道德界。一个人，考察世界底不幸，欲望底无益，和个体的存在底迷妄，也能够脱离他底自利的意志。假如他想到这些事情，而且记忆一切的个体，在本质上，都是一个，都是同一意志底发现。将要对于一切物，感觉同情。将要在别的当中，看见自己，而且感觉别人底悲痛，像自己底悲痛一般。个性是罪恶，因而执着个性，是一切罪恶底根源。然而同情，是破个性底限制，把一切的个人结合做一个。因而同情是道德的行动底唯一根源。这个是道德的方法，然而也只是一时的救济。

　　道德，只叫自己保存，没入人类一体感内，不是努力的意志底一般的否定。因而生活底最高理想，只由完全否定意志，能够到达。基督教和佛教底修行，就是像这样的否定意志底状态。像这样的状态，就是恒久完全的解脱。像这样解脱底人，叫他做圣者。生活意志，在个体保存，种族繁殖和利己心，最显著的发现。所以粗食、纯洁（不接触他性）、清贫，是圣者底三特征。然而什么思虑、分别都没有，只想生活底意志，如何翻然归入像这样的寂静底状态呢？由认识。虽然，那个认识，不是被空间、时间和因果三种形式所束缚的，是脱离那些形式底直观的认识。叔本华叫他做"道德的＝天才的"。一个老者，一个病人，一个死尸，足以叫释迦牟尼底天才，豁然觉悟世界底大苦。进入像这样的觉悟，有两种道路。一种是由道德的天才底直观，突然大悟。一种是苦痛、不幸。无论何人，遭遇大苦痛、难堪的不幸，就觉悟一切生活底空虚。

总之，叔本华，不想说明宇宙底究竟原因，只想理解宇宙底内在的本质。在这个地方，以纯粹的康德派自任。独断的形而上学，求事物底本源。虽然，原因是时间上底系列，不能够适用于超然界。事物底本质，超越知识。他承认埃里亚学派底全一观，和斯宾挪莎底实体观。虽然，许多的泛神论者，想用神就是 X 就是未知，去说明既知。然而他底方法，是经验的归纳的，用既知类推未知。他拿一种经验的形而上学，给予我们。不把事物底本质看作理智，而看作意志，这是他底创见，也是他底功绩。

叔本华底后继者，是哈特曼。他把世界底本质，看作无意识者。绍继他底主意说，然而主张全然反对的乐天观、肯定观的，是尼采。